Johann Wolfgang Goethe

Schriften zur Naturwissenschaft

Auswahl

Herausgegeben von
Michael Böhler

Philipp Reclam jun. Stuttgart

Universal-Bibliothek Nr. 9866 [4]
Alle Rechte vorbehalten. © 1977 Philipp Reclam jun., Stuttgart
Satz: Walter Rost, Stuttgart
Druck und Bindung: Reclam, Ditzingen
Printed in Germany 1982
ISBN 3-15-009866-1

Allerdings

Dem Physiker

»*Ins Innre der Natur —*«
O du Philister! –
»*Dringt kein erschaffner Geist.*«
Mich und Geschwister
Mögt ihr an solches Wort
Nur nicht erinnern:
Wir denken: Ort für Ort
Sind wir im Innern.
»*Glückselig! wem sie nur*
Die äußre Schale weist!«
Das hör ich sechzig Jahre wiederholen,
Ich fluche drauf, aber verstohlen;
Sage mir tausend, tausend Male:
Alles gibt sie reichlich und gern;
Natur hat weder Kern
Noch Schale,
Alles ist sie mit einem Male;
Dich prüfe du nur allermeist,
Ob du Kern oder Schale seist.

A. Zur Natur- und Wissenschaftstheorie

Der Versuch als Vermittler von Objekt und Subjekt

1793

Sobald der Mensch die Gegenstände um sich her gewahr wird, betrachtet er sie in bezug auf sich selbst, und mit Recht. Denn es hängt sein ganzes Schicksal davon ab, ob sie ihm gefallen oder mißfallen, ob sie ihn anziehen oder abstoßen, ob sie ihm nutzen oder schaden. Diese ganz natürliche Art, die Sachen anzusehen und zu beurteilen, scheint so leicht zu sein, als sie notwendig ist, und doch ist der Mensch dabei tausend Irrtümern ausgesetzt, die ihn oft beschämen und ihm das Leben verbittern.

Ein weit schwereres Tagewerk übernehmen diejenigen, deren lebhafter Trieb nach Kenntnis die Gegenstände der Natur an sich selbst und in ihren Verhältnissen untereinander zu beobachten strebt: denn sie vermissen bald den Maßstab, der ihnen zu Hülfe kam, wenn sie als Menschen die Dinge in bezug auf *sich* betrachteten. Es fehlt ihnen der Maßstab des Gefallens und Mißfallens, des Anziehens und Abstoßens, des Nutzens und Schadens; diesem sollen sie ganz entsagen, sie sollen als gleichgültige und gleichsam göttliche Wesen suchen und untersuchen, was ist, und nicht, was behagt. So soll den echten Botaniker weder die Schönheit noch die Nutzbarkeit der Pflanzen rühren, er soll ihre Bildung, ihr Verhältnis zu dem übrigen Pflanzenreiche untersuchen; und wie sie alle von der Sonne hervorgelockt und beschienen werden, so soll er mit einem gleichen ruhigen Blicke sie alle ansehen und übersehen und den Maßstab zu dieser Erkenntnis, die Data der Beurteilung nicht aus sich, sondern aus dem Kreise der Dinge nehmen, die er beobachtet.

Sobald wir einen Gegenstand in Beziehung auf sich selbst und in Verhältnis mit andern betrachten und denselben nicht unmittelbar entweder begehren oder verabscheuen, so werden wir mit einer ruhigen Aufmerksamkeit uns bald von ihm, seinen Teilen, seinen Verhältnissen einen ziemlich deutlichen Begriff machen können. Je weiter wir diese Betrachtungen fortsetzen, je mehr wir Gegenstände untereinander verknüpfen, desto mehr üben wir die Beobachtungsgabe, die in uns ist. Wissen wir in Handlungen diese Erkenntnisse auf uns zu beziehen, so verdienen wir klug genannt zu werden. Für einen jeden wohlorganisierten Menschen, der entweder von Natur mäßig ist oder durch die Umstände mäßig eingeschränkt wird, ist die Klugheit keine schwere Sache: denn das Leben weist uns bei jedem Schritte zurecht. Allein wenn der Beobachter eben diese scharfe Urteilskraft zur Prüfung geheimer Naturverhältnisse anwenden, wenn er in einer Welt, in der er gleichsam allein ist, auf seine eigenen Tritte und Schritte achtgeben, sich vor jeder Übereilung hüten, seinen Zweck stets in Augen haben soll, ohne doch selbst auf dem Wege irgendeinen nützlichen oder schädlichen Umstand unbemerkt vorbeizulassen; wenn er auch da, wo er von niemand so leicht kontrolliert werden kann, sein eigner strengster Beobachter sein und bei seinen eifrigsten Bemühungen immer gegen sich selbst mißtrauisch sein soll: so sieht wohl jeder, wie streng diese Forderungen sind und wie wenig man hoffen kann, sie ganz erfüllt zu sehen, man mag sie nun an andere oder an sich machen. Doch müssen uns diese Schwierigkeiten, ja man darf wohl sagen diese hypothetische Unmöglichkeit, nicht abhalten, das Möglichste zu tun, und wir werden wenigstens am weitsten kommen, wenn wir uns die Mittel im allgemeinen zu vergegenwärtigen suchen, wodurch vorzügliche Menschen die Wissenschaften zu erweitern gewußt haben; wenn wir die Abwege genau bezeichnen, auf welchen sie sich verirrt und auf welchen ihnen manchmal Jahrhunderte eine große Anzahl von Schülern folgten, bis spätere Erfahrungen erst wieder den Beobachter auf den rechten Weg einleiteten.

Daß die Erfahrung wie in allem, was der Mensch unternimmt, so auch in der Naturlehre, von der ich gegenwärtig vorzüglich spreche, den größten Einfluß habe und haben solle, wird niemand leugnen, sowenig als man den Seelenkräften, in welchen diese Erfahrungen aufgefaßt, zusammengenommen, geordnet und ausgebildet werden, ihre hohe und gleichsam schöpferisch unabhängige Kraft absprechen wird. Allein wie diese Erfahrungen zu machen und wie sie zu nutzen, wie unsere Kräfte auszubilden und zu brauchen, das kann weder so allgemein bekannt noch anerkannt sein.

Sobald Menschen von scharfen frischen Sinnen auf Gegenstände aufmerksam gemacht werden, findet man sie zu Beobachtungen so geneigt als geschickt. Ich habe dieses oft bemerken können, seitdem ich die Lehre des Lichts und der Farben mit Eifer behandle und, wie es zu geschehen pflegt, mich auch mit Personen, denen solche Betrachtungen sonst fremd sind, von dem, was mich soeben sehr interessiert, unterhalte. Sobald ihre Aufmerksamkeit nur rege war, bemerkten sie Phänomene, die ich teils nicht gekannt, teils übersehen hatte, und berichtigten dadurch gar oft eine zu voreilig gefaßte Idee, ja gaben mir Anlaß, schnellere Schritte zu tun und aus der Einschränkung herauszutreten, in welcher uns eine mühsame Untersuchung oft gefangenhält.

Es gilt also auch hier, was bei so vielen andern menschlichen Unternehmungen gilt, daß nur das Interesse mehrerer, auf *einen* Punkt gerichtet, etwas Vorzügliches hervorzubringen imstande sei. Hier wird es offenbar, daß der Neid, welcher andere so gern von der Ehre einer Entdeckung ausschließen möchte, daß die unmäßige Begierde, etwas Entdecktes nur nach seiner Art zu behandeln und auszuarbeiten, dem Forscher selbst das größte Hindernis sei.

Ich habe mich bisher bei der Methode, mit mehreren zu arbeiten, zu wohl befunden, als daß ich nicht solche fortsetzen sollte. Ich weiß genau, wem ich dieses und jenes auf

meinem Wege schuldig geworden, und es soll mir eine
Freude sein, es künftig öffentlich bekannt zu machen.

Sind uns nun bloß natürliche aufmerksame Menschen so
viel zu nützen imstande, wie allgemeiner muß der Nutzen
sein, wenn unterrichtete Menschen einander in die Hände
arbeiten! Schon ist eine Wissenschaft an und für sich selbst
eine so große Masse, daß sie viele Menschen trägt, wenn sie
gleich kein Mensch tragen kann. Es läßt sich bemerken, daß
die Kenntnisse, gleichsam wie ein eingeschlossenes, aber lebendiges Wasser, sich nach und nach zu einem gewissen Niveau
erheben, daß die schönsten Entdeckungen nicht sowohl durch
Menschen als durch die Zeit gemacht worden; wie denn eben
sehr wichtige Dinge zu gleicher Zeit von zweien oder wohl
gar mehreren geübten Denkern gemacht worden. Wenn also
wir in jenem ersten Fall der Gesellschaft und den Freunden
so vieles schuldig sind, so werden wir in diesem der Welt
und dem Jahrhundert noch mehr schuldig, und wir können
in beiden Fällen nicht genug anerkennen, wie nötig Mitteilung, Beihülfe, Erinnerung und Widerspruch sei, um uns auf
dem rechten Wege zu erhalten und vorwärts zu bringen.

Man hat daher in wissenschaftlichen Dingen gerade das
Gegenteil von dem zu tun, was der Künstler rätlich findet:
denn *er* tut wohl, sein Kunstwerk nicht öffentlich sehen zu
lassen, bis es vollendet ist, weil ihm nicht leicht jemand
raten noch Beistand leisten kann; ist es hingegen vollendet,
so hat er alsdann den Tadel oder das Lob zu überlegen und
zu beherzigen, solches mit seiner Erfahrung zu vereinigen
und sich dadurch zu einem neuen Werke auszubilden und
vorzubereiten. In wissenschaftlichen Dingen hingegen ist es
schon nützlich, jede einzelne Erfahrung, ja Vermutung öffentlich mitzuteilen; und es ist höchst rätlich, ein wissenschaftliches Gebäude nicht eher aufzuführen, bis der Plan
dazu und die Materialien allgemein bekannt, beurteilt und
ausgewählt sind.

Wenn wir die Erfahrungen, welche vor uns gemacht worden, die wir selbst oder andere zu gleicher Zeit mit uns

machen, vorsätzlich wiederholen und die Phänomene, die
teils zufällig, teils künstlich entstanden sind, wieder darstellen, so nennen wir dieses einen Versuch.

Der Wert eines Versuchs besteht vorzüglich darin, daß er,
er sei nun einfach oder zusammengesetzt, unter gewissen
Bedingungen mit einem bekannten Apparat und mit erfor-
derlicher Geschicklichkeit jederzeit wieder hervorgebracht
werden könne, sooft sich die bedingten Umstände vereinigen lassen. Wir bewundern mit Recht den menschlichen
Verstand, wenn wir auch nur obenhin die Kombinationen
ansehen, die er zu diesem Endzwecke gemacht hat, und die
Maschinen betrachten, die dazu erfunden worden sind und
man darf wohl sagen täglich erfunden werden.

So schätzbar aber auch ein jeder Versuch einzeln betrachtet
sein mag, so erhält er doch nur seinen Wert durch Vereinigung und Verbindung mit andern. Aber eben zwei Versuche, die miteinander einige Ähnlichkeit haben, zu vereinigen und zu verbinden, gehört mehr Strenge und Aufmerksamkeit, als selbst scharfe Beobachter oft von sich gefordert
haben. Es können zwei Phänomene miteinander verwandt
sein, aber doch noch lange nicht so nah, als wir glauben.
Zwei Versuche können scheinen, auseinander zu folgen,
wenn zwischen ihnen noch eine große Reihe stehen müßte,
um sie in eine recht natürliche Verbindung zu bringen.

Man kann sich daher nicht genug in acht nehmen, aus Versuchen nicht zu geschwind zu folgern: denn beim Übergang
von der Erfahrung zum Urteil, von der Erkenntnis zur
Anwendung ist es, wo dem Menschen gleichsam wie an
einem Passe alle seine inneren Feinde auflauern, Einbildungskraft, Ungeduld, Vorschnelligkeit, Selbstzufrieden-
heit, Steifheit, Gedankenform, vorgefaßte Meinung, Bequemlichkeit, Leichtsinn, Veränderlichkeit und wie die ganze
Schar mit ihrem Gefolge heißen mag, alle liegen hier im
Hinterhalte und überwältigen unversehens sowohl den han-
delnden Weltmann als auch den stillen, vor allen Leiden-
schaften gesichert scheinenden Beobachter.

Ich möchte zur Warnung dieser Gefahr, welche größer und näher ist, als man denkt, hier eine Art von Paradoxon aufstellen, um eine lebhaftere Aufmerksamkeit zu erregen. Ich wage nämlich zu behaupten: daß *ein* Versuch, ja mehrere Versuche in Verbindung nichts beweisen, ja daß nichts gefährlicher sei, als irgendeinen Satz unmittelbar durch Versuche bestätigen zu wollen, und daß die größten Irrtümer eben dadurch entstanden sind, daß man die Gefahr und die Unzulänglichkeit dieser Methode nicht eingesehen. Ich muß mich deutlicher erklären, um nicht in den Verdacht zu geraten, als wollte ich nur etwas Sonderbares sagen.

Eine jede Erfahrung, die wir machen, ein jeder Versuch, durch den wir sie wiederholen, ist eigentlich ein isolierter Teil unserer Erkenntnis; durch öftere Wiederholung bringen wir diese isolierte Kenntnis zur Gewißheit. Es können uns zwei Erfahrungen in demselben Fache bekannt werden, sie können nahe verwandt sein, aber noch näher verwandt scheinen, und gewöhnlich sind wir geneigt, sie für näher verwandt zu halten, als sie sind. Es ist dieses der Natur des Menschen gemäß, die Geschichte des menschlichen Verstandes zeigt uns tausend Beispiele, und ich habe an mir selbst bemerkt, daß ich diesen Fehler oft begehe.

Es ist dieser Fehler mit einem andern nahe verwandt, aus dem er auch meistenteils entspringt. Der Mensch erfreut sich nämlich mehr an der Vorstellung als an der Sache, oder wir müssen vielmehr sagen: der Mensch erfreut sich nur einer Sache, insofern er sich dieselbe vorstellt; sie muß in seine Sinnesart passen, und er mag seine Vorstellungsart noch so hoch über die gemeine erheben, noch so sehr reinigen, so bleibt sie doch gewöhnlich nur ein Versuch, viele Gegenstände in ein gewisses faßliches Verhältnis zu bringen, das sie, strenggenommen, untereinander nicht haben; daher die Neigung zu Hypothesen, zu Theorien, Terminologien und Systemen, die wir nicht mißbilligen können, weil sie aus der Organisation unsers Wesens notwendig entspringen.

Wenn von einer Seite eine jede Erfahrung, ein jeder Versuch ihrer Natur nach als isoliert anzusehen sind und von der andern Seite die Kraft des menschlichen Geistes alles, was außer ihr ist und was ihr bekannt wird, mit einer ungeheuren Gewalt zu verbinden strebt: so sieht man die Gefahr nicht ein, welche man läuft, wenn man mit einer gefaßten Idee eine einzelne Erfahrung verbinden oder irgendein Verhältnis, das nicht ganz sinnlich ist, das aber die bildende Kraft des Geistes schon ausgesprochen hat, durch einzelne Versuche beweisen will.

Es entstehen durch eine solche Bemühung meistenteils Theorien und Systeme, die dem Scharfsinn der Verfasser Ehre machen, die aber, wenn sie mehr, als billig ist, Beifall finden, wenn sie sich länger, als recht ist, erhalten, dem Fortschritte des menschlichen Geistes, den sie in gewissem Sinne befördern, sogleich wieder hemmend und schädlich werden.

Man wird bemerken können, daß ein guter Kopf nur desto mehr Kunst anwendet, je weniger Data vor ihm liegen; daß er, gleichsam seine Herrschaft zu zeigen, selbst aus den vorliegenden Datis nur wenige Günstlinge herauswählt, die ihm schmeicheln; daß er die übrigen so zu ordnen versteht, wie sie ihm nicht geradezu widersprechen, und daß er die feindseligen zuletzt so zu verwickeln, zu umspinnen und beiseite zu bringen weiß, daß wirklich nunmehr das Ganze nicht mehr einer frei wirkenden Republik, sondern einem despotischen Hofe ähnlich wird.

Einem Manne, der so viel Verdienst hat, kann es an Verehrern und Schülern nicht fehlen, die ein solches Gewebe historisch kennenlernen und bewundern und, insofern es möglich ist, sich die Vorstellungsart ihres Meisters eigen machen. Oft gewinnt eine solche Lehre dergestalt die Überhand, daß man für frech und verwegen gehalten würde, wenn man an ihr zu zweifeln sich erkühnte. Nur spätere Jahrhunderte würden sich an ein solches Heiligtum wagen, den Gegenstand einer Betrachtung dem gemeinen Menschensinne wieder vindizieren, die Sache etwas leichter nehmen und von dem Stifter einer Sekte das wiederholen, was ein wit-

ziger Kopf von einem großen Naturlehrer sagt: er wäre ein
großer Mann gewesen, wenn er weniger erfunden hätte.

Es möchte aber nicht genug sein, die Gefahr anzuzeigen
und vor derselben zu warnen. Es ist billig, daß man wenigstens seine Meinung eröffne und zu erkennen gebe, wie
man selbst einen solchen Abweg zu vermeiden glaubt oder
ob man gefunden, wie ihn ein anderer vor uns vermieden
habe.

Ich habe vorhin gesagt, daß ich die *unmittelbare* Anwendung eines Versuchs zum Beweis irgendeiner Hypothese für
schädlich halte, und habe dadurch zu erkennen gegeben,
daß ich eine *mittelbare* Anwendung derselben für nützlich
ansehe, und da auf diesen Punkt alles ankommt, so ist es
nötig, sich deutlich zu erklären.

In der lebendigen Natur geschieht nichts, was nicht in einer
Verbindung mit dem Ganzen stehe, und wenn uns die Erfahrungen nur isoliert *erscheinen*, wenn wir die Versuche
nur als isolierte Fakta anzusehen haben, so wird dadurch
nicht gesagt, daß sie isoliert *seien*, es ist nur die Frage: Wie
finden wir die Verbindung dieser Phänomene, dieser Begebenheiten?

Wir haben oben gesehen, daß diejenigen am ersten dem
Irrtume unterworfen waren, welche ein isoliertes Faktum
mit ihrer Denk- und Urteilskraft unmittelbar zu verbinden
suchten. Dagegen werden wir finden, daß diejenigen am
meisten geleistet haben, welche nicht ablassen, alle Seiten
und Modifikationen einer einzigen Erfahrung, eines einzigen Versuches nach aller Möglichkeit durchzuforschen und
durchzuarbeiten.

Da alles in der Natur, besonders aber die allgemeinern
Kräfte und Elemente in einer ewigen Wirkung und Gegenwirkung sind, so kann man von einem jeden Phänomene
sagen, daß es mit unzähligen andern in Verbindung stehe,
wie wir von einem frei schwebenden leuchtenden Punkte
sagen, daß er seine Strahlen nach allen Seiten aussende.
Haben wir also einen solchen Versuch gefaßt, eine solche

Erfahrung gemacht, so können wir nicht sorgfältig genug untersuchen, was *unmittelbar* an ihn grenzt, was *zunächst* auf ihn folgt. Dieses ist's, worauf wir mehr zu sehen haben als auf das, was sich auf ihn *bezieht*. Die *Vermannichfaltigung eines jeden einzelnen Versuches* ist also die eigentliche Pflicht eines Naturforschers. Er hat gerade die umgekehrte Pflicht eines Schriftstellers, der unterhalten will. Dieser wird Langeweile erregen, wenn er nichts zu denken übrigläßt, jener muß rastlos arbeiten, als wenn er seinen Nachfolgern nichts zu tun übriglassen wollte, wenn ihn gleich die Disproportion unseres Verstandes zu der Natur der Dinge zeitig genug erinnert, daß kein Mensch Fähigkeiten genug habe, in irgendeiner Sache abzuschließen.

Ich habe in den zwei ersten Stücken meiner optischen Beiträge eine solche Reihe von Versuchen aufzustellen gesucht, die zunächst aneinander grenzen und sich unmittelbar berühren, ja, wenn man sie alle genau kennt und übersieht, gleichsam nur *einen* Versuch ausmachen, nur *eine* Erfahrung unter den mannichfaltigsten Ansichten darstellen.

Eine solche Erfahrung, die aus mehreren andern besteht, ist offenbar von einer *höhern Art.* Sie stellt die Formel vor, unter welcher unzählige einzelne Rechnungsexempel ausgedrückt werden. Auf solche Erfahrungen der höhern Art loszuarbeiten halt ich für höchste Pflicht des Naturforschers, und dahin weist uns das Exempel der vorzüglichsten Männer, die in diesem Fache gearbeitet haben.

Diese Bedächtlichkeit, nur das Nächste ans Nächste zu reihen, oder vielmehr das Nächste aus dem Nächsten zu folgern, haben wir von den Mathematikern zu lernen, und selbst da, wo wir uns keiner Rechnung bedienen, müssen wir immer so zu Werke gehen, als wenn wir dem strengsten Geometer Rechenschaft zu geben schuldig wären.

Denn eigentlich ist es die mathematische Methode, welche wegen ihrer Bedächtlichkeit und Reinheit gleich jeden Sprung in der Assertion offenbart, und ihre Beweise sind eigentlich nur umständliche Ausführungen, daß dasjenige, was in Verbindung vorgebracht wird, schon in seinen einfachen Teilen und in seiner ganzen Folge dagewesen, in seinem ganzen Umfange übersehen und unter allen Bedingungen richtig und unumstößlich erfunden worden. Und so sind ihre Demonstrationen immer mehr *Darlegungen*, *Rekapitulationen* als *Argumente*. Da ich diesen Unterschied hier mache, so sei es mir erlaubt, einen Rückblick zu tun.

Man sieht den großen Unterschied zwischen einer mathematischen Demonstration, welche die ersten Elemente durch so viele Verbindungen durchführt, und zwischen dem Beweise, den ein kluger Redner aus Argumenten führen könnte. Argumente können ganz isolierte Verhältnisse enthalten und dennoch durch Witz und Einbildungskraft auf *einen* Punkt zusammengeführt und der Schein eines Rechts oder Unrechts, eines Wahren oder Falschen überraschend genug hervorgebracht werden. Ebenso kann man, zugunsten einer Hypothese oder Theorie, die einzelnen Versuche gleich Argumenten zusammenstellen und einen Beweis führen, der mehr oder weniger blendet.

Wem es dagegen zu tun ist, mit sich selbst und andern redlich zu Werke zu gehen, der wird auf das sorgfältigste die einzelnen Versuche durcharbeiten und so die Erfahrungen der höheren Art auszubilden suchen. Diese lassen sich durch kurze und faßliche Sätze aussprechen, nebeneinander stellen, und wie sie nach und nach ausgebildet worden, können sie geordnet und in ein solches Verhältnis gebracht werden, daß sie so gut als mathematische Sätze entweder einzeln oder zusammengenommen unerschütterlich stehen.

Die *Elemente* dieser Erfahrungen der höheren Art, welches viele einzelne Versuche sind, können alsdann von jedem untersucht und geprüft werden, und es ist nicht schwer zu beurteilen, ob die vielen einzelnen Teile durch einen allgemeinen Satz ausgesprochen werden können, denn hier findet keine Willkür statt.

Bei der andern Methode aber, wo wir irgend etwas, das wir behaupten, durch *isolierte Versuche* gleichsam als durch

Argumente beweisen wollen, wird das Urteil öfters nur *erschlichen*, wenn es nicht gar in Zweifel stehenbleibt. Hat man aber eine Reihe Erfahrungen der höheren Art zusammengebracht, so übe sich alsdann der Verstand, die Einbildungskraft, der Witz an denselben, wie sie nur mögen, es wird nicht schädlich, ja es wird nützlich sein. Jene erste Arbeit kann nicht sorgfältig, emsig, streng, ja pedantisch genug vorgenommen werden; denn sie wird für Welt und Nachwelt unternommen. Aber diese Materialien müssen in Reihen geordnet und niedergelegt sein, nicht auf eine hypothetische Weise zusammengestellt, nicht zu einer systematischen Form verwendet. Es steht alsdann einem jeden frei, sie nach seiner Art zu verbinden und ein Ganzes daraus zu bilden, das der menschlichen Vorstellungsart überhaupt mehr oder weniger bequem und angenehm sei. Auf diese Weise wird unterschieden, was zu unterscheiden ist, und man kann die Sammlung von Erfahrungen viel schneller und reiner vermehren, als wenn man die späteren Versuche, wie Steine, die nach einem geendigten Bau herbeigeschafft werden, unbenutzt beiseite legen muß.

Die Meinung der vorzüglichsten Männer und ihr Beispiel läßt mich hoffen, daß ich auf dem rechten Wege sei, und ich wünsche, daß mit dieser Erklärung meine Freunde zufrieden sein mögen, die mich manchmal fragen, was denn eigentlich bei meinen optischen Bemühungen meine Absicht sei. Meine Absicht ist: alle Erfahrungen in diesem Fache zu sammeln, alle Versuche selbst anzustellen und sie durch ihre größte Mannichfaltigkeit durchzuführen, wodurch sie denn auch leicht nachzumachen und nicht aus dem Gesichtskreise so vieler Menschen hinausgerückt sind. Sodann die Sätze, in welchen sich die Erfahrungen von der höheren Gattung aussprechen lassen, aufzustellen und abzuwarten, inwiefern sich auch diese unter ein höheres Prinzip rangieren. Sollte indes die Einbildungskraft und der Witz ungeduldig manchmal vorauseilen, so gibt die Verfahrungsart selbst die Richtung des Punktes an, wohin sie wieder zurückzukehren haben.

Inwiefern die Idee: Schönheit sei Vollkommenheit mit Freiheit, auf organische Naturen angewendet werden könne

Ein organisches Wesen ist so vielseitig an seinem Äußern, in seinem Innern so mannichfaltig und unerschöpflich, daß man nicht genug Standpunkte wählen kann, es zu beschauen, nicht genug Organe an sich selbst ausbilden kann, um es zu zergliedern, ohne es zu töten. Ich versuche die Idee: Schönheit sei Vollkommenheit mit Freiheit, auf organische Naturen anzuwenden.

Die Glieder aller Geschöpfe sind so gebildet, daß sie ihres Daseins genießen, dasselbe erhalten und fortpflanzen können, und in diesem Sinn ist alles Lebendige vollkommen zu nennen. Diesmal wende ich mich sogleich zu den sogenannten vollkommnern Tieren.

Wenn die Gliedmaßen des Tiers dergestalt gebildet sind, daß dieses Geschöpf nur auf eine sehr beschränkte Weise sein Dasein äußern kann, so werden wir dieses Tier häßlich finden: denn durch die Beschränktheit der organischen Natur auf *einen* Zweck wird das Übergewicht eines und des andern Glieds bewirkt, so daß dadurch der willkürliche Gebrauch der übrigen Glieder gehindert werden muß.

Indem ich dieses Tier betrachte, wird meine Aufmerksamkeit auf jene Teile gerichtet, die ein Übergewicht über die übrigen haben, und das Geschöpf kann, da es keine Harmonie hat, mir keinen harmonischen Eindruck geben. So wäre der Maulwurf vollkommen, aber häßlich, weil seine Gestalt ihm nur wenige und beschränkte Handlungen erlaubt und das Übergewicht gewisser Teile ihn ganz unförmlich macht.

Damit also ein Tier nur die notwendigen beschränkten Bedürfnisse ungehindert befriedigen könne, muß es schon vollkommen organisiert sein; allein wenn ihm neben der Befriedigung des Bedürfnisses noch so viel Kraft und Fähigkeit bleibt, willkürliche, gewissermaßen zwecklose Handlungen zu unternehmen, so wird es uns auch äußerlich den Begriff von Schönheit geben.

Wenn ich also sage, dies Tier ist schön, so würde ich mich vergebens bemühen, diese Behauptung durch irgendeine Proportion von Zahl oder Maß beweisen zu wollen. Ich sage vielmehr nur so viel damit: An diesem Tiere stehen die Glieder alle in einem solchen Verhältnis, daß keins das andere an seiner Wirkung hindert, ja daß vielmehr durch ein vollkommenes Gleichgewicht derselbigen Notwendigkeit und Bedürfnis versteckt, vor meinen Augen gänzlich verborgen worden, so daß das Tier nur nach freier Willkür zu handeln und zu wirken scheint. Man erinnere sich eines Pferdes, das man in Freiheit seiner Glieder gebrauchen sehen.

Rücken wir nun zu dem Menschen herauf, so finden wir ihn zuletzt von den Fesseln der Tierheit beinahe entbunden, seine Glieder in einer zarten Sub- und Koordination und mehr als die Glieder irgendeines andern Tieres dem Wollen unterworfen und nicht allein zu allen Arten von Verrichtungen, sondern auch zum geistigen Ausdruck geschickt. Ich tue hier nur einen Blick auf die Gebärdensprache, die bei wohlerzogenen Menschen unterdrückt wird und die nach meiner Meinung den Menschen so gut als die Wortsprache über das Tier erhebt.

Um sich auf diesem Wege den Begriff eines schönen Menschen auszubilden, müssen unzählige Verhältnisse in Betrachtung genommen werden, und es ist freilich ein großer Weg zu machen, bis der hohe Begriff von Freiheit der menschlichen Vollkommenheit, auch im Sinnlichen, die Krone aufsetzen kann.

Ich muß noch eins hierbei bemerken. Wir nennen ein Tier schön, wenn es uns den Begriff gibt, daß es seine Glieder nach Willkür brauchen *könne*, sobald es sie wirklich nach Willkür gebraucht, wird die Idee des Schönen sogleich durch die Empfindung des Artigen, Angenehmen, Leichten,

Prächtigen pp verschlungen. Man sieht also, daß bei der Schönheit *Ruhe* mit *Kraft*, *Untätigkeit* mit *Vermögen* eigentlich in Anschlag komme.

Ist bei einem Körper oder bei einem Gliede desselben der Gedanke von Kraftäußerung zu nahe mit dem Dasein verknüpft, so scheint der Genius des Schönen uns sogleich zu entfliehen, daher bildeten die Alten selbst ihre Löwen in dem höchsten Grade von Ruhe und Gleichgiltigkeit, um unser Gefühl, mit dem wir Schönheit umfassen, auch hier anzulocken.

Ich möchte also wohl sagen: Schön nennen wir ein vollkommen organisiertes Wesen, wenn wir uns bei seinem Anblicke denken können, *daß ihm ein mannichfaltiger freier Gebrauch aller seiner Glieder möglich sei, sobald es wolle*, das höchste Gefühl der Schönheit ist daher mit dem Gefühl von Zutraun und Hoffnung verknüpft.

Mich sollte dünken, daß ein Versuch über die tierische und menschliche Gestalt auf diesem Wege schöne Ansichten gewähren und interessante Verhältnisse darstellen müsse.

Besonders würde, wie schon oben gedacht, der Begriff von Proportion, den wir immer nur durch Zahl und Maß auszudrücken glauben, dadurch in geistigern Formeln aufgestellt werden, und es ist zu hoffen, daß diese geistigen Formeln zuletzt mit dem Verfahren der größten Künstler zusammentreffen, deren Werke uns übriggeblieben sind, und zugleich die schönen Naturprodukte umschließen werden, die sich von Zeit zu Zeit lebendig bei uns sehen lassen.

Höchst interessant wird alsdann die Betrachtung sein, wie man Charaktere hervorbringen könne, ohne aus dem Kreise der Schönheit zu gehen, wie man Beschränkung und Determination aufs besondere, ohne der Freiheit zu schaden, könne erscheinen lassen.

Eine solche Behandlung müßte, um sich von andern zu unterscheiden und als Vorarbeit für künftige Freunde der Natur und Kunst einen wahren Nutzen zu haben, einen anatomischen physiologischen Grund haben; allein zur Darstellung eines so mannichfaltigen und so wunderbaren Ganzen hält es sehr schwer, sich die Möglichkeit der Form eines angemessenen Vortrags zu denken.

Bedenken und Ergebung

Wir können bei Betrachtung des Weltgebäudes, in seiner weitesten Ausdehnung, in seiner letzten Teilbarkeit, uns der Vorstellung nicht erwehren, daß dem Ganzen eine Idee zum Grunde liege, wornach Gott in der Natur, die Natur in Gott, von Ewigkeit zu Ewigkeit schaffen und wirken möge. Anschauung, Betrachtung, Nachdenken führen uns näher an jene Geheimnisse. Wir erdreisten uns und wagen auch Ideen; wir bescheiden uns und bilden Begriffe, die analog jenen Uranfängen sein möchten.

Hier treffen wir nun auf die eigene Schwierigkeit, die nicht immer klar ins Bewußtsein tritt, daß zwischen Idee und Erfahrung eine gewisse Kluft befestigt scheint, die zu überschreiten unsere ganze Kraft sich vergeblich bemüht. Demohngeachtet bleibt unser ewiges Bestreben, diesen Hiatus mit Vernunft, Verstand, Einbildungskraft, Glauben, Gefühl, Wahn und, wenn wir sonst nichts vermögen, mit Albernheit zu überwinden.

Endlich finden wir, bei redlich fortgesetzten Bemühungen, daß der Philosoph wohl möchte recht haben, welcher behauptet, daß keine Idee der Erfahrung völlig kongruiere, aber wohl zugibt, daß Idee und Erfahrung analog sein können, ja müssen.

Die Schwierigkeit, Idee und Erfahrung miteinander zu verbinden, erscheint sehr hinderlich bei aller Naturforschung: die Idee ist unabhängig von Raum und Zeit, die Naturforschung ist in Raum und Zeit beschränkt; daher ist in der Idee Simultanes und Sukzessives innigst verbunden, auf dem Standpunkt der Erfahrung hingegen immer getrennt,

und eine Naturwirkung, die wir der Idee gemäß als simul-
tan und sukzessiv zugleich denken sollen, scheint uns in
eine Art Wahnsinn zu versetzen. Der Verstand kann nicht
vereinigt denken, was die Sinnlichkeit ihm gesondert überlieferte, und so bleibt der Widerstreit zwischen Aufgefaß-
tem und Ideiertem immerfort unaufgelöst.

Deshalb wir uns denn billig zu einiger Befriedigung in die
Sphäre der Dichtkunst flüchten und ein altes Liedchen mit
einiger Abwechselung erneuern:

So schauet mit bescheidnem Blick
Der ewigen Weberin Meisterstück,
Wie ein Tritt tausend Fäden regt,
Die Schifflein hinüber-, herüberschießen,
Die Fäden sich begegnend fließen,
Ein Schlag tausend Verbindungen schlägt.
Das hat sie nicht zusammen gebettelt,
Sie hat's von Ewigkeit angezettelt;
Damit der ewige Meistermann
Getrost den Einschlag werfen kann.

Analyse und Synthese

Herr Victor Cousin, in der dritten diesjährigen Vorlesung
über die Geschichte der Philosophie, rühmt das achtzehnte
Jahrhundert vorzüglich deshalb, daß es sich in Behandlung
der Wissenschaften besonders der Analyse ergeben und sich
vor übereilter Synthese, d. h. vor Hypothesen in acht genommen; jedoch, nachdem er dieses Verfahren fast ausschließlich gebilligt, bemerkt er noch zuletzt: daß man die
Synthese nicht durchaus zu versäumen, sondern sich von
Zeit zu Zeit mit Vorsicht wieder zu derselben zu wenden
habe.

Bei Betrachtung dieser Äußerungen kam uns zuvörderst in

den Sinn, daß selbst in dieser Hinsicht dem neunzehnten Jahrhundert noch Bedeutendes übriggeblieben; denn es haben die Freunde und Bekenner der Wissenschaften aufs genaueste zu beachten, daß man versäumt, die falschen Synthesen, d. h. also die Hypothesen, die uns überliefert worden, zu prüfen, zu entwickeln, ins Klare zu setzen und den Geist in seine alten Rechte, *sich unmittelbar gegen die Natur zu stellen,* wiedereinzusetzen.

Hier wollen wir zwei solcher falschen Synthesen namhaft machen: die *Dekomposition des Lichtes* nämlich und die *Polarisation desselben.* Beides sind hohle Worte, die dem Denkenden gar nichts sagen und die doch so oft von wissenschaftlichen Männern wiederholt werden.

Es ist nicht genug, daß wir bei Beobachtung der Natur das analytische Verfahren anwenden, d. h. daß wir aus einem irgend gegebenen Gegenstande so viel Einzelheiten als möglich entwickeln und sie auf diese Weise kennenlernen, sondern wir haben auch eben diese Analyse auf die vorhandenen Synthesen anzuwenden, um zu erforschen, ob man denn auch richtig, ob man der wahren Methode gemäß zu Werke gegangen.

Wir haben deshalb das Verfahren Newtons umständlich auseinandergesetzt. Er begeht den Fehler, ein einziges und noch dazu verkünsteltes Phänomen zum Grunde zu legen, auf dasselbe eine Hypothese zu bauen und aus dieser die mannichfaltigsten grenzenlosesten Erscheinungen erklären zu wollen.

Wir haben uns bei der Farbenlehre des analytischen Verfahrens bedient und möglichst alle Erscheinungen, wie sie nur bekannt sind, in einer gewissen Folge dargestellt, um zu versuchen, inwiefern hier ein Allgemeines zu finden sei, unter welches sie sich allenfalls unterordnen ließen, und glauben also, jener Pflicht des neunzehnten Jahrhunderts vorgearbeitet zu haben.

Ein Gleiches taten wir, um jene Phänomene sämtlich darzustellen, welche sich bei verdoppelter Spiegelung ereignen.

Beides überlassen wir einer näheren oder entfernteren Zukunft, mit dem Bewußtsein, jene Untersuchungen wieder an die Natur zurückgewiesen und ihnen die wahre Freiheit wiedergegeben zu haben.

Wir wenden uns zu einer andern allgemeineren Betrachtung: Ein Jahrhundert, das sich bloß auf die Analyse verlegt und sich vor der Synthese gleichsam fürchtet, ist nicht auf dem rechten Wege; denn nur beide zusammen, wie Aus- und Einatmen, machen das Leben der Wissenschaft.
Eine falsche Hypothese ist besser als gar keine; denn daß sie falsch ist, ist gar kein Schade, aber wenn sie sich befestigt, wenn sie allgemein angenommen, zu einer Art von Glaubensbekenntnis wird, woran niemand zweifeln, welches niemand untersuchen darf, dies ist eigentlich das Unheil, woran Jahrhunderte leiden.
Die Newtonsche Lehre mochte vorgetragen werden; schon zu seiner Zeit wurden die Mängel derselben ihr entgegengesetzt; aber die übrigen großen Verdienste des Mannes, seine Stellung in der bürgerlichen und gelehrten Welt ließen den Widerspruch nicht aufkommen. Besonders aber haben die Franzosen die größte Schuld an der Verbreitung und Verknöcherung dieser Lehre. Diese sollten also im neunzehnten Jahrhundert, um jenen Fehler wiedergutzumachen, eine frische Analyse jener verwickelten und erstarrten Hypothese begünstigen.

Die Hauptsache, woran man bei ausschließlicher Anwendung der Analyse nicht zu denken scheint, ist, daß jede Analyse eine Synthese voraussetzt. Ein Sandhaufen läßt sich nicht analysieren; bestünd' er aber aus verschiedenen Teilen, man setze Sand und Gold, so ist das Waschen eine Analyse, wo das Leichte weggeschwemmt und das Schwere zurückgehalten wird.
So beruht die neuere Chemie hauptsächlich darauf, das zu trennen, was die Natur vereinigt hatte; wir heben die Syn-

these der Natur auf, um sie in getrennten Elementen kennenzulernen.

Was ist eine höhere Synthese als ein lebendiges Wesen; und was haben wir uns mit Anatomie, Physiologie und Psychologie zu quälen, als um uns von dem Komplex nur einigermaßen einen Begriff zu machen, welcher sich immerfort herstellt, wir mögen ihn in noch so viele Teile zerfleischt haben.

Eine große Gefahr, in welche der Analytiker gerät, ist deshalb die: *wenn er seine Methode da anwendet, wo keine Synthese zugrunde liegt.* Dann ist seine Arbeit ganz eigentlich ein Bemühen der Danaiden; und wir sehen hiervon die traurigsten Beispiele. Denn im Grunde treibt er doch eigentlich sein Geschäft, um zuletzt wieder zur Synthese zu gelangen. Liegt aber bei dem Gegenstand, den er behandelt, keine zum Grunde, so bemüht er sich vergebens, sie zu entdecken. Alle Beobachtungen werden ihm immer nur hinderlich, je mehr sich ihre Zahl vermehrt.

Vor allem also sollte der Analytiker untersuchen oder vielmehr sein Augenmerk dahin richten, ob er denn wirklich mit einer geheimnisvollen Synthese zu tun habe oder ob das, womit er sich beschäftigt, nur eine Aggregation sei, ein Nebeneinander, ein Miteinander, oder wie das alles modifiziert werden könnte. Einen Argwohn dieser Art geben diejenigen Kapitel des Wissens, mit denen es nicht vorwärts will. In diesem Sinne könnte man über Geologie und Meteorologie gar fruchtbare Betrachtungen anstellen.

[Polarität]

Zwei Forderungen entstehn in uns bei Betrachtung der Naturerscheinungen: die Erscheinungen selbst vollständig kennen zu lernen, und uns dieselben durch Nachdenken anzu-

eignen. Zur Vollständigkeit führt die Ordnung, die Ordnung fordert Methode, und die Methode erleichtert die
Vorstellungen. Wenn wir einen Gegenstand in allen seinen
Teilen übersehen, recht fassen und ihn im Geiste wieder
hervorbringen können; so dürfen wir sagen, daß wir ihn
im eigentlichen und im höhern Sinne anschauen, daß er uns
angehöre, daß wir darüber eine gewisse Herrschaft erlangen. Und so führt uns das Besondere immer zum Allgemeinen, das Allgemeine zum Besondern. Beide wirken bei jeder
Betrachtung, bei jedem Vortrag durcheinander.
Einiges Allgemeine gehe hier voraus.

Dualität der Erscheinung als Gegensatz:
  Wir und die Gegenstände,
  Licht und Finsternis,
  Leib und Seele,
  Zwei Seelen,
  Geist und Materie,
  Gott und die Welt,
  Gedanke und Ausdehnung,
  Ideales und Reales,
  Sinnlichkeit und Vernunft,
  Phantasie und Verstand,
  Sein und Sehnsucht.

  Zwei Körperhälften,
  Rechts und links,
  Atemholen,
    Physische Erfahrung:
  Magnet.

Unsere Vorfahren bewunderten die Sparsamkeit der Natur.
Man dachte sie als eine verständige Person, die, indessen
andere mit vielem wenig hervorbringen, mit wenigem viel
zu leisten geneigt ist. Wir bewundern mehr, wenn wir uns
auch auf menschliche Weise ausdrücken, ihre Gewandtheit,

wodurch sie, obgleich auf wenige Grundmaximen eingeschränkt, das Mannichfaltigste hervorzubringen weiß.
Sie bedient sich hierzu des Lebensprinzips, welches die
Möglichkeit enthält, die einfachsten Anfänge der Erscheinungen durch Steigerung ins Unendliche und Unähnlichste
zu vermannichfaltigen.

Was in die Erscheinung tritt, muß sich trennen, um nur zu
erscheinen. Das Getrennte sucht sich wieder, und es kann
sich wiederfinden und vereinigen; im niedern Sinne, indem
es sich nur mit seinem Entgegengestellten vermischt, mit
demselben zusammentritt, wobei die Erscheinung Null oder
wenigstens gleichgültig wird. Die Vereinigung kann aber
auch im höhern Sinne geschehen, indem das Getrennte sich
zuerst steigert und durch die Verbindung der gesteigerten
Seiten ein Drittes, Neues, Höheres, Unerwartetes hervorbringt.

[Studie nach Spinoza]

Der Begriff vom Dasein und der Vollkommenheit ist ein
und eben derselbe; wenn wir diesen Begriff so weit verfolgen, als es uns möglich ist, so sagen wir, daß wir uns das
Unendliche denken.

Das Unendliche aber oder die vollständige Existenz kann
von uns nicht gedacht werden.

Wir können nur Dinge denken, die entweder beschränkt
sind oder die sich unsre Seele beschränkt. Wir haben also
insofern einen Begriff vom Unendlichen, als wir uns denken können, daß es eine vollständige Existenz gebe, welche
außer der Fassungskraft eines beschränkten Geistes sind.

Man kann nicht sagen, daß das Unendliche Teile habe.

Alle beschränkte Existenzen sind im Unendlichen, sind aber
keine Teile des Unendlichen, sie nehmen vielmehr teil an
der Unendlichkeit.

Wir können uns nicht denken, daß etwas Beschränktes durch sich selbst existiere, und doch existiert alles wirklich durch sich selbst, obgleich die Zustände so verkettet sind, daß einer aus den andern sich entwickeln muß und es also scheint, daß ein Ding vom andern hervorgebracht werde, welches aber nicht ist; sondern ein lebendiges Wesen gibt dem andern Anlaß zu sein und nötigt es, in einem bestimmten Zustand zu existieren.

Jedes existierende Ding hat also sein Dasein in sich, und so auch die Übereinstimmung, nach der es existiert.

Das Messen eines Dings ist eine grobe Handlung, die auf lebendige Körper nicht anders als höchst unvollkommen angewendet werden kann.

Ein lebendig existierendes Ding kann durch nichts gemessen werden, was außer ihm ist, sondern wenn es ja geschehen sollte, müßte es den Maßstab selbst dazu hergeben; dieser aber ist höchst geistig und kann durch die Sinne nicht gefunden werden; schon beim Zirkel läßt sich das Maß des Diameters nicht auf die Peripherie anwenden. So hat man den Menschen mechanisch messen wollen, die Maler haben den Kopf als den vornehmsten Teil zu der Einheit des Maßes genommen, es läßt sich aber doch dasselbe nicht ohne sehr kleine und unaussprechliche Brüche auf die übrigen Glieder anwenden.

In jedem lebendigen Wesen sind das, was wir Teile nennen, dergestalt unzertrennlich vom Ganzen, daß sie nur in und mit denselben begriffen werden können, und es können weder die Teile zum Maß des Ganzen noch das Ganze zum Maß der Teile angewendet werden, und so nimmt, wie wir oben gesagt haben, ein eingeschränktes lebendiges Wesen teil an der Unendlichkeit, oder vielmehr es hat etwas Unendliches in sich, wenn wir nicht lieber sagen wollen, daß wir den Begriff der Existenz und der Vollkommenheit des eingeschränktesten lebendigen Wesens nicht ganz fassen können, und es also ebenso wie das ungeheure Ganze, in dem alle Existenzen begriffen sind, für unendlich erklären müssen.

Der Dinge, die wir gewahr werden, ist eine ungeheure Menge, die Verhältnisse derselben, die unsre Seele ergreifen kann, sind äußerst mannichfaltig. Seelen, die eine innre Kraft haben, sich auszubreiten, fangen an zu ordnen, um sich die Erkenntnis zu erleichtern, fangen an zu fügen und zu verbinden, um zum Genuß zu gelangen.

Wir müssen also alle Existenz und Vollkommenheit in unsere Seele dergestalt beschränken, daß sie unsrer Natur und unsrer Art zu denken und zu empfinden angemessen werden; dann sagen wir erst, daß wir eine Sache begreifen oder sie genießen.

Wird die Seele ein Verhältnis gleichsam im Keime gewahr, dessen Harmonie, wenn sie ganz entwickelt wäre, sie nicht ganz auf einmal überschauen oder empfinden könnte, so nennen wir diesen Eindruck erhaben, und es ist der herrlichste, der einer menschlichen Seele zuteil werden kann.

Wenn wir ein Verhältnis erblicken, welches in seiner ganzen Entfaltung zu überschauen oder zu ergreifen das Maß unsrer Seele eben hinreicht, dann nennen wir den Eindruck groß.

Wir haben oben gesagt, daß alle lebendig existierende Dinge ihr Verhältnis in sich haben, den Eindruck also, den sie sowohl einzeln als in Verbindung mit andern auf uns machen, wenn er nur aus ihrem vollständigen Dasein entspringt, nennen wir wahr, und wenn dieses Dasein teils auf eine solche Weise beschränkt ist, daß wir es leicht fassen können, und in einem solchen Verhältnis zu unsrer Natur stehet, daß wir es gern ergreifen mögen, nennen wir den Gegenstand schön.

Ein Gleiches geschieht, wenn sich Menschen nach ihrer Fähigkeit ein Ganzes, es sei so reich oder arm, als es wolle, von dem Zusammenhange der Dinge gebildet und nunmehr den Kreis zugeschlossen haben. Sie werden dasjenige, was sie am bequemsten denken, worin sie einen Genuß finden können, für das Gewisseste und Sicherste halten, ja man wird meistenteils bemerken, daß sie andere, welche sich nicht so leicht beruhigen und mehr Verhältnisse göttlicher und menschlicher Dinge aufzusuchen und zu erkennen streben, mit einem zufriedenen Mitleid ansehen und bei jeder Gelegenheit bescheiden trotzig merken lassen, daß sie im Wahren eine Sicherheit gefunden, welche über allen Beweis und Verstand erhaben sei. Sie können nicht genug ihre innere beneidenswerte Ruhe und Freude rühmen und diese Glückseligkeit einem jeden als das letzte Ziel andeuten. Da sie aber weder klar zu entdecken imstande sind, auf welchem Weg sie zu dieser Überzeugung gelangen, noch was eigentlich der Grund derselbigen sei, sondern bloß von Gewißheit als Gewißheit sprechen, so bleibt auch dem Lehrbegierigen wenig Trost bei ihnen, indem er immer hören muß, das Gemüt müsse immer einfältiger und einfältiger werden, sich nur auf einen Punkt hinrichten, sich aller mannichfaltigen verwirrenden Verhältnisse entschlagen, und nur alsdenn könne man aber auch um desto sicherer in einem Zustande sein Glück finden, der ein freiwilliges Geschenk und eine besondere Gabe Gottes sei.

Nun möchten wir zwar nach unsrer Art zu denken diese Beschränkung keine Gabe nennen, weil ein Mangel nicht als eine Gabe angesehen werden kann, wohl aber möchten wir es als eine Gnade der Natur ansehen, daß sie, da der Mensch nur meist zu unvollständigen Begriffen zu gelangen imstande ist, sie ihn doch mit einer solchen Zufriedenheit in seiner Enge versorgt hat.

Die Natur

Fragment

Natur! Wir sind von ihr umgeben und umschlungen – unvermögend, aus ihr herauszutreten, und unvermögend, tiefer in sie hineinzukommen. Ungebeten und ungewarnt nimmt sie uns in den Kreislauf ihres Tanzes auf und treibt sich mit uns fort, bis wir ermüdet sind und ihrem Arme entfallen.

Sie schafft ewig neue Gestalten; was da ist, war noch nie, was war, kommt nicht wieder – alles ist neu, und doch immer das Alte.

Wir leben mitten in ihr, und sind ihr fremde. Sie spricht unaufhörlich mit uns, und verrät uns ihr Geheimnis nicht. Wir wirken beständig auf sie, und haben doch keine Gewalt über sie.

Sie scheint alles auf Individualität angelegt zu haben, und macht sich nichts aus den Individuen. Sie baut immer und zerstört immer, und ihre Werkstätte ist unzugänglich.

Sie lebt in lauter Kindern, und die Mutter, wo ist sie? – Sie ist die einzige Künstlerin: aus dem simpelsten Stoff zu den größten Kontrasten; ohne Schein der Anstrengung zu der größten Vollendung – zur genausten Bestimmtheit, immer mit etwas Weichem überzogen. Jedes ihrer Werke hat ein eigenes Wesen, jede ihrer Erscheinungen den isoliertesten Begriff, und doch macht alles *eins* aus.

Sie spielt ein Schauspiel: ob sie es selbst sieht, wissen wir nicht, und doch spielt sie's für uns, die wir in der Ecke stehen.

Es ist ein ewiges Leben, Werden und Bewegen in ihr, und doch rückt sie nicht weiter. Sie verwandelt sich ewig, und ist kein Moment Stillestehen in ihr. Fürs Bleiben hat sie keinen Begriff, und ihren Fluch hat sie ans Stillestehen gehängt. Sie ist fest. Ihr Tritt ist gemessen, ihre Ausnahmen selten, ihre Gesetze unwandelbar.

Gedacht hat sie und sinnt beständig; aber nicht als ein Mensch, sondern als Natur. Sie hat sich einen eigenen allumfassenden Sinn vorbehalten, den ihr niemand abmerken kann.

Die Menschen sind alle in ihr und sie in allen. Mit allen treibt sie ein freundliches Spiel und freut sich, je mehr man ihr abgewinnt. Sie treibt's mit vielen so im verborgenen, daß sie's zu Ende spielt, ehe sie's merken.

Auch das Unnatürlichste ist Natur, *auch die plumpste Phi-
listerei hat etwas von ihrem Genie.* Wer sie nicht allent-
halben sieht, sieht sie nirgendwo recht.

Sie liebt sich selber und haftet ewig mit Augen und Herzen
ohne Zahl an sich selbst. Sie hat sich auseinandergesetzt, um
sich selbst zu genießen. Immer läßt sie neue Genießer er-
wachsen, unersättlich, sich mitzuteilen.

Sie freut sich an der Illusion. Wer diese in sich und andern
zerstört, den straft sie als der strengste Tyrann. Wer ihr
zutraulich folgt, den drückt sie wie ein Kind an ihr Herz.

Ihre Kinder sind ohne Zahl. Keinem ist sie überall karg,
aber sie hat Lieblinge, an die sie viel verschwendet und
denen sie viel aufopfert. Ans Große hat sie ihren Schutz
geknüpft.

Sie spritzt ihre Geschöpfe aus dem Nichts hervor und sagt
ihnen nicht, woher sie kommen und wohin sie gehen. Sie
sollen nur laufen; die Bahn kennt *sie.*

Sie hat wenige Triebfedern, aber nie abgenutzte, immer
wirksam, immer mannichfaltig.

Ihr Schauspiel ist immer neu, weil sie immer neue Zu-
schauer schafft. Leben ist ihre schönste Erfindung, und der
Tod ist ihr Kunstgriff, viel Leben zu haben.

Sie hüllt den Menschen in Dumpfheit ein, und spornt ihn
ewig zum Lichte. Sie macht ihn abhängig zur Erde, träg
und schwer, und schüttelt ihn immer wieder auf.

Sie gibt Bedürfnisse, weil sie Bewegung liebt. Wunder, daß
sie alle diese Bewegung mit so wenigem erreicht. Jedes Bedürfnis ist Wohltat; schnell befriedigt, schnell wieder er-
wachsend. Gibt sie eins mehr, so ist's ein neuer Quell der
Lust; aber sie kommt bald ins Gleichgewicht.

Sie setzt alle Augenblicke zum längsten Lauf an, und ist
alle Augenblicke am Ziele.

Sie ist die Eitelkeit selbst, aber nicht für uns, denen sie sich
zur größten Wichtigkeit gemacht hat.

Sie läßt jedes Kind an sich künsteln, jeden Toren über sich
richten, Tausende stumpf über sich hingehen und nichts

sehen, und hat an allen ihre Freude und findet bei allen
ihre Rechnung.

Man gehorcht ihren Gesetzen, auch wenn man ihnen widerstrebt; man wirkt *mit* ihr, auch wenn man *gegen* sie wirken
will.

Sie macht alles, was sie gibt, zur Wohltat, denn sie macht
es erst unentbehrlich. Sie säumet, daß man sie verlange; sie
eilet, daß man sie nicht satt werde.

Sie hat keine Sprache noch Rede, aber sie schafft Zungen
und Herzen, durch die sie fühlt und spricht.

Ihre Krone ist die Liebe. Nur durch sie kommt man ihr
nahe. Sie macht Klüfte zwischen allen Wesen, und alles will
sich verschlingen. Sie hat alles isoliert, um alles zusammenzuziehen. Durch ein paar Züge aus dem Becher der Liebe
hält sie für ein Leben voll Mühe schadlos.

Sie ist alles. Sie belohnt sich selbst und bestraft sich selbst,
erfreut und quält sich selbst. Sie ist rauh und gelinde, lieb-
lich und schrecklich, kraftlos und allgewaltig. Alles ist immer da in ihr. Vergangenheit und Zukunft kennt sie nicht.
Gegenwart ist ihr Ewigkeit. Sie ist gütig. Ich preise sie mit
allen ihren Werken. Sie ist weise und still. Man reißt ihr
keine Erklärung vom Leibe, trutzt ihr kein Geschenk ab,
das sie nicht freiwillig gibt. Sie ist listig, aber zu gutem
Ziele, und am besten ist's, ihre List nicht zu merken.

Sie ist ganz, und doch immer unvollendet. So wie sie's
treibt, kann sie's immer treiben.

Jedem erscheint sie in einer eignen Gestalt. Sie verbirgt sich
in tausend Namen und Termen, und ist immer dieselbe.

Sie hat mich hereingestellt, sie wird mich auch herausführ-
en. Ich vertraue mich ihr. Sie mag mit mir schalten. Sie
wird ihr Werk nicht hassen. Ich sprach nicht von ihr. Nein,
was wahr ist und was falsch ist, alles hat sie gesprochen.
Alles ist ihre Schuld, alles ist ihr Verdienst.

Erläuterung zu dem aphoristischen Aufsatz »Die Natur«

[Goethe an den Kanzler v. Müller]

Jener Aufsatz ist mir vor kurzem aus der brieflichen Verlassenschaft der ewig verehrten Herzogin *Anna Amalia* mitgeteilt worden; er ist von einer wohlbekannten Hand geschrieben, deren ich mich in den achtziger Jahren in meinen Geschäften zu bedienen pflegte.

Daß ich diese Betrachtungen verfaßt, kann ich mich faktisch zwar nicht erinnern, allein sie stimmen mit den Vorstellungen wohl überein, zu denen sich mein Geist damals ausgebildet hatte. Ich möchte die Stufe damaliger Einsicht einen Komparativ nennen, der seine Richtung gegen einen noch nicht erreichten Superlativ zu äußern gedrängt ist. Man sieht die Neigung zu einer Art von Pantheismus, indem den Welterscheinungen ein unerforschliches, unbedingtes, humoristisches, sich selbst widersprechendes Wesen zum Grunde gedacht ist, und mag als Spiel, dem es bitterer Ernst ist, gar wohl gelten.

Die Erfüllung aber, die ihm fehlt, ist die Anschauung der zwei großen Triebräder aller Natur: der Begriff von *Polarität* und von *Steigerung*, jene der Materie, insofern wir sie materiell, diese ihr dagegen, insofern wir sie geistig denken, angehörig; jene ist in immerwährendem Anziehen und Abstoßen, diese in immerstrebendem Aufsteigen. Weil aber die Materie nie ohne Geist, der Geist nie ohne Materie existiert und wirksam sein kann, so vermag auch die Materie sich zu steigern, so wie sich's der Geist nicht nehmen läßt, anzuziehen und abzustoßen; wie derjenige nur allein zu denken vermag, der genugsam getrennt hat, um zu verbinden, genugsam verbunden hat, um wieder trennen zu mögen.

In jenen Jahren, wohin gedachter Aufsatz fallen möchte, war ich hauptsächlich mit vergleichender Anatomie beschäftigt und gab mir 1786 unsägliche Mühe, bei anderen an meiner Überzeugung: *dem Menschen dürfe der Zwischen-knochen nicht abgesprochen werden*, Teilnahme zu erregen. Die Wichtigkeit dieser Behauptung wollten selbst sehr gute Köpfe nicht einsehen, die Richtigkeit leugneten die besten Beobachter, und ich mußte, wie in so vielen andern Dingen, im stillen meinen Weg für mich fortgehen.

Die Versatilität der Natur im Pflanzenreiche verfolgte ich unablässig, und es glückte mir Anno 1788 in Sizilien die Metamorphose der Pflanzen, so im Anschauen wie im Begriff, zu gewinnen. Die Metamorphose des Tierreichs lag nahe dran, und im Jahre 1790 offenbarte sich mir in Venedig der Ursprung des Schädels aus Wirbelknochen; ich verfolgte nun eifriger die Konstruktion des Typus, diktierte das Schema im Jahre 1795 an Max Jacobi in Jena und hatte bald die Freude, von deutschen Naturforschern mich in diesem Fache abgelöst zu sehen.

Vergegenwärtigt man sich die hohe Ausführung, durch welche die sämtlichen Naturerscheinungen nach und nach vor dem menschlichen Geiste verkettet worden, und liest alsdann obigen Aufsatz, von dem wir ausgingen, nochmals mit Bedacht, so wird man nicht ohne Lächeln jenen Komparativ, wie ich ihn nannte, mit dem Superlativ, mit dem hier abgeschlossen wird, vergleichen und eines funfzigjährigen Fortschreitens sich erfreuen.

[Aphorismen]

[1]   Alles, was wir Erfinden, Entdecken im höheren Sinne nennen, ist die bedeutende Ausübung, Betätigung eines originellen Wahrheitsgefühles, das, im stillen längst ausgebildet, unversehens mit Blitzesschnelle zu einer fruchtbaren Erkenntnis führt. Es ist eine aus dem Innern am Äußern sich entwickelnde Offenbarung, die den Menschen seine Gottähnlichkeit vorahnen läßt. Es ist eine Synthese von

Welt und Geist, welche von der ewigen Harmonie des Daseins die seligste Versicherung gibt.

[2]   Der Fehler schwacher Geister ist, daß sie im Reflektieren sogleich vom Einzelnen ins Allgemeine gehen; anstatt daß man nur in der Gesamtheit das Allgemeine suchen kann.

[3]   Aus dem Größten wie aus dem Kleinsten (nur durch künstliche Mittel dem Menschen zu vergegenwärtigen) geht die Metaphysik der Erscheinungen hervor; in der Mitte liegt das Besondere, unsern Sinnen Angemessene, worauf ich angewiesen bin, deshalb aber die Begabten von Herzen segne, die jene Regionen zu mir heranbringen.

[4]   Das Allgemeine und Besondere fallen zusammen; das Besondere ist das Allgemeine, unter verschiedenen Bedingungen erscheinend.

[5]   Was ist das Allgemeine?
                 Der einzelne Fall.
                 Was ist das Besondere?
                 Millionen Fälle.

[6]   Schon jetzt erklären die Meister der Naturwissenschaften die Notwendigkeit monographischer Behandlung und also das Interesse an Einzelnheiten. Dies ist aber nicht denkbar ohne eine Methode, die das Interesse an der Gesamtheit offenbart. Hat man das erlangt, so braucht man freilich nicht in Millionen Einzelnheiten umherzutasten.

[7]   Grundeigenschaft der lebendigen Einheit: sich zu trennen, sich zu vereinen, sich ins Allgemeine zu ergehen, im Besondern zu verharren, sich zu verwandlen, sich zu spezifizieren und, wie das Lebendige unter tausend Bedingungen sich dartun mag, hervorzutreten und zu verschwinden, zu solideszieren und zu verschmelzen, zu erstarren und zu flie-

ßen, sich auszudehnen und sich zusammenzuziehn. Weil nun alle diese Wirkungen im gleichen Zeitmoment zugleich vorgehen, so kann alles und jedes zu gleicher Zeit eintreten. Entstehen und Vergehen, Schaffen und Vernichten, Geburt und Tod, Freud und Leid, alles wirkt durcheinander, in gleichem Sinn und gleicher Maße; deswegen denn auch das Besonderste, das sich ereignet, immer als Bild und Gleichnis des Allgemeinsten auftritt.

[8]   Ist das ganze Dasein ein ewiges Trennen und Verbinden, so folgt auch, daß die Menschen im Betrachten des ungeheuren Zustandes auch bald trennen, bald verbinden werden.

[9]   In der Naturforschung bedarf es eines kategorischen Imperativs so gut als im Sittlichen; nur bedenke man, daß man dadurch nicht am Ende, sondern erst am Anfang ist.

[10]   Das Höchste wäre: zu begreifen, daß alles Faktische schon Theorie ist. Die Bläue des Himmels offenbart uns das Grundgesetz der Chromatik. Man suche nur nichts hinter den Phänomenen; sie selbst sind die Lehre.

[11]   In den Wissenschaften ist viel Gewisses, sobald man sich von den Ausnahmen nicht irremachen läßt und die Probleme zu ehren weiß.

[12]   Alles Lebendige bildet eine Atmosphäre um sich her.

[13]   Die Natur füllt mit ihrer grenzenlosen Produktivität alle Räume. Betrachten wir nur bloß unsre Erde: alles, was wir bös, unglücklich nennen, kommt daher, daß sie nicht allem Entstehenden Raum geben, noch weniger ihm Dauer verleihen kann.

[14]   Alles, was entsteht, sucht sich Raum und will Dauer;

deswegen verdrängt es ein anderes vom Platz und verkürzt
seine Dauer.

[15]   Das Lebendige hat die Gabe, sich nach den vielfältig-
sten Bedingungen äußerer Einflüsse zu bequemen und doch
eine gewisse errungene entschiedene Selbstständigkeit nicht
aufzugeben.

[16]   Man gedenke der leichten Erregbarkeit aller Wesen,
wie der mindeste Wechsel einer Bedingung, jeder Hauch,
gleich in den Körpern Polarität manifestiert, die eigentlich
in ihnen allen schlummert.

[17]   *Spannung* ist der indifferent scheinende Zustand
eines energischen Wesens, in völliger Bereitschaft, sich zu
manifestieren, zu differenzieren, zu polarisieren.

[18]   Jedes Existierende ist ein Analogon alles Existieren-
den; daher erscheint uns das Dasein immer zu gleicher Zeit
gesondert und verknüpft. Folgt man der Analogie zu sehr,
so fällt alles identisch zusammen; meidet man sie, so zerstreut sich alles ins Unendliche. In beiden Fällen stagniert
die Betrachtung, einmal als überlebendig, das andere Mal
als getötet.

[19]   Die Vernunft ist auf das Werdende, der Verstand
auf das Gewordene angewiesen; jene bekümmert sich nicht:
Wozu? Dieser fragt nicht: Woher? – Sie erfreut sich am
Entwickeln; er wünscht alles festzuhalten, damit er es nutzen könne.

[20]   Es ist eine Eigenheit dem Menschen angeboren und
mit seiner Natur innigst verwebt: daß ihm zur Erkenntnis
das Nächste nicht genügt; da doch jede Erscheinung, die
wir selbst gewahr werden, im Augenblick das Nächste ist
und wir von ihr fordern können, daß sie sich selbst erkläre,
wenn wir kräftig in sie dringen.

[21]   Das werden aber die Menschen nicht lernen, weil es gegen ihre Natur ist; daher die Gebildeten es selbst nicht lassen können, wenn sie an Ort und Stelle irgendein Wahres erkannt haben, es nicht nur mit dem Nächsten, sondern auch mit dem Weitesten und Fernsten zusammenzuhängen, woraus denn Irrtum über Irrtum entspringt. Das nahe Phänomen hängt aber mit dem fernen nur in dem Sinne zusammen, daß sich alles auf wenige große Gesetze bezieht, die sich überall manifestieren.

[22]   *Newton*, als Mathematiker, steht in so hohem Ruf, daß der ungeschickteste Irrtum: nämlich das klare, reine, ewig ungetrübte Licht sei aus dunklen Lichtern zusammengesetzt, bis auf den heutigen Tag sich erhalten hat; und sind es nicht Mathematiker, die dieses Absurde noch immer verteidigen und gleich dem gemeinsten Hörer in Worten wiederholen, bei denen man nichts denken kann?

[23]   Der Newtonische Versuch, auf dem die herkömmliche Farbenlehre beruht, ist von der vielfachsten Komplikation, er verknüpft folgende Bedingungen.
Damit das Gespenst erscheine, ist nötig:
  Erstens – Ein gläsern Prisma;
  Zweitens – Dreiseitig;
  Drittens – Klein;
  Viertens – Ein Fensterladen;
  Fünftens – Eine Öffnung darin;
  Sechstens – Diese sehr klein;
  Siebentes – Sonnenbild, das hereinfällt;
  Achtens – Aus einer gewissen Entfernung;
  Neuntens – In einer gewissen Richtung aufs Prisma fällt;
  Zehntens – Sich auf einer Tafel abbildet;
  Eilftens – Die in einer gewissen Entfernung hinter das
    Prisma gestellt ist.
Nehme man von diesen Bedingungen drei, sechs und eilf weg, man mache die Öffnung groß, man nehme ein großes

Prisma, man stelle die Tafel nah heran, und das beliebte
Spektrum kann und wird nicht zum Vorschein kommen.

[24]   Man spricht geheimnisvoll von einem wichtigen Experimente, womit man die Lehre erst recht befestigen will;
ich kenn es recht gut und kann es auch darstellen: das
ganze Kunststück ist, daß zu obigen Bedingungen noch ein
paar hinzugefügt werden, wodurch das Hokuspokus sich
noch mehr verwickelt.

[25]   Wissenschaften entfernen sich im Ganzen immer vom
Leben und kehren nur durch einen Umweg wieder dahin
zurück.

[26]   Denn sie sind eigentlich Kompendien des Lebens; sie
bringen die äußern und innern Erfahrungen ins Allgemeine,
in einen Zusammenhang.

[27]   Induktion habe ich mir nie selbst erlaubt, wollte sie
ein anderer gegen mich gebrauchen, so wußt' ich solche sogleich abzulehnen.

[28]   Mitteilung durch Analogien halt ich für so nützlich
als angenehm; der analoge Fall will sich nicht aufdringen,
nichts beweisen; er stellt sich einem andern entgegen, ohne
sich mit ihm zu verbinden. Mehrere analoge Fälle vereinigen sich nicht zu geschlossenen Reihen, sie sind wie gute
Gesellschaft, die immer mehr anregt als gibt.

[29]   Irren heißt, sich in einem Zustande befinden, als
wenn das Wahre gar nicht wäre; den Irrtum sich und andern entdecken, heißt rückwärts erfinden.

[30]   *Autorität.* Ohne sie kann der Mensch nicht existieren,
und doch bringt sie ebensoviel Irrtum als Wahrheit mit
sich; sie verewigt im Einzelnen, was einzeln vorübergehen

sollte, lehnt ab und läßt vorübergehen, was festgehalten werden sollte, und ist hauptsächlich Ursache, daß die Menschheit nicht vom Flecke kommt.

[31] Bei Erweiterung des Wissens macht sich von Zeit zu Zeit eine Umordnung nötig; sie geschieht meistens nach neueren Maximen, bleibt aber immer provisorisch.

[32] Unser Fehler besteht darin, daß wir am Gewissen zweifeln und das Ungewisse fixieren möchten. Meine Maxime bei der Naturforschung ist: das Gewisse festzuhalten und dem Ungewissen aufzupassen.

[33] Die Deutschen, und sie nicht allein, besitzen die Gabe, die Wissenschaften unzugänglich zu machen.

[34] Und gehört die Farbe nicht ganz eigentlich dem Gesicht an?

[35] Ich habe nichts dagegen, wenn man die Farbe sogar zu fühlen glaubt; ihr eigenes Eigenschaftliche würde nur dadurch noch mehr betätigt.

[36] Auch zu schmecken ist sie. Blau wird alkalisch, Gelbrot sauer schmecken. Alle Manifestationen der Wesenheiten sind verwandt.

[37] Alles, was im Subjekt ist, ist im Objekt und noch etwas mehr.
Alles, was im Objekt ist, ist im Subjekt und noch etwas mehr.
Wir sind auf doppelte Weise verloren oder geborgen. Dem Objekt sein Mehr zuzugestehen und auf unser subjektives Mehr zu verzichten. Das Subjekt mit seinem Mehr zu erhöhen und jenes Mehr nicht anerkennen.

[38]   Bei Betrachtung der Natur im großen wie im kleinen hab ich unausgesetzt die Frage gestellt: Ist es der Gegenstand oder bist du es, der sich hier ausspricht? Und in diesem Sinne betrachtete ich auch Vorgänger und Mitarbeiter.

[39]   Ein jeder Mensch sieht die fertige und geregelte, gebildete, vollkommene Welt doch nur als ein Element an, woraus er sich eine besondere, ihm angemessene Welt zu erschaffen bemüht ist. Tüchtige Menschen ergreifen sie ohne Bedenken und suchen damit, wie es gehen will, zu gebaren; andere zaudern an ihr herum; einige zweifeln sogar an ihrem Dasein.
Wer sich von dieser Grundwahrheit recht durchdrungen fühlte, würde mit niemanden streiten, sondern nur die Vorstellungsart eines andern wie seine eigene als ein Phänomen betrachten. Denn wir erfahren fast täglich, daß der eine mit Bequemlichkeit denken mag, was dem andern zu denken unmöglich ist, und zwar nicht etwa in Dingen, die auf Wohl und Wehe nur irgendeinen Einfluß hätten, sondern in Dingen, die für uns völlig gleichgültig sind.

[40]   Theorien sind gewöhnlich Übereilungen eines ungeduldigen Verstandes, der die Phänomene gern los sein möchte und an ihrer Stelle deswegen Bilder, Begriffe, ja oft nur Worte einschiebt. Man ahnet, man sieht auch wohl, daß es nur ein Behelf ist; liebt sich nicht aber Leidenschaft und Parteigeist jederzeit Behelfe? Und mit Recht, da sie ihrer so sehr bedürfen.

[41]   Unsere Zustände schreiben wir bald Gott, bald dem Teufel zu, und fehlen ein wie das andere Mal: in uns selbst liegt das Rätsel, die wir Ausgeburt zweier Welten sind. Mit der Farbe geht's ebenso; bald sucht man sie im Lichte, bald draußen im Weltall und kann sie gerade da nicht finden, wo sie zu Hause ist.

[42] Man sagt gar gehörig: Das Phänomen ist eine Folge ohne Grund, eine Wirkung ohne Ursache. Es fällt dem Menschen so schwer, Grund und Ursache zu finden, weil sie so einfach sind, daß sie sich dem Blick verbergen.

[43] Kein Phänomen erklärt sich an und aus sich selbst; nur viele zusammen überschaut, methodisch geordnet, geben zuletzt etwas, was für Theorie gelten könnte.

[44] Wenn man die Probleme des Aristoteles ansieht, so erstaunt man über die Gabe des Bemerkens und für was alles die Griechen Augen gehabt haben. Nur begehen sie den Fehler der Übereilung, da sie von dem Phänomen unmittelbar zur Erklärung schreiten, wodurch denn ganz unzulängliche theoretische Aussprüche zum Vorschein kommen. Dieses ist jedoch der allgemeine Fehler, der noch heutzutage begangen wird.

[45] Wer ein Phänomen vor Augen hat, denkt schon oft drüber hinaus; wer nur davon erzählen hört, denkt gar nichts.

[46] Man erkundige sich ums Phänomen, nehme es so genau damit als möglich und sehe, wie weit man in der Einsicht und in praktischer Anwendung damit kommen kann, und lasse das Problem ruhig liegen. Umgekehrt handeln die Physiker: sie gehen gerade aufs Problem los und verwickeln sich unterwegs in so viel Schwierigkeiten, daß ihnen zuletzt jede Aussicht verschwindet.

[47] Wenn wir ein Phänomen vorzeigen, so sieht der andre wohl, was wir sehen; wenn wir ein Phänomen aussprechen, beschreiben, besprechen, so übersetzen wir es schon in unsere Menschensprache. Was hier schon für Schwierigkeiten sind, was für Mängel uns bedrohen, ist offenbar.
Echte Terminologie paßt auf ein beschränktes isoliertes

Phänomen; wird auch angewendet auf ein weiteres. Zuletzt wird das nicht mehr Passende doch noch fortgebraucht.

[48]   *Urphänomen:* Ideal-real-symbolisch-identisch.
　　　　　　　　　　Ideal, als das letzte Erkennbare;
　　　　　　　　　　real, als erkannt;
　　　　　　　　　　symbolisch, weil es alle Fälle begreift;
　　　　　　　　　　identisch, mit allen Fällen.
　　　Empirie:　　Unbegrenzte Vermehrung derselben.
　　　　　　　　　　Verzweiflung an Vollständigkeit.

[49]   Das unmittelbare Gewahrwerden der Urphänomene versetzt uns in eine Art von Angst, wir fühlen unsere Unzulänglichkeit; nur durch das ewige Spiel der Empirie belebt, erfreuen sie uns.

[50]   Der Magnet ist ein Urphänomen, das man nur aussprechen darf, um es erklärt zu haben; dadurch wird es denn auch ein Symbol für alles übrige, wofür wir keine Worte noch Namen zu suchen brauchen.

[51]   Wenn ich mich beim Urphänomen zuletzt beruhige, so ist es doch auch nur Resignation; aber es bleibt ein großer Unterschied, ob ich mich an den Grenzen der Menschheit resigniere oder innerhalb einer hypothetischen Beschränktheit meines bornierten Individuums.

[52]   Die Erscheinung ist vom Beobachter nicht losgelöst, vielmehr in die Individualität desselben verschlungen und verwickelt.

[53]   Der Mensch an sich selbst, insofern er sich seiner gesunden Sinne bedient, ist der größte und genauste physikalische Apparat, den es geben kann; und das ist eben das größte Unheil der neuern Physik, daß man die Experimente gleichsam vom Menschen abgesondert hat und bloß in dem,

was künstliche Instrumente zeigen, die Natur erkennen, ja
was sie leisten kann, dadurch beschränken und beweisen
will.

[54] Ebenso ist es mit dem Berechnen. – Es ist vieles wahr,
was sich nicht berechnen läßt, so wie sehr vieles, was sich
nicht bis zum entschiedenen Experiment bringen läßt.

[55] Dafür steht ja aber der Mensch so hoch, daß sich das
sonst Undarstellbare in ihm darstellt. Was ist denn eine
Saite und alle mechanische Teilung derselben gegen das Ohr
des Musikers; ja man kann sagen, was sind die elementaren
Erscheinungen der Natur selbst gegen den Menschen, der
sie alle erst bändigen und modifizieren muß, um sie sich
einigermaßen assimilieren zu können.

[56] Jeder Denkende, der seinen Kalender ansieht, nach
seiner Uhr blickt, wird sich erinnern, wem er diese Wohl-
taten schuldig ist. Wenn man sie aber auch auf ehrfurchts-
volle Weise in Zeit und Raum gewähren läßt, so werden
sie erkennen, daß wir etwas gewahr werden, was weit darüber hinausgeht, welches allen angehört und ohne welches
sie selbst weder tun noch wirken könnten: *Idee* und *Liebe*.

[57] Der Mensch muß bei dem Glauben verharren, daß
das Unbegreifliche begreiflich sei; er würde sonst nicht forschen.

[58] Begreiflich ist jedes Besondere, das sich auf irgendeine Weise anwenden läßt. Auf diese Weise kann das Unbegreifliche nützlich werden.

[59] Es gibt eine zarte Empirie, die sich mit dem Gegenstand innigst identisch macht und dadurch zur eigentlichen
Theorie wird. Diese Steigerung des geistigen Vermögens
aber gehört einer hochgebildeten Zeit an.

[60]   Derjenige, der sich mit Einsicht für beschränkt erklärt, ist der Vollkommenheit am nächsten.

[61]   Das schönste Glück des denkenden Menschen ist, das Erforschliche erforscht zu haben und das Unerforschliche ruhig zu verehren.

[62]   *Poesie* deutet auf die Geheimnisse der Natur und sucht sie durchs Bild zu lösen. *Philosophie* deutet auf die Geheimnisse der Vernunft und sucht sie durchs Wort zu lösen. *Mystik* deutet auf die Geheimnisse der Natur und Vernunft und sucht sie durch Wort und Bild zu lösen.

[63]   Wer die Natur als göttliches Organ leugnen will, der leugne nur gleich alle Offenbarung.

B. Zur Morphologie

Morphologie

Ruht auf der Überzeugung daß alles, was sei, sich auch andeuten und zeigen müsse. Von den ersten physischen und chemischen Elementen an bis zur geistigsten Äußerung des Menschen lassen wir diesen Grundsatz gelten.
Wir wenden uns gleich zu dem, was Gestalt hat. Das Unorganische, das Vegetative, das Animale, das Menschliche deutet sich alles selbst an, es erscheint als das, was es ist, unserm äußern, unserm inneren Sinn.
Die Gestalt ist ein Bewegliches, ein Werdendes, ein Vergehendes. Gestaltenlehre ist Verwandlungslehre. Die Lehre der Metamorphose ist der Schlüssel zu allen Zeichen der Natur.

Zur Morphologie

Das Unternehmen wird entschuldigt

Wenn der zur lebhaften Beobachtung aufgeforderte Mensch mit der Natur einen Kampf zu bestehen anfängt, so fühlt er zuerst einen ungeheuern Trieb, die Gegenstände sich zu unterwerfen. Es dauert aber nicht lange, so dringen sie dergestalt gewaltig auf ihn ein, daß er wohl fühlt, wie sehr er Ursache hat, auch ihre Macht anzuerkennen und ihre Einwirkung zu verehren. Kaum überzeugt er sich von diesem wechselseitigen Einfluß, so wird er ein doppelt Unendliches gewahr, an den Gegenständen die Mannichfaltigkeit des Seins und Werdens und der sich lebendig durchkreuzenden Verhältnisse, an sich selbst aber die Möglichkeit einer unendlichen Ausbildung, indem er seine Empfänglichkeit sowohl als sein Urteil immer zu neuen Formen des Aufneh-

mens und Gegenwirkens geschickt macht. Diese Zustände
geben einen hohen Genuß und würden das Glück des Lebens entscheiden, wenn nicht innre und äußre Hindernisse
dem schönen Lauf zur Vollendung sich entgegenstellten. Die
Jahre, die erst brachten, fangen an zu nehmen; man begnügt sich in seinem Maß mit dem Erworbenen und ergötzt
sich daran um so mehr im stillen, als von außen eine auf-
richtige, reine, belebende Teilnahme selten ist.

Wie wenige fühlen sich von dem begeistert, was eigentlich
nur dem Geist erscheint. Die Sinne, das Gefühl, das Gemüt
üben weit größere Macht über uns aus, und zwar mit Recht:
denn wir sind aufs Leben und nicht auf die Betrachtung
angewiesen.

Leider findet man aber auch bei denen, die sich dem Erkennen, dem Wissen ergeben, selten eine wünschenswerte Teilnahme. Dem Verständigen, auf das Besondere Merkenden,
genau Beobachtenden, auseinander Trennenden ist gewissermaßen das zur Last, was aus einer Idee kommt und auf sie
zurückführt. Er ist in seinem Labyrinth auf eine eigene
Weise zu Hause, ohne daß er sich um einen Faden beküm-
merte, der schneller durch und durch führte; und solchem
scheint ein Metall, das nicht ausgemünzt ist, nicht aufgezählt
werden kann, ein lästiger Besitz; dahingegen der, der sich
auf höhern Standpunkten befindet, gar leicht das einzelne
verachtet und dasjenige, was nur gesondert ein Leben hat,
in eine tötende Allgemeinheit zusammenreißt.

In diesem Konflikt befinden wir uns schon seit langer Zeit.
Es ist darin gar manches getan, gar manches zerstört worden; und ich würde nicht in Versuchung kommen, meine
Ansichten der Natur, in einem schwachen Kahn, dem Ozean
der Meinungen zu übergeben, hätten wir nicht in den erst-
vergangenen Stunden der Gefahr so lebhaft gefühlt, welchen Wert Papiere für uns behalten, in welche wir früher
einen Teil unseres Daseins niederzulegen bewogen worden.

Mag daher das, was ich mir in jugendlichem Mute öfters als
ein Werk träumte, nun als Entwurf, ja als fragmentarische

Sammlung hervortreten und als das, was es ist, wirken und nutzen.

So viel hatte ich zu sagen, um diese vieljährige Skizzen, davon jedoch einzelne Teile mehr oder weniger ausgeführt sind, dem Wohlwollen meiner Zeitgenossen zu empfehlen. Gar manches, was noch zu sagen sein möchte, wird im Fortschritte des Unternehmens am besten eingeführt werden.

Die Absicht eingeleitet

Wenn wir Naturgegenstände, besonders aber die lebendigen, dergestalt gewahr werden, daß wir uns eine Einsicht in den Zusammenhang ihres Wesens und Wirkens zu verschaffen wünschen, so glauben wir zu einer solchen Kenntnis am besten durch Trennung der Teile gelangen zu können; wie denn auch wirklich dieser Weg uns sehr weit zu führen geeignet ist. Was Chemie und Anatomie zur Ein- und Übersicht der Natur beigetragen haben, dürfen wir nur mit wenig Worten den Freunden des Wissens ins Gedächtnis zurückrufen.

Aber diese trennenden Bemühungen, immer und immer fortgesetzt, bringen auch manchen Nachteil hervor. Das Lebendige ist zwar in Elemente zerlegt, aber man kann es aus diesen nicht wieder zusammenstellen und beleben. Dieses gilt schon von vielen anorganischen, geschweige von organischen Körpern.

Es hat sich daher auch in dem wissenschaftlichen Menschen zu allen Zeiten ein Trieb hervorgetan, die lebendigen Bildungen als solche zu erkennen, ihre äußern sichtbaren, greiflichen Teile im Zusammenhange zu erfassen, sie als Andeutungen des Innern aufzunehmen und so das Ganze in der Anschauung gewissermaßen zu beherrschen. Wie nah dieses wissenschaftliche Verlangen mit dem Kunst- und Nachahmungstriebe zusammenhänge, braucht wohl nicht umständlich ausgeführt zu werden.

Man findet daher in dem Gange der Kunst, des Wissens und der Wissenschaft mehrere Versuche, eine Lehre zu gründen und auszubilden, welche wir die Morphologie nennen möchten. Unter wie mancherlei Formen diese Versuche erscheinen, davon wird in dem geschichtlichen Teile die Rede sein.

Der Deutsche hat für den Komplex des Daseins eines wirklichen Wesens das Wort Gestalt. Er abstrahiert bei diesem Ausdruck von dem Beweglichen, er nimmt an, daß ein Zusammengehöriges festgestellt, abgeschlossen und in seinem Charakter fixiert sei.

Betrachten wir aber alle Gestalten, besonders die organischen, so finden wir, daß nirgend ein Bestehendes, nirgend ein Ruhendes, ein Abgeschlossenes vorkommt, sondern daß vielmehr alles in einer steten Bewegung schwanke. Daher unsere Sprache das Wort Bildung sowohl von dem Hervorgebrachten als von dem Hervorgebrachtwerdenden gehörig genug zu brauchen pflegt.

Wollen wir also eine Morphologie einleiten, so dürfen wir nicht von Gestalt sprechen; sondern wenn wir das Wort brauchen, uns allenfalls dabei nur die Idee, den Begriff oder ein in der Erfahrung nur für den Augenblick Festgehaltenes denken.

Das Gebildete wird sogleich wieder umgebildet, und wir haben uns, wenn wir einigermaßen zum lebendigen Anschaun der Natur gelangen wollen, selbst so beweglich und bildsam zu erhalten, nach dem Beispiele, mit dem sie uns vorgeht.

Wenn wir einen Körper auf dem anatomischen Wege in seine Teile zerlegen und diese Teile wieder in das, worin sie sich trennen lassen, so kommen wir zuletzt auf solche Anfänge, die man Similarteile genannt hat. Von diesen ist hier nicht die Rede; wir machen vielmehr auf eine höhere Maxime des Organismus aufmerksam, die wir folgendermaßen aussprechen.

Jedes Lebendige ist kein Einzelnes, sondern eine Mehrheit;

selbst insofern es uns als Individuum erscheint, bleibt es
doch eine Versammlung von lebendigen selbstständigen
Wesen, die der Idee, der Anlage nach gleich sind, in der
Erscheinung aber gleich oder ähnlich, ungleich oder unähnlich werden können. Diese Wesen sind teils ursprünglich
schon verbunden, teils finden und vereinigen sie sich. Sie
entzweien sich und suchen sich wieder und bewirken so eine
unendliche Produktion auf alle Weise und nach allen Seiten.
Je unvollkommener das Geschöpf ist, desto mehr sind diese
Teile einander gleich oder ähnlich und desto mehr gleichen
sie dem Ganzen. Je vollkommner das Geschöpf wird, desto
unähnlicher werden die Teile einander. In jenem Falle ist
das Ganze den Teilen mehr oder weniger gleich, in diesem
das Ganze den Teilen unähnlich. Je ähnlicher die Teile einander sind, desto weniger sind sie einander subordiniert.
Die Subordination der Teile deutet auf ein vollkommneres
Geschöpf.

Da in allen allgemeinen Sprüchen, sie mögen noch so gut
durchdacht sein, etwas Unfaßliches für denjenigen liegt, der
sie nicht anwenden, der ihnen die nötigen Beispiele nicht
unterlegen kann, so wollen wir zum Anfang nur einige
geben, da unsere ganze Arbeit der Aus- und Durchführung
dieser und andern Ideen und Maximen gewidmet ist.

Daß eine Pflanze, ja ein Baum, die uns doch als Individuum erscheinen, aus lauter Einzelheiten bestehn, die sich
untereinander und dem Ganzen gleich und ähnlich sind,
daran ist wohl kein Zweifel. Wie viele Pflanzen werden
durch Absenker fortgepflanzt. Das Auge der letzten Varie-
tät eines Obstbaumes treibt einen Zweig, der wieder eine
Anzahl gleicher Augen hervorbringt; und auf eben diesem
Wege geht die Fortpflanzung durch Samen vor sich. Sie ist
die Entwicklung einer unzähligen Menge gleicher Individuen aus dem Schoße der Mutterpflanze.

Man sieht hier sogleich, daß das Geheimnis der Fortpflanzung durch Samen innerhalb jener Maxime schon ausgesprochen ist; und man bemerke, man bedenke nur erst recht,

so wird man finden, daß selbst das Samenkorn, das uns als
eine individuelle Einheit vorzuliegen scheint, schon eine
Versammlung von gleichen und ähnlichen Wesen ist. Man
stellt die Bohne gewöhnlich als ein deutliches Muster der
Keimung auf. Man nehme eine Bohne, noch ehe sie keimt,
in ihrem ganz eingewickelten Zustande, und man findet
nach Eröffnung derselben erstlich die zwei Samenblätter,
die man nicht glücklich mit dem Mutterkuchen vergleicht:
denn es sind zwei wahre, nur aufgetriebene und mehligt
ausgefüllte Blätter, welche auch an Licht und Luft grün
werden. Ferner entdeckt man schon das Federchen, welches
abermals zwei ausgebildetere und weiterer Ausbildung fähige Blätter sind. Bedenkt man dabei, daß hinter jedem
Blattstiele ein Auge wo nicht in der Wirklichkeit, doch in
der Möglichkeit ruht, so erblickt man in dem uns einfach
scheinenden Samen schon eine Versammlung von mehrern
Einzelheiten, die man einander in der Idee gleich und in
der Erscheinung ähnlich nennen kann.

Daß nun das, was der Idee nach gleich ist, in der Erfahrung entweder als gleich oder als ähnlich, ja sogar als völlig
ungleich und unähnlich erscheinen kann, darin besteht eigentlich das bewegliche Leben der Natur, das wir in unsern
Blättern zu entwerfen gedenken.

Eine Instanz aus dem Tierreich der niedrigsten Stufe führen
wir noch zu mehrerer Anleitung hier vor. Es gibt Infusions-
tiere, die sich in ziemlich einfacher Gestalt vor unserm Auge
in der Feuchtigkeit bewegen, sobald diese aber aufgetrock-
net, zerplatzen und eine Menge Körner ausschütten, in die
sie wahrscheinlich bei einem naturgemäßen Gange sich auch
in der Feuchtigkeit zerlegt und so eine unendliche Nach-
kommenschaft hervorgebracht hätten. Doch genug hievon
an dieser Stelle, da bei unserer ganzen Darstellung diese
Ansicht wieder hervortreten muß.

Wenn man Pflanzen und Tiere in ihrem unvollkommensten
Zustande betrachtet, so sind sie kaum zu unterscheiden. Ein
Lebenspunkt, starr, beweglich oder halbbeweglich, ist das,

was unserm Sinne kaum bemerkbar ist. Ob diese ersten Anfänge, nach beiden Seiten determinabel, durch Licht zur Pflanze, durch Finsternis zum Tier hinüberzuführen sind, getrauen wir uns nicht zu entscheiden, ob es gleich hierüber an Bemerkungen und Analogie nicht fehlt. So viel aber können wir sagen, daß die aus einer kaum zu sondernden Verwandtschaft als Pflanzen und Tiere nach und nach hervortretenden Geschöpfe nach zwei entgegengesetzten Seiten sich vervollkommnen, so daß die Pflanze sich zuletzt im Baum dauernd und starr, das Tier im Menschen zur höchsten Beweglichkeit und Freiheit sich verherrlicht.

Gemmation und Prolifikation sind abermals zwei Hauptmaximen des Organismus, die aus jenem Hauptsatz der Koexistenz mehrer gleichen und ähnlichen Wesen sich herschreiben und eigentlich jene nur auf doppelte Weise aussprechen. Wir werden diese beiden Wege durch das ganze organische Reich durchzuführen suchen, wodurch sich manches auf eine höchst anschauliche Weise reihen und ordnen wird.

Indem wir den vegetativen Typus betrachten, so stellt sich uns bei demselben sogleich ein Unten und Oben dar. Die untere Stelle nimmt die Wurzel ein, deren Wirkung nach der Erde hingeht, der Feuchtigkeit und der Finsternis angehört, da in gerade entgegengesetzter Richtung der Stengel, der Stamm, oder was dessen Stelle bezeichnet, gegen den Himmel, das Licht und die Luft emporstrebt.

Wie wir nun einen solchen Wunderbau betrachten und die Art, wie er hervorsteigt, näher einsehen lernen, so begegnet uns abermals ein wichtiger Grundsatz der Organisation: daß kein Leben auf einer Oberfläche wirken und daselbst seine hervorbringende Kraft äußern könne; sondern die ganze Lebenstätigkeit verlangt eine Hülle, die gegen das äußere rohe Element, es sei Wasser oder Luft oder Licht, sie schütze, ihr zartes Wesen bewahre, damit sie das, was ihrem Innern spezifisch obliegt, vollbringe. Diese Hülle mag nun als Rinde, Haut oder Schale erscheinen, alles, was

zum Leben hervortreten, alles, was lebendig wirken soll,
muß eingehüllt sein. Und so gehört auch alles, was nach
außen gekehrt ist, nach und nach frühzeitig dem Tode, der
Verwesung an. Die Rinden der Bäume, die Häute der Insekten, die Haare und Federn der Tiere, selbst die Ober-
haut des Menschen, sind ewig sich absondernde, abgesto-
ßene, dem Unleben hingegebene Hüllen, hinter denen
immer neue Hüllen sich bilden, unter welchen sodann,
oberflächlicher oder tiefer, das Leben sein schaffendes Gewebe hervorbringt.

Der Inhalt bevorwortet

Von gegenwärtiger Sammlung ist nur gedruckt der Aufsatz
über Metamorphose der Pflanzen, welcher, im Jahre 1790
einzeln erscheinend, kalte, fast unfreundliche Begegnung zu
erfahren hatte. Solcher Widerwille jedoch war ganz natürlich: die Einschachtelungslehre, der Begriff von Präforma-
tion, von sukzessiver Entwickelung des von Adams Zeiten
her schon Vorhandenen hatten sich selbst der besten Köpfe
im allgemeinen bemächtigt; auch hatte *Linné* geisteskräftig,
bestimmend wie entscheidend, in besonderem Bezug auf
Pflanzenbildung, eine dem Zeitgeist gemäßere Vorstellungsart auf die Bahn gebracht.
Mein redliches Bemühen blieb daher ganz ohne Wirkung,
und vergnügt, den Leitfaden für meinen eigenen stillen
Weg gefunden zu haben, beobachtete ich nur sorgfältiger
das Verhältnis, die Wechselwirkung der normalen und ab-
normen Erscheinungen, beachtete genau, was Erfahrung einzeln, gutwillig hergab, und brachte zugleich einen ganzen
Sommer mit einer Folge von Versuchen hin, die mich belehren sollten, wie durch Übermaß der Nahrung die Frucht
unmöglich zu machen, wie durch Schmälerung sie zu beschleunigen sei.
Die Gelegenheit, ein Gewächshaus nach Belieben zu erhellen

oder zu verfinstern, benutzte ich, um die Wirkung des Lichts auf die Pflanzen kennenzulernen, die Phänomene des Abbleichens und Abweißens beschäftigten mich vorzüglich, Versuche mit farbigen Glasscheiben wurden gleichfalls angestellt.

Als ich mir genugsame Fertigkeit erworben, das organische Wandeln und Umwandeln der Pflanzenwelt in den meisten Fällen zu beurteilen, die Gestaltenfolge zu erkennen und abzuleiten, fühlte ich mich gedrungen, die Metamorphose der Insekten gleichfalls näher zu kennen.

Diese leugnet niemand: der Lebensverlauf solcher Geschöpfe ist ein fortwährendes Umbilden, mit Augen zu sehen und mit Händen zu greifen. Meine frühere, aus mehrjähriger Erziehung der Seidenwürmer geschöpfte Kenntnis war mir geblieben, ich erweiterte sie, indem ich mehrere Gattungen und Arten, vom Ei bis zum Schmetterling, beobachtete und abbilden ließ, wovon mir die schätzenswertesten Blätter geblieben sind.

Hier fand sich kein Widerspruch mit dem, was uns in Schriften überliefert wird, und ich brauchte nur ein Schema tabellarisch auszubilden, wornach man die einzelnen Erfahrungen folgerecht aufreihen und den wunderbaren Lebensgang solcher Geschöpfe deutlich überschauen konnte.

Auch von diesen Bemühungen werde ich suchen Rechenschaft zu geben, ganz unbefangen, da meine Ansicht keiner andern entgegensteht.

Gleichzeitig mit diesem Studium war meine Aufmerksamkeit der vergleichenden Anatomie der Tiere, vorzüglich der Säugetiere zugewandt, es regte sich zu ihr schon ein großes Interesse. *Buffon* und *Daubenton* leisteten viel, *Camper* erschien als Meteor von Geist, Wissenschaft, Talent und Tätigkeit, *Sömmering* zeigte sich bewundernswürdig, *Merck* wandte sein immer reges Bestreben auf solche Gegenstände; mit allen dreien stand ich im besten Verhältnis, mit Camper briefweise, mit beiden andern in persönlicher, auch in Abwesenheit fortdauernder Berührung.

Im Laufe der Physiognomik mußte Bedeutsamkeit und Beweglichkeit der Gestalten unsre Aufmerksamkeit wechselsweise beschäftigen, auch war mit *Lavatern* gar manches hierüber gesprochen und gearbeitet worden.

Später konnte ich mich, bei meinem öftern und längern Aufenthalt in Jena, durch die unermüdliche Belehrungsgabe *Loders* gar bald einiger Einsicht in tierische und menschliche Bildung erfreuen.

Jene bei Betrachtung der Pflanzen und Insekten einmal angenommene Methode leitete mich auch auf diesem Weg: denn bei Sonderung und Vergleichung der Gestalten mußte Bildung und Umbildung auch hier wechselsweise zur Sprache kommen.

Die damalige Zeit jedoch war dunkler, als man sich es jetzt vorstellen kann. Man behauptete zum Beispiel, es hange nur vom Menschen ab, bequem auf allen vieren zu gehen, und Bären, wenn sie sich eine Zeitlang aufrecht hielten, könnten zu Menschen werden. Der verwegene Diderot wagte gewisse Vorschläge, wie man ziegenfüßige Faune hervorbringen könne, um solche in Livree, zu besonderm Staat und Auszeichnung, den Großen und Reichen auf die Kutsche zu stiften.

Lange Zeit wollte sich der Unterschied zwischen Menschen und Tieren nicht finden lassen, endlich glaubte man den Affen dadurch entschieden von uns zu trennen, weil er seine vier Schneidezähne in einem empirisch wirklich abzusondernden Knochen trage, und so schwankte das ganze Wissen, ernst- und scherzhaft, zwischen Versuchen, das Halbwahre zu bestätigen, dem Falschen irgendeinen Schein zu verleihen, sich aber dabei in willkürlicher, grillenhafter Tätigkeit zu beschäftigen und zu erhalten. Die größte Verwirrung jedoch brachte der Streit hervor, ob man die Schönheit als etwas Wirkliches, den Objekten Inwohnendes oder als relativ, konventionell, ja individuell dem Beschauer und Anerkenner zuschreiben müsse.

Ich hatte mich indessen ganz der Knochenlehre gewidmet; denn im Gerippe wird uns ja der entschiedne Charakter jeder Gestalt sicher und für ewige Zeiten aufbewahrt. Ältere und neuere Überbleibsel versammelte ich um mich her, und auf Reisen spähte ich sorgfältig in Museen und Kabinetten nach solchen Geschöpfen, deren Bildung im Ganzen oder Einzelnen mir belehrend sein könnte.

Hiebei fühlte ich bald die Notwendigkeit, einen Typus aufzustellen, an welchem alle Säugetiere nach Übereinstimmung und Verschiedenheit zu prüfen wären, und wie ich früher die Urpflanze aufgesucht, so trachtete ich nunmehr das Urtier zu finden, das heißt denn doch zuletzt: den Begriff, die Idee des Tiers.

Meine mühselige, qualvolle Nachforschung ward erleichtert, ja versüßt, indem *Herder* die Ideen zur Geschichte der Menschheit aufzuzeichnen unternahm. Unser tägliches Gespräch beschäftigte sich mit den Uranfängen der Wasser-Erde, und der darauf von alters her sich entwickelnden organischen Geschöpfe. Der Uranfang und dessen unabläsiges Fortbilden ward immer besprochen und unser wissenschaftlicher Besitz, durch wechselseitiges Mitteilen und Bekämpfen, täglich geläutert und bereichert.

Mit andern Freunden unterhielt ich mich gleichfalls auf das lebhafteste über diese Gegenstände, die mich leidenschaftlich beschäftigten, und nicht ohne Einwirkung und wechselseitigen Nutzen blieben solche Gespräche. Ja es ist vielleicht nicht anmaßlich, wenn wir uns einbilden, manches von daher Entsprungene, durch Tradition in der wissenschaftlichen Welt Fortgepflanzte trage nun Früchte, deren wir uns erfreuen, ob man gleich nicht immer den Garten benamset, der die Pfropfreiser hergegeben.

Gegenwärtig ist bei mehr und mehr sich verbreitender Erfahrung, durch mehr sich vertiefende Philosophie manches zum Gebrauch gekommen, was zur Zeit, als die nachstehenden Aufsätze geschrieben wurden, mir und andern unzugänglich war. Man sehe daher den Inhalt dieser Blätter, wenn man sie auch jetzt für überflüssig halten sollte, geschichtlich an, da sie denn als Zeugnisse einer stillen, beharrlichen, folgerechten Tätigkeit gelten mögen.

Betrachtung über Morphologie überhaupt

Die Morphologie kann als eine Lehre für sich und als eine Hülfswissenschaft der Physiologie angesehen werden; sie ruht im ganzen auf der Naturgeschichte, aus der sie die Phänomene zu ihrem Behufe herausnimmt, ingleichen auf der Anatomie aller organischen Körper und besonders der Zootomie.

Da sie nur darstellen und nicht erklären will, so nimmt sie von den übrigen Hülfswissenschaften der Physiologie sowenig als möglich in sich auf, ob sie gleich die Kraft- und Ortverhältnisse des Physikers sowohl als die Stoff- und Mischungsverhältnisse des Chemikers nicht außer Augen läßt; sie wird durch ihre Beschränkung eigentlich nur zur besondern Lehre, sieht sich überall als Dienerin der Physiologie und mit den übrigen Hülfswissenschaften koordiniert an.

Indem wir in der Morphologie eine neue Wissenschaft aufzustellen gedenken, zwar nicht dem Gegenstande nach, denn derselbe ist bekannt, sondern der Ansicht und der Methode nach, welche sowohl der Lehre selbst eine eigne Gestalt geben muß als ihr auch gegen andere Wissenschaften ihren Platz anzuweisen hat, so wollen wir zuvörderst erst dieses letzte darlegen und ihr Verhältnis zu den übrigen verwandten Wissenschaften zeigen, sodann ihren Inhalt und die Art ihrer Darstellung vorlegen.

Die Morphologie soll die Lehre von der Gestalt, der Bildung und Umbildung der organischen Körper enthalten; sie gehört daher zu den Naturwissenschaften, deren besondere Zwecke wir nunmehr durchgehen.

Die Naturgeschichte nimmt die mannichfaltige Gestalt der organischen Wesen als ein bekanntes Phänomen an. Es kann ihr nicht entgehen, daß diese große Mannichfaltigkeit dennoch eine gewisse Übereinstimmung teils im allgemeinen, teils im besondern zeigt, sie führt nicht nur die ihr bekannten Körper vor, sondern sie ordnet sie bald in Gruppen, bald in Reihen nach den Gestalten, die man sieht, nach den Eigenschaften, die man aufsucht und erkennt, und macht es dadurch möglich, die ungeheure Masse zu übersehen; ihre Arbeit ist doppelt: teils immer neue Gegenstände aufzufinden, teils die Gegenstände immer mehr der Natur und den Eigenschaften gemäß zu ordnen und alle Willkür, insofern es möglich wäre, zu verbannen.

Indem nun also die Naturgeschichte sich an die äußere Erscheinung der Gestalten hält und sie im ganzen betrachtet, so dringt die Anatomie auf die Kenntnis der innern Struktur, auf die Zergliederung des menschlichen Körpers als des würdigsten Gegenstandes und desjenigen, der so mancher Beihülfe bedarf, die ohne genaue Einsicht in seine Organisation ihm nicht geleistet werden kann. In der Anatomie der übrigen organisierten Geschöpfe ist vieles geschehen, es liegt aber so zerstreut, ist meist so unvollständig und manchmal auch falsch beobachtet, daß für den Naturforscher die Masse beinah unbrauchbar ist und bleibt.

Die Erfahrung, die uns Naturgeschichte und Anatomie geben, teils zu erweitern und zu verfolgen, teils zusammenzufassen und zu benutzen, hat man teils fremde Wissenschaften angewandt, verwandte herbeigezogen, auch eigne Gesichtspunkte festgestellt, immer um das Bedürfnis einer allgemeinen physiologischen Übersicht auszufüllen, und man hat dadurch, ob man gleich nach menschlicher Weise gewöhnlich zu einseitig verfahren ist und verfährt, dennoch den Physiologen der künftigen Zeit trefflich vorgearbeitet.

Von dem Physiker im strengsten Sinne hat die Lehre der organischen Natur nur die allgemeinen Verhältnisse der Kräfte und ihrer Stellung und Lage in dem gegebenen Weltraum nehmen können. Die Anwendung mechanischer Prinzipien auf organische Naturen hat uns auf die Vollkommenheit der lebendigen Wesen nur desto aufmerksamer gemacht, und man dürfte beinah sagen, daß die organischen Naturen nur desto vollkommner werden, je weniger die mechanischen Prinzipien bei denselben anwendbar sind.

Dem Chemiker, der Gestalt und Struktur aufhebt und bloß auf die Eigenschaften der Stoffe und auf die Verhältnisse ihrer Mischungen achthat, ist man auch in diesem Fache viel schuldig, und man wird ihm noch mehr schuldig werden, da die neueren Entdeckungen die feinsten Trennungen und Verbindungen erlauben und man also auch den unendlich zarten Arbeiten eines lebendigen organischen Körpers sich dadurch zu nähern hoffen kann. Wie wir nun schon durch genaue Beobachtung der Struktur eine anatomische Physiologie erhalten haben, so können wir mit der Zeit auch eine physisch-chemische uns versprechen, und es ist zu wünschen, daß beide Wissenschaften immer so fortschreiten mögen, als wenn jede allein das ganze Geschäft vollenden wollte.

Da sie beide aber nur trennend sind und die chemischen Zusammensetzungen eigentlich nur auf Trennungen beruhen, so ist es natürlich, daß diese Arten, sich organische Körper bekannt zu machen und vorzustellen, nicht allen Menschen genugtun, deren manche die Tendenz haben, von einer Einheit auszugehen, aus ihr die Teile zu entwickeln und die Teile darauf wieder unmittelbar zurückzuführen. Hierzu gibt uns die Natur organischer Körper den schönsten Anlaß, denn da die vollkommensten derselben uns als eine von allen übrigen Wesen getrennte Einheit erscheinet, da wir uns selbst einer solchen Einheit bewußt sind, da wir den vollkommensten Zustand der Gesundheit nur dadurch gewahr werden, daß wir die Teile unseres Ganzen nicht, sondern nur das Ganze empfinden, da alles dieses nur existieren kann, insofern die Naturen organisiert sind, und sie nur durch den Zustand, den wir das Leben nennen, organisiert und in Tätigkeit erhalten werden können: so war nichts natürlicher, als daß man eine Zoonomie aufzustellen versuchte und denen Gesetzen, wornach eine organische Natur zu leben bestimmt ist, nachzuforschen trachtete; mit völliger Befugnis legte man diesem Leben, um des Vortrags willen, eine Kraft unter, man konnte, ja man mußte sie annehmen, weil das Leben in seiner Einheit sich als Kraft äußert, die in keinem der Teile besonders enthalten ist.

Wir können eine organische Natur nicht lange als Einheit betrachten, wir können uns selbst nicht lange als Einheit denken, so finden wir uns zu zwei Ansichten genötigt, und wir betrachten uns einmal als ein Wesen, das in die Sinne fällt, ein andermal als ein anderes, das nur durch den innern Sinn erkannt oder durch seine Wirkungen bemerkt werden kann.

Die Zoonomie zerfällt daher in zwei nicht leicht voneinander zu trennende Teile, nämlich in die körperliche und in die geistige. Beide können zwar nicht voneinander getrennt werden, aber der Bearbeiter dieses Faches kann von der einen oder der andern Seite ausgehen und so einer oder der andern das Übergewicht verschaffen.

Nicht aber allein diese Wissenschaften, wie sie hier aufgezählt worden sind, verlangen nur ihren Mann allein, sondern sogar einzelne Teile derselben, die nehmen Lebenszeit des Menschen hin; eine noch größere Schwierigkeit entsteht daher, daß diese sämtliche Wissenschaften beinah nur von Ärzten getrieben werden, die denn sehr bald durch die Ausübung, sosehr sie ihnen auch von einer Seite zu Ausbildung der Erfahrung zu Hülfe kömmt, doch immer von weiterer Ausbreitung abgehalten werden.

Man sieht daher wohl ein, daß demjenigen, der als Physiolog alle diese Betrachtungen zusammenfassen soll, noch viel vorgearbeitet werden muß, wenn derselbe künftig alle diese Betrachtungen ineins fassen und, insofern es dem menschlichen Geist erlaubt ist, dem großen Gegenstande gemäß erkennen soll. Hierzu gehört zweckmäßige Tätigkeit von allen Seiten, woran es weder gefehlet hat noch fehlt und bei der jeder schneller und sichrer fahren würde, wenn er zwar von *einer* Seite, aber nicht einseitig arbeitete und die Verdienste aller übrigen Mitarbeiter mit Freudigkeit anerkennte, anstatt, wie es gewöhnlich geschieht, seine Vorstellungsart an die Spitze zu setzen.

Nachdem wir nun also die verschiedenen Wissenschaften, die dem Physiologen in die Hand arbeiten, aufgeführt und ihre Verhältnisse dargestellt haben, so wird es nunmehr

Zeit sein, daß sich die Morphologie als eine besondere Wissenschaft legitimiert.

So nimmt man sie auch; und sie muß sich als eine besondere Wissenschaft erst legitimieren, indem sie das, was bei andern gelegentlich und zufällig abgehandelt ist, zu ihrem Hauptgegenstande macht, indem sie das, was dort zerstreut ist, sammelt und einen neuen Standort feststellt, woraus die natürlichen Dinge sich mit Leichtigkeit und Bequemlichkeit betrachten lassen; sie hat den großen Vorteil, daß sie aus Elementen besteht, die allgemein anerkannt sind, daß sie mit keiner Lehre im Widerstreite steht, daß sie nichts wegzuräumen braucht, um sich Platz zu verschaffen, daß die Phänomene, mit denen sie sich beschäftigt, höchst bedeutend sind und daß die Operationen des Geistes, wodurch sie die Phänomene zusammenstellt, der menschlichen Natur angemessen und angenehm sind, so daß auch ein fehlgeschlagener Versuch darin selbst noch Nutzen und Anmut verbinden könnte.

[Gedichte zur Morphologie]

Dauer im Wechsel

Hielte diesen frühen Segen,
Ach, nur *eine* Stunde fest!
Aber vollen Blütenregen
Schüttelt schon der laue West.
Soll ich mich des Grünen freuen,
Dem ich Schatten erst verdankt?
Bald wird Sturm auch das zerstreuen,
Wenn es falb im Herbst geschwankt.

Willst du nach den Früchten greifen,
Eilig nimm dein Teil davon!

Diese fangen an zu reifen,
Und die andern keimen schon;
Gleich mit jedem Regengusse
Ändert sich dein holdes Tal,
Ach, und in demselben Flusse
Schwimmst du nicht zum zweitenmal.

Du nun selbst! Was felsenfeste
Sich vor dir hervorgetan,
Mauern siehst du, siehst Paläste
Stets mit andern Augen an.
Weggeschwunden ist die Lippe,
Die im Kusse sonst genas,
Jener Fuß, der an der Klippe
Sich mit Gemsenfreche maß,

Jene Hand, die gern und milde
Sich bewegte wohlzutun,
Das gegliederte Gebilde,
Alles ist ein andres nun.
Und was sich an jener Stelle
Nun mit deinem Namen nennt,
Kam herbei wie eine Welle,
Und so eilt's zum Element.

Laß den Anfang mit dem Ende
Sich in *eins* zusammenziehn!
Schneller als die Gegenstände
Selber dich vorüberfliehn.
Danke, daß die Gunst der Musen
Unvergängliches verheißt,
Den Gehalt in deinem Busen
Und die Form in deinem Geist.

Eins und alles

Im Grenzenlosen sich zu finden,
Wird gern der Einzelne verschwinden,
Da löst sich aller Überdruß;
Statt heißem Wünschen, wildem Wollen,
Statt läst'gem Fordern, strengem Sollen,
Sich aufzugeben ist Genuß.

Weltseele, komm, uns zu durchdringen!
Dann mit dem Weltgeist selbst zu ringen
Wird unsrer Kräfte Hochberuf.
Teilnehmend führen gute Geister,
Gelinde leitend, höchste Meister,
Zu dem, der alles schafft und schuf.

Und umzuschaffen das Geschaffne,
Damit sich's nicht zum Starren waffne,
Wirkt ewiges lebendiges Tun.
Und was nicht war, nun will es werden,
Zu reinen Sonnen, farbigen Erden,
In keinem Falle darf es ruhn.

Es soll sich regen, schaffend handeln,
Erst sich gestalten, dann verwandeln;
Nur scheinbar steht's Momente still.
Das Ewige regt sich fort in allen:
Denn alles muß in Nichts zerfallen,
Wenn es im Sein beharren will.

Vermächtnis

Kein Wesen kann zu Nichts zerfallen!
Das Ew'ge regt sich fort in allen,
Am Sein erhalte dich beglückt!

Das Sein ist ewig: denn Gesetze
Bewahren die lebend'gen Schätze,
Aus welchen sich das All geschmückt.

Das Wahre war schon längst gefunden,
Hat edle Geisterschaft verbunden,
Das alte Wahre, faß es an!
Verdank es, Erdensohn, dem Weisen,
Der ihr die Sonne zu umkreisen
Und dem Geschwister wies die Bahn.

Sofort nun wende dich nach innen,
Das Zentrum findest du da drinnen,
Woran kein Edler zweifeln mag.
Wirst keine Regel da vermissen:
Denn das selbstständige Gewissen
Ist Sonne deinem Sittentag.

Den Sinnen hast du dann zu trauen,
Kein Falsches lassen sie dich schauen,
Wenn dein Verstand dich wach erhält.
Mit frischem Blick bemerke freudig,
Und wandle sicher wie geschmeidig
Durch Auen reichbegabter Welt.

Genieße mäßig Füll' und Segen,
Vernunft sei überall zugegen,
Wo Leben sich des Lebens freut.
Dann ist Vergangenheit beständig,
Das Künftige voraus lebendig,
Der Augenblick ist Ewigkeit.

Und war es endlich dir gelungen,
Und bist du vom Gefühl durchdrungen:
Was fruchtbar ist, allein ist wahr,
Du prüfst das allgemeine Walten,

Es wird nach seiner Weise schalten,
Geselle dich zur kleinsten Schar.

Und wie von alters her im stillen
Ein Liebewerk nach eignem Willen
Der Philosoph, der Dichter schuf,
So wirst du schönste Gunst erzielen:
Denn edlen Seelen vorzufühlen
Ist wünschenswertester Beruf.

Parabase

Freudig war, vor vielen Jahren,
Eifrig so der Geist bestrebt,
Zu erforschen, zu erfahren,
Wie Natur im Schaffen lebt.
Und es ist das ewig Eine,
Das sich vielfach offenbart;
Klein das Große, groß das Kleine,
Alles nach der eignen Art.
Immer wechselnd, fest sich haltend;
Nah und fern und fern und nah;
So gestaltend, umgestaltend —
Zum Erstaunen bin ich da.

Die Metamorphose der Pflanzen

Dich verwirret, Geliebte, die tausendfältige Mischung
    Dieses Blumengewühls über dem Garten umher;
Viele Namen hörest du an, und immer verdränget
    Mit barbarischem Klang einer den andern im Ohr.
Alle Gestalten sind ähnlich, und keine gleichet der andern;
    Und so deutet das Chor auf ein geheimes Gesetz,

Auf ein heiliges Rätsel. O könnt' ich dir, liebliche Freundin,
  Überliefern sogleich glücklich das lösende Wort!
Werdend betrachte sie nun, wie nach und nach sich die
                                  Pflanze,
  Stufenweise geführt, bildet zu Blüten und Frucht.
Aus dem Samen entwickelt sie sich, sobald ihn der Erde
  Stille befruchtender Schoß hold in das Leben entläßt,
Und dem Reize des Lichts, des heiligen, ewig bewegten,
  Gleich den zärtesten Bau keimender Blätter empfiehlt.
Einfach schlief in dem Samen die Kraft; ein beginnendes
                                 Vorbild
  Lag, verschlossen in sich, unter die Hülle gebeugt,
Blatt und Wurzel und Keim, nur halb geformet und farblos;
  Trocken erhält so der Kern ruhiges Leben bewahrt,
Quillet strebend empor, sich milder Feuchte vertrauend,
  Und erhebt sich sogleich aus der umgebenden Nacht.
Aber einfach bleibt die Gestalt der ersten Erscheinung;
  Und so bezeichnet sich auch unter den Pflanzen das Kind.
Gleich darauf ein folgender Trieb, sich erhebend, erneuet,
  Knoten auf Knoten getürmt, immer das erste Gebild.
Zwar nicht immer das gleiche; denn mannichfaltig erzeugt
                                  sich,
  Ausgebildet, du siehst's, immer das folgende Blatt,
Ausgedehnter, gekerbter, getrennter in Spitzen und Teile,
  Die verwachsen vorher ruhten im untern Organ.
Und so erreicht es zuerst die höchst bestimmte Vollendung,
  Die bei manchem Geschlecht dich zum Erstaunen bewegt.
Viel gerippt und gezackt, auf mastig strotzender Fläche,
  Scheinet die Fülle des Triebs frei und unendlich zu sein.
Doch hier hält die Natur, mit mächtigen Händen, die
                                  Bildung
  An und lenket sie sanft in das Vollkommnere hin.
Mäßiger leitet sie nun den Saft, verengt die Gefäße,
  Und gleich zeigt die Gestalt zärtere Wirkungen an.
Stille zieht sich der Trieb der strebenden Ränder zurücke,
  Und die Rippe des Stiels bildet sich völliger aus.

Blattlos aber und schnell erhebt sich der zärtere Stengel,
   Und ein Wundergebild zieht den Betrachtenden an.
Rings im Kreise stellet sich nun, gezählet und ohne
   Zahl, das kleinere Blatt neben dem ähnlichen hin.
Um die Achse gedrängt, entscheidet der bergende Kelch
                       sich,
   Der zur höchsten Gestalt farbige Kronen entläßt.
Also prangt die Natur in hoher, voller Erscheinung,
   Und sie zeiget, gereiht, Glieder an Glieder gestuft.
Immer staunst du aufs neue, sobald sich am Stengel die
                    Blume
   Über dem schlanken Gerüst wechselnder Blätter bewegt.
Aber die Herrlichkeit wird des neuen Schaffens
                    Verkündung;
   Ja, das farbige Blatt fühlet die göttliche Hand,
Und zusammen zieht es sich schnell; die zärtesten Formen,
   Zwiefach streben sie vor, sich zu vereinen bestimmt.
Traulich stehen sie nun, die holden Paare, beisammen,
   Zahlreich ordnen sie sich um den geweihten Altar.
Hymen schwebet herbei, und herrliche Düfte, gewaltig,
   Strömen süßen Geruch, alles belebend, umher.
Nun vereinzelt schwellen sogleich unzählige Keime,
   Hold in den Mutterschoß schwellender Früchte gehüllt.
Und hier schließt die Natur den Ring der ewigen Kräfte;
   Doch ein neuer sogleich fasset den vorigen an,
Daß die Kette sich fort durch alle Zeiten verlänge
   Und das Ganze belebt, so wie das Einzelne, sei.
Wende nun, o Geliebte, den Blick zum bunten Gewimmel,
   Das verwirrend nicht mehr sich vor dem Geiste bewegt.
Jede Pflanze verkündet dir nun die ew'gen Gesetze,
   Jede Blume, sie spricht lauter und lauter mit dir.
Aber entzifferst du hier der Göttin heilige Lettern,
   Überall siehst du sie dann, auch in verändertem Zug.
Kriechend zaudre die Raupe, der Schmetterling eile
                    geschäftig,
   Bildsam ändre der Mensch selbst die bestimmte Gestalt!

O gedenke denn auch, wie aus dem Keim der Bekanntschaft
  Nach und nach in uns holde Gewohnheit entsproß,
Freundschaft sich mit Macht in unserm Innern enthüllte,
  Und wie Amor zuletzt Blüten und Früchte gezeugt.
Denke, wie mannichfach bald die, bald jene Gestalten,
  Still entfaltend, Natur unsern Gefühlen geliehn!
Freue dich auch des heutigen Tags! Die heilige Liebe
  Strebt zu der höchsten Frucht gleicher Gesinnungen auf,
Gleicher Ansicht der Dinge, damit in harmonischem
                                            Anschaun
  Sich verbinde das Paar, finde die höhere Welt.

Epirrhema

Müsset im Naturbetrachten
Immer eins wie alles achten;
Nichts ist drinnen, nichts ist draußen:
Denn was innen, das ist außen.
So ergreifet ohne Säumnis
Heilig öffentlich Geheimnis.

Freuet euch des wahren Scheins,
Euch des ernsten Spieles:
Kein Lebendiges ist ein Eins,
Immer ist's ein Vieles.

Metamorphose der Tiere

Wagt ihr, also bereitet, die letzte Stufe zu steigen
Dieses Gipfels, so reicht mir die Hand und öffnet den freien
Blick ins weite Feld der Natur. Sie spendet die reichen
Lebensgaben umher, die Göttin; aber empfindet
Keine Sorge wie sterbliche Fraun um ihrer Gebornen
Sichere Nahrung; ihr ziemet es nicht: denn zwiefach
                                            bestimmte

Sie das höchste Gesetz, beschränkte jegliches Leben,
Gab ihm gemeßnes Bedürfnis, und ungemessene Gaben,
Leicht zu finden, streute sie aus, und ruhig begünstigt
Sie das muntre Bemühn der vielfach bedürftigen Kinder;
Unerzogen schwärmen sie fort nach ihrer Bestimmung.

Zweck sein selbst ist jegliches Tier, vollkommen entspringt es
Aus dem Schoß der Natur und zeugt vollkommene Kinder.
Alle Glieder bilden sich aus nach ew'gen Gesetzen,
Und die seltenste Form bewahrt im geheimen das Urbild.
So ist jeglicher Mund geschickt, die Speise zu fassen,
Welche dem Körper gebührt, es sei nun schwächlich und
zahnlos
Oder mächtig der Kiefer gezahnt, in jeglichem Falle
Fördert ein schicklich Organ den übrigen Gliedern die
Nahrung.
Auch bewegt sich jeglicher Fuß, der lange, der kurze,
Ganz harmonisch zum Sinne des Tiers und seinem Bedürfnis.
So ist jedem der Kinder die volle reine Gesundheit
Von der Mutter bestimmt: denn alle lebendigen Glieder
Widersprechen sich nie und wirken alle zum Leben.
Also bestimmt die Gestalt die Lebensweise des Tieres,
Und die Weise, zu leben, sie wirkt auf alle Gestalten
Mächtig zurück. So zeiget sich fest die geordnete Bildung,
Welche zum Wechsel sich neigt durch äußerlich wirkende
Wesen.
Doch im Innern befindet die Kraft der edlern Geschöpfe
Sich im heiligen Kreise lebendiger Bildung beschlossen.
Diese Grenzen erweitert kein Gott, es ehrt die Natur sie:
Denn nur also beschränkt war je das Vollkommene möglich.

Doch im Inneren scheint ein Geist gewaltig zu ringen,
Wie er durchbräche den Kreis, Willkür zu schaffen den
Formen
Wie dem Wollen; doch was er beginnt, beginnt er vergebens.
Denn zwar drängt er sich vor zu diesen Gliedern, zu jenen,

Stattet mächtig sie aus, jedoch schon darben dagegen
Andere Glieder, die Last des Übergewichtes vernichtet
Alle Schöne der Form und alle reine Bewegung.
Siehst du also dem einen Geschöpf besonderen Vorzug
Irgend gegönnt, so frage nur gleich, wo leidet es etwa
Mangel anderswo, und suche mit forschendem Geiste,
Finden wirst du sogleich zu aller Bildung den Schlüssel.
Denn so hat kein Tier, dem sämtliche Zähne den obern
Kiefer umzäunen, ein Horn auf seiner Stirne getragen,
Und daher ist den Löwen gehörnt der ewigen Mutter
Ganz unmöglich zu bilden, und böte sie alle Gewalt auf;
Denn sie hat nicht Masse genug, die Reihen der Zähne
Völlig zu pflanzen und auch Geweih und Hörner zu treiben.

Dieser schöne Begriff von Macht und Schranken, von
                                        Willkür
Und Gesetz, von Freiheit und Maß, von beweglicher
                                        Ordnung,
Vorzug und Mangel, erfreue dich hoch; die heilige Muse
Bringt harmonisch ihn dir, mit sanftem Zwange belehrend.
Keinen höhern Begriff erringt der sittliche Denker,
Keinen der tätige Mann, der dichtende Künstler; der
                                        Herrscher,
Der verdient, es zu sein, erfreut nur durch ihn sich der
                                        Krone.
Freue dich, höchstes Geschöpf der Natur, du fühlest dich
                                        fähig,
Ihr den höchsten Gedanken, zu dem sie schaffend sich
                                        aufschwang,
Nachzudenken. Hier stehe nun still und wende die Blicke
Rückwärts, prüfe, vergleiche und nimm vom Munde der
                                        Muse,
Daß du schauest, nicht schwärmst, die liebliche volle
                                        Gewißheit.

Antepirrhema

So schauet mit bescheidnem Blick
Der ewigen Weberin Meisterstück,
Wie *ein* Tritt tausend Fäden regt,
Die Schifflein hinüber-, herüberschießen,
Die Fäden sich begegnend fließen,
Ein Schlag tausend Verbindungen schlägt,
Das hat sie nicht zusammengebettelt,
Sie hat's von Ewigkeit angezettelt;
Damit der ewige Meistermann
Getrost den Einschlag werfen kann.

Botanik

Die Metamorphose der Pflanzen

Ταράσσει τοὺς ἀνθρώπους οὐ τὰ πράγματα,
ἀλλὰ τὰ περὶ τῶν πραγμάτων δόγματα.

Einleitung

1.

Ein jeder, der das Wachstum der Pflanzen nur einigermaßen beobachtet, wird leicht bemerken, daß gewisse äußere Teile derselben sich manchmal verwandeln und in die Gestalt der nächstliegenden Teile bald ganz, bald mehr oder weniger übergehen.

2.

So verändert sich, zum Beispiel, meistens die einfache Blume dann in eine gefüllte, wenn sich, anstatt der Staubfäden und Staubbeutel, Blumenblätter entwickeln, die entweder an Gestalt und Farbe vollkommen den übrigen Blättern der

Krone gleich sind oder noch sichtbare Zeichen ihres Ursprungs an sich tragen.

3.

Wenn wir nun bemerken, daß es auf diese Weise der Pflanze möglich ist, einen Schritt rückwärts zu tun und die Ordnung des Wachstums umzukehren, so werden wir auf den regelmäßigen Weg der Natur desto aufmerksamer gemacht, und wir lernen die Gesetze der Umwandlung kennen, nach welchen sie einen Teil durch den andern hervorbringt und die verschiedensten Gestalten durch Modifikation eines einzigen Organs darstellt.

4.

Die geheime Verwandtschaft der verschiedenen äußern Pflanzenteile, als der Blätter, des Kelchs, der Krone, der Staubfäden, welche sich nacheinander und gleichsam auseinander entwickeln, ist von den Forschern im allgemeinen längst erkannt, ja auch besonders bearbeitet worden, und man hat die Wirkung, wodurch ein und dasselbe Organ sich uns mannichfaltig verändert sehen läßt, die *Metamorphose der Pflanzen* genannt.

5.

Es zeigt sich uns diese Metamorphose auf dreierlei Art: *regelmäßig, unregelmäßig* und *zufällig*.

6.

Die *regelmäßige* Metamorphose können wir auch die *fortschreitende* nennen: denn sie ist es, welche sich von den ersten Samenblättern bis zur letzten Ausbildung der Frucht immer stufenweise wirksam bemerken läßt und durch Umwandlung einer Gestalt in die andere, gleichsam auf einer geistigen Leiter, zu jenem Gipfel der Natur, der Fortpflanzung durch zwei Geschlechter, hinaufsteigt. Diese ist es, welche ich mehrere Jahre aufmerksam beobachtet habe und welche zu erklären ich gegenwärtigen Versuch unternehme. Wir werden auch deswegen bei der folgenden Demonstration die Pflanze nur insofern betrachten, als sie einjährig ist und aus dem Samenkorne zur Befruchtung unaufhaltsam vorwärtsschreitet.

7.

Die *unregelmäßige* Metamorphose könnten wir auch die *rückschreitende* nennen. Denn wie in jenem Fall die Natur vorwärts zu dem großen Zwecke hineilt, tritt sie hier um eine oder einige Stufen rückwärts. Wie sie dort mit unwiderstehlichem Trieb und kräftiger Anstrengung die Blumen bildet und zu den Werken der Liebe rüstet, so erschlafft sie hier gleichsam und läßt unentschlossen ihr Geschöpf in einem unentschiedenen, weichen, unsern Augen oft gefälligen, aber innerlich unkräftigen und unwirksamen Zustande. Durch die Erfahrungen, welche wir an dieser Metamorphose zu machen Gelegenheit haben, werden wir dasjenige enthüllen können, was uns die regelmäßige verheimlicht, deutlich sehen, was wir dort nur schließen dürfen; und auf diese Weise steht es zu hoffen, daß wir unsere Absicht am sichersten erreichen.

8.

Dagegen werden wir von der dritten Metamorphose, welche *zufällig*, von außen, besonders durch Insekten gewirkt wird, unsere Aufmerksamkeit wegwenden, weil sie uns von dem einfachen Wege, welchem wir zu folgen haben, ableiten und unsern Zweck verrücken könnte. Vielleicht findet sich an einem andern Orte Gelegenheit, von diesen monströsen und doch in gewisse Grenzen eingeschränkten Auswüchsen zu sprechen.

9.

Ich habe es gewagt, gegenwärtigen Versuch ohne Beziehung auf erläuternde Kupfer auszuarbeiten, die jedoch in manchem Betracht nötig scheinen möchten. Ich behalte mir vor, sie in der Folge nachzubringen, welches um so bequemer geschehen kann, da noch Stoff genug übrig ist, gegenwärtige kleine, nur vorläufige Abhandlung zu erläutern und weiter auszuführen. Es wird alsdann nicht nötig sein, einen so gemessenen Schritt, wie gegenwärtig, zu halten. Ich werde manches Verwandte herbeiführen können, und mehrere Stellen, aus gleichgesinnten Schriftstellern gesammlet, werden an ihrem rechten Platze stehen. Besonders werde ich von allen Erinnerungen gleichzeitiger Meister, deren sich diese edle Wissenschaft zu rühmen hat, Gebrauch zu machen nicht verfehlen. Diesen übergebe und widme ich hiermit gegenwärtige Blätter.

I.

Von den Samenblättern

10.

Da wir die Stufenfolge des Pflanzen-Wachstums zu beobachten uns vorgenommen haben, so richten wir unsere Aufmerksamkeit sogleich in dem Augenblicke auf die Pflanze, wo sie sich aus dem Samenkorn entwickelt. In dieser Epoche können wir die Teile, welche unmittelbar zu ihr gehören, leicht und genau erkennen. Sie läßt ihre Hüllen mehr oder weniger in der Erde zurück, welche wir auch gegenwärtig nicht untersuchen, und bringt in vielen Fällen, wenn die Wurzel sich in den Boden befestigt hat, die ersten Organe ihres oberen Wachstums, welche schon unter der Samendecke verborgen gegenwärtig gewesen, an das Licht hervor.

11.

Es sind diese ersten Organe unter dem Namen *Cotyledonen* bekannt; man hat sie auch Samenklappen, Kernstücke, Sa-

menlappen, Samenblätter genannt und so die verschiedenen
Gestalten, in denen wir sie gewahr werden, zu bezeichnen
gesucht.

12.

Sie erscheinen oft unförmlich, mit einer rohen Materie
gleichsam ausgestopft, und ebensosehr in die Dicke als in
die Breite ausgedehnt; ihre Gefäße sind unkenntlich und
von der Masse des Ganzen kaum zu unterscheiden; sie
haben fast nichts Ähnliches von einem Blatte, und wir können verleitet werden, sie für besondere Organe anzusehen.

13.

Doch nähern sie sich bei vielen Pflanzen der Blattgestalt;
sie werden flächer, sie nehmen, dem Licht und der Luft
ausgesetzt, die grüne Farbe in einem höhern Grade an, die
in ihnen enthaltenen Gefäße werden kenntlicher, den Blatt-
rippen ähnlicher.

14.

Endlich erscheinen sie uns als wirkliche Blätter, ihre Gefäße
sind der feinsten Ausbildung fähig, ihre Ähnlichkeit mit
den folgenden Blättern erlaubt uns nicht, sie für besondere
Organe zu halten, wir erkennen sie vielmehr für die ersten
Blätter des Stengels.

15.

Läßt sich nun aber ein Blatt nicht ohne Knoten und ein
Knoten nicht ohne Auge denken, so dürfen wir folgern,
daß derjenige Punkt, wo die Cotyledonen angeheftet sind,
der wahre erste Knotenpunkt der Pflanze sei. Es wird dieses durch diejenigen Pflanzen bekräftiget, welche unmittelbar unter den Flügeln der Cotyledonen junge Augen hervortreiben und aus diesen ersten Knoten vollkommene
Zweige entwickeln, wie z. B. Vicia Faba zu tun pflegt.

16.

Die Cotyledonen sind meist gedoppelt, und wir finden hierbei eine Bemerkung zu machen, welche uns in der Folge noch wichtiger scheinen wird. Es sind nämlich die Blätter dieses ersten Knotens oft auch dann *gepaart*, wenn die folgenden Blätter des Stengels *wechselsweise* stehen; es zeigt sich also hier eine Annäherung und Verbindung der Teile, welche die Natur in der Folge trennt und voneinander entfernt. Noch merkwürdiger ist es, wenn die Cotyledonen als viele Blättchen um *eine* Axe versammlet erscheinen und der aus ihrer Mitte sich nach und nach entwickelnde Stengel die folgenden Blätter einzeln um sich herum hervorbringt, welcher Fall sehr genau an dem Wachstum der Pinusarten sich bemerken läßt. Hier bildet ein Kranz von Nadeln gleichsam einen Kelch, und wir werden in der Folge, bei ähnlichen Erscheinungen, uns des gegenwärtigen Falles wieder zu erinnern haben.

17.

Ganz unförmliche einzelne Kernstücke solcher Pflanzen, welche nur mit *einem* Blatte keimen, gehen wir gegenwärtig vorbei.

18.

Dagegen bemerken wir, daß auch selbst die blattähnlichsten Cotyledonen, gegen die folgenden Blätter des Stengels gehalten, immer unausgebildeter sind. Vorzüglich ist ihre Peripherie höchst einfach, und an derselben sind so wenig Spuren von Einschnitten zu sehen, als auf ihren Flächen sich Haare oder andere Gefäße ausgebildeter Blätter bemerken lassen.

II.

Ausbildung der Stengelblätter von Knoten zu Knoten

19.

Wir können nunmehr die sukzessive Ausbildung der Blätter genau betrachten, da die fortschreitenden Wirkungen der Natur alle vor unsern Augen vorgehen. Einige oder mehrere der nun folgenden Blätter sind oft schon in dem Samen gegenwärtig und liegen zwischen den Cotyledonen eingeschlossen; sie sind in ihrem zusammengefalteten Zustande unter dem Namen des Federchens bekannt. Ihre Gestalt verhält sich gegen die Gestalt der Cotyledonen und der folgenden Blätter an verschiedenen Pflanzen verschieden, doch weichen sie meist von den Cotyledonen schon darin ab, daß sie flach, zart und überhaupt als wahre Blätter gebildet sind, sich völlig grün färben, auf einem sichtbaren Knoten ruhen und ihre Verwandtschaft mit den folgenden Stengelblättern nicht mehr verleugnen können; welchen sie aber noch gewöhnlich darin nachstehen, daß ihre Peripherie, ihr Rand nicht vollkommen ausgebildet ist.

20.

Doch breitet sich die fernere Ausbildung unaufhaltsam von Knoten zu Knoten durch das Blatt aus, indem sich die mittlere Rippe desselben verlängert und die von ihr entspringenden Nebenrippen sich mehr oder weniger nach den Seiten ausstrecken. Diese verschiedenen Verhältnisse der Rippen gegeneinander sind die vornehmste Ursache der mannichfaltigen Blattgestalten. Die Blätter erscheinen nunmehr eingekerbt, tief eingeschnitten, aus mehreren Blättchen zusammengesetzt, in welchem letzten Falle sie uns vollkommene kleine Zweige vorbilden. Von einer solchen sukzessiven höchsten Vermannichfaltigung der einfachsten Blattgestalt gibt uns die Dattelpalme ein auffallendes Beispiel. In einer Folge von mehreren Blättern schiebt sich die Mittelrippe vor, das fächerartige einfache Blatt wird zerrissen, abgeteilt, und ein höchst zusammengesetztes, mit einem Zweige wetteiferndes Blatt wird entwickelt.

21.

In eben dem Maße, in welchem das Blatt selbst an Ausbildung zunimmt, bildet sich auch der Blattstiel aus, es sei nun, daß er unmittelbar mit seinem Blatte zusammenhange oder ein besonderes, in der Folge leicht abzutrennendes Stielchen ausmache.

22.

Daß dieser für sich bestehende Blattstiel gleichfalls eine Neigung habe, sich in Blättergestalt zu verwandeln, sehen wir bei verschiedenen Gewächsen, z. B. an den Agrumen, und es wird uns seine Organisation in der Folge noch zu einigen Betrachtungen auffordern, welchen wir gegenwärtig ausweichen.

23.

Auch können wir uns vorerst in die nähere Beobachtung der Afterblätter nicht einlassen; wir bemerken nur im Vorbeigehen, daß sie, besonders wenn sie einen Teil des Stiels ausmachen, bei der künftigen Umbildung desselben gleichfalls sonderbar verwandelt werden.

24.

Wie nun die Blätter hauptsächlich ihre erste Nahrung den mehr oder weniger modifizierten wässerichten Teilen zu verdanken haben, welche sie dem Stamme entziehen, so sind sie ihre größere Ausbildung und Verfeinerung dem Lichte und der Luft schuldig. Wenn wir jene in der verschlossenen Samenhülle erzeugten Cotyledonen, mit einem rohen Safte nur gleichsam ausgestopft, fast gar nicht oder nur grob organisiert und ungebildet finden, so zeigen sich uns die Blätter der Pflanzen, welche unter dem Wasser

wachsen, gröber organisiert als andere, der freien Luft aus-
gesetzte; ja sogar entwickelt dieselbige Pflanzenart glättere
und weniger verfeinerte Blätter, wenn sie in tiefen, feuch-
ten Orten wächst; da sie hingegen, in höhere Gegenden versetzt, rauhe, mit Haaren versehene, feiner ausgearbeitete
Blätter hervorbringt.

25.

Auf gleiche Weise wird die Anastomose der aus den Rippen entspringenden und sich mit ihren Enden einander auf-
suchenden, die Blatthäutchen bildenden Gefäße durch feinere Luftarten wo nicht allein bewirkt, doch wenigstens
sehr befördert. Wenn Blätter vieler Pflanzen, die unter
dem Wasser wachsen, fadenförmig sind oder die Gestalt
von Geweihen annehmen, so sind wir geneigt, es dem Mangel einer vollkommenen Anastomose zuzuschreiben. Augen-
scheinlich belehrt uns hiervon das Wachstum des Ranunculus aquaticus, dessen unter dem Wasser erzeugte Blätter
aus fadenförmigen Rippen bestehen, die oberhalb des Wassers entwickelten aber völlig anastomosiert und zu einer zu-
sammenhängenden Fläche ausgebildet sind. Ja es läßt sich
an halb anastomosierten, halb fadenförmigen Blättern dieser Pflanze der Übergang genau bemerken.

26.

Man hat sich durch Erfahrungen unterrichtet, daß die Blätter verschiedene Luftarten einsaugen und sie mit den in
ihrem Innern enthaltenen Feuchtigkeiten verbinden; auch
bleibt wohl kein Zweifel übrig, daß sie diese feineren Säfte
wieder in den Stengel zurückbringen und die Ausbildung
der in ihrer Nähe liegenden Augen dadurch vorzüglich befördern. Man hat die aus den Blättern mehrerer Pflanzen,
ja aus den Höhlungen der Rohre entwickelten Luftarten
untersucht und sich also vollkommen überzeugen können.

27.

Wir bemerken bei mehreren Pflanzen, daß ein Knoten aus dem andern entspringt. Bei Stengeln, welche von Knoten zu Knoten geschlossen sind, bei den Zerealien, den Gräsern, Rohren, ist es in die Augen fallend; nicht ebensosehr bei andern Pflanzen, welche in der Mitte durchaus hohl und mit einem Mark oder vielmehr einem zelligen Gewebe ausgefüllt erscheinen. Da man nun aber diesem ehemals sogenannten Mark seinen bisher behaupteten Rang neben den andern inneren Teilen der Pflanze und, wie uns scheint, mit überwiegenden Gründen streitig gemacht*, ihm den scheinbar behaupteten Einfluß in das Wachstum abgesprochen und der innern Seite der zweiten Rinde, dem sogenannten Fleisch, alle Trieb- und Hervorbringungskraft zuzuschreiben nicht gezweifelt hat, so wird man sich gegenwärtig eher überzeugen, daß ein oberer Knoten, indem er aus dem vorhergehenden entsteht und die Säfte mittelbar durch ihn empfängt, solche feiner und filtrierter erhalten, auch von der inzwischen geschehenen Einwirkung der Blätter genießen, sich selbst feiner ausbilden und seinen Blättern und Augen feinere Säfte zubringen müsse.

28.

Indem nun auf diese Weise die roheren Flüssigkeiten immer abgeleitet, reinere herbeigeführt werden und die Pflanze sich stufenweise feiner ausarbeitet, erreicht sie den von der Natur vorgeschriebenen Punkt. Wir sehen endlich die Blätter in ihrer größten Ausbreitung und Ausbildung und werden bald darauf eine neue Erscheinung gewahr, welche uns unterrichtet: die bisher beobachtete Epoche sei vorbei, es nahe sich eine zweite, die Epoche der *Blüte*.

---

* *Hedwig*, in des »Leipziger Magazins« drittem Stück.

III.

Übergang zum Blütenstande

29.

Den Übergang zum Blütenstande sehen wir *schneller* oder *langsamer* geschehen. In dem letzten Falle bemerken wir gewöhnlich, daß die Stengelblätter von ihrer Peripherie herein sich wieder anfangen zusammenzuziehen, besonders ihre mannichfaltigen äußern Einteilungen zu verlieren, sich dagegen an ihren untern Teilen, wo sie mit dem Stengel zusammenhängen, mehr oder weniger auszudehnen; in gleicher Zeit sehen wir wo nicht die Räume des Stengels von Knoten zu Knoten merklich verlängert, doch wenigstens denselben gegen seinen vorigen Zustand viel feiner und schmächtiger gebildet.

30.

Man hat bemerkt, daß häufige Nahrung den Blütenstand einer Pflanze verhindere, mäßige, ja kärgliche Nahrung ihn beschleunige. Es zeigt sich hierdurch die Wirkung der Stammblätter, von welcher oben die Rede gewesen, noch deutlicher. Solange noch rohere Säfte abzuführen sind, so lange müssen sich die möglichen Organe der Pflanze zu Werkzeugen dieses Bedürfnisses ausbilden. Dringt übermäßige Nahrung zu, so muß jene Operation immer wiederholt werden, und der Blütenstand wird gleichsam unmöglich. Entzieht man der Pflanze die Nahrung, so erleichtert und verkürzt man dagegen jene Wirkung der Natur; die Organe der Knoten werden verfeinert, die Wirkung der unverfälschten Säfte reiner und kräftiger, die Umwandlung der Teile wird möglich und geschieht unaufhaltsam.

IV.

Bildung des Kelches

31.

Oft sehen wir diese Umwandlung *schnell* vor sich gehn, und in diesem Falle rückt der Stengel, von dem Knoten des letzten ausgebildeten Blattes an, auf einmal verlängert und verfeinert, in die Höhe; und versammlet an seinem Ende mehrere Blätter um eine Axe.

32.

Daß die Blätter des Kelches eben dieselbigen Organe seien, welche sich bisher als Stengelblätter ausgebildet sehen lassen, nun aber oft in sehr veränderter Gestalt um einen gemeinschaftlichen Mittelpunkt versammlet stehen, läßt sich, wie uns dünkt, auf das deutlichste nachweisen.

33.

Wir haben schon oben bei den Cotyledonen eine ähnliche Wirkung der Natur bemerkt und mehrere Blätter, ja offenbar mehrere Knoten um einen Punkt versammlet und nebeneinandergerückt gesehen. Es zeigen die Fichtenarten, indem sie sich aus dem Samenkorn entwickeln, einen Strahlenkranz von unverkennbaren Nadeln, welche, gegen die Gewohnheit anderer Cotyledonen, schon sehr ausgebildet sind; und wir sehen in der ersten Kindheit dieser Pflanze schon diejenige Kraft der Natur gleichsam angedeutet, wodurch in ihrem höheren Alter der Blüten- und Fruchtstand gewirkt werden soll.

34.

Ferner sehen wir bei mehreren Blumen unveränderte Stengelblätter gleich unter der Krone zu einer Art von Kelch zusammengerückt. Da sie ihre Gestalt noch vollkommen an sich tragen, so dürfen wir uns hier nur auf den Augen-

schein und auf die botanische Terminologie berufen, welche
sie mit dem Namen *Blütenblätter*, Folia floralia, bezeichnet
hat.

35.

Mit mehrerer Aufmerksamkeit haben wir den oben schon
angeführten Fall zu beobachten, wo der Übergang zum
Blütenstande *langsam* vorgeht, die Stengelblätter nach und
nach sich zusammenziehen, sich verändern und sich sachte
in den Kelch gleichsam einschleichen; wie man solches bei
Kelchen der Strahlenblumen, besonders der Sonnenblumen,
der Calendeln, gar leicht beobachten kann.

36.

Diese Kraft der Natur, welche mehrere Blätter um eine
Axe versammlet, sehen wir eine noch innigere Verbindung
bewirken und sogar diese zusammengebrachten, modifizierten Blätter noch unkenntlicher machen, indem sie solche
untereinander manchmal ganz, oft aber nur zum Teil verbindet und an ihren Seiten zusammengewachsen hervorbringt. Die so nahe aneinandergerückten und gedrängten
Blätter berühren sich auf das genauste in ihrem zarten Zustande, anastomosieren sich durch die Einwirkung der
höchst reinen, in der Pflanze nunmehr gegenwärtigen Säfte
und stellen uns die glockenförmigen oder sogenannten *einblätterigen* Kelche dar, welche, mehr oder weniger von
oben herein eingeschnitten oder geteilt, uns ihren zusammengesetzten Ursprung deutlich zeigen. Wir können uns
durch den Augenschein hiervon belehren, wenn wir eine
Anzahl tief eingeschnittener Kelche gegen mehrblätterige
halten; besonders wenn wir die Kelche mancher Strahlenblumen genau betrachten. So werden wir zum Exempel
sehen, daß ein Kelch der Calendel, welcher in der systematischen Beschreibung als *einfach* und *vielgeteilt* aufgeführt wird, aus mehreren zusammen- und übereinandergewachsenen Blättern bestehe, zu welchen sich, wie schon

oben gesagt, zusammengezogene Stammblätter gleichsam hinzuschleichen.

37.

Bei vielen Pflanzen ist die Zahl und die Gestalt, in welcher die Kelchblätter, entweder einzeln oder zusammengewachsen, um die Axe des Stiels gereihet werden, beständig, so wie die übrigen folgenden Teile. Auf dieser Beständigkeit beruhet größtenteils das Wachstum, die Sicherheit, die Ehre der botanischen Wissenschaft, welche wir in diesen letztern Zeiten immer mehr haben zunehmen sehn. Bei andern Pflanzen ist die Anzahl und Bildung dieser Teile nicht gleich beständig; aber auch dieser Unbestand hat die scharfe Beobachtungsgabe der Meister dieser Wissenschaft nicht hintergehen können, sondern sie haben durch genaue Bestimmungen auch diese Abweichungen der Natur gleichsam in einen engern Kreis einzuschließen gesucht.

38.

Auf diese Weise bildete also die Natur den Kelch, daß sie mehrere Blätter und folglich mehrere Knoten, welche sie sonst *nacheinander* und in einiger Entfernung *voneinander* hervorgebracht hätte, *zusammen*, meist in einer gewissen bestimmten Zahl und Ordnung um einen Mittelpunkt verbindet. Wäre durch zudringende überflüssige Nahrung der Blütenstand verhindert worden, so würden sie alsdann auseinandergerückt und in ihrer ersten Gestalt erschienen sein. Die Natur bildet also im Kelch kein neues Organ, sondern sie verbindet und modifiziert nur die uns schon bekannt gewordenen Organe und bereitet sich dadurch eine Stufe näher zum Ziel.

V.

Bildung der Krone

39.

Wir haben gesehen, daß der Kelch durch verfeinerte Säfte, welche nach und nach in der Pflanze sich erzeugen, hervorgebracht werde, und so ist er nun wieder zum Organe einer künftigen weitern Verfeinerung bestimmt. Es wird uns dieses schon glaublich, wenn wir seine Wirkung auch bloß mechanisch erklären. Denn wie höchst zart und zur feinsten Filtration geschickt müssen Gefäße werden, welche, wie wir oben gesehen haben, in dem höchsten Grade zusammengezogen und aneinandergedrängt sind.

40.

Den Übergang des Kelchs zur Krone können wir in mehr als einem Fall bemerken; denn obgleich die Farbe des Kelchs noch gewöhnlich grün und der Farbe der Stengelblätter ähnlich bleibt, so verändert sich dieselbe doch oft an einem oder dem andern seiner Teile, an den Spitzen, den Rändern, dem Rücken oder gar an seiner inwendigen Seite, indessen die äußere noch grün bleibt; und wir sehen mit dieser Färbung jederzeit eine Verfeinerung verbunden. Dadurch entstehen zweideutige Kelche, welche mit gleichem Rechte für Kronen gehalten werden können.

41.

Haben wir nun bemerkt, daß von den Samenblättern herauf eine große Ausdehnung und Ausbildung der Blätter, besonders ihrer Peripherie, und von da zu dem Kelche eine Zusammenziehung des Umkreises vor sich gehe, so bemerken wir, daß die Krone abermals durch eine Ausdehnung hervorgebracht werde. Die Kronenblätter sind gewöhnlich größer als die Kelchblätter, und es läßt sich bemerken, daß wie die Organe im Kelch zusammengezogen werden, sie sich nunmehr als Kronenblätter, durch den Einfluß reinerer, durch den Kelch abermals filtrierter Säfte, in einem hohen Grade verfeint wieder ausdehnen und uns neue, ganz verschiedene Organe vorbilden. Ihre feine Organisation, ihre Farbe, ihr Geruch würden uns ihren Ursprung ganz unkenntlich machen, wenn wir die Natur nicht in mehreren außerordentlichen Fällen belauschen könnten.

42.

So findet sich z. B. innerhalb des Kelches einer Nelke manchmal ein zweiter Kelch, welcher, zum Teil vollkommen grün, die Anlage zu einem einblätterigen eingeschnittenen Kelche zeigt; zum Teil zerrissen und an seinen Spitzen und Rändern zu zarten, ausgedehnten, gefärbten wirklichen Anfängen der Kronenblätter umgebildet wird, wodurch wir denn die Verwandtschaft der Krone und des Kelches abermals deutlich erkennen.

43.

Die Verwandtschaft der Krone mit den Stengelblättern zeigt sich uns auch auf mehr als eine Art: denn es erscheinen an mehreren Pflanzen Stengelblätter schon mehr oder weniger gefärbt, lange ehe sie sich dem Blütenstande nähern; andere färben sich vollkommen in der Nähe des Blütenstandes.

44.

Auch gehet die Natur manchmal, indem sie das Organ des Kelchs gleichsam überspringt, unmittelbar zur Krone, und wir haben Gelegenheit, in diesem Falle gleichfalls zu beobachten, daß Stengelblätter zu Kronenblättern übergehen. So zeigt sich z. B. manchmal an den Tulpenstengeln ein beinahe völlig ausgebildetes und gefärbtes Kronenblatt. Ja noch merkwürdiger ist der Fall, wenn ein solches Blatt halb grün, mit seiner einen Hälfte zum Stengel gehörig, an demselben befestigt bleibt, indes sein anderer und gefärbter Teil

mit der Krone emporgehoben und das Blatt in zwei Teile
zerrissen wird.

45.

Es ist eine sehr wahrscheinliche Meinung, daß Farbe und
Geruch der Kronenblätter der Gegenwart des männlichen
Samens in denselben zuzuschreiben sei. Wahrscheinlich befindet er sich in ihnen noch nicht genugsam abgesondert,
vielmehr mit andern Säften verbunden und diluiert; und
die schönen Erscheinungen der Farben führen uns auf den
Gedanken, daß die Materie, womit die Blätter ausgefüllt
sind, zwar in einem hohen Grad von Reinheit, aber noch
nicht auf dem höchsten stehe, auf welchem sie uns weiß
und ungefärbt erscheint.

VI.

Bildung der Staubwerkzeuge

46.

Es wird uns dieses noch wahrscheinlicher, wenn wir die
nahe Verwandtschaft der Kronenblätter mit den Staubwerkzeugen bedenken. Wäre die Verwandtschaft aller übrigen Teile untereinander ebenso in die Augen fallend, so
allgemein bemerkt und außer allem Zweifel gesetzt, so
würde man gegenwärtigen Vortrag für überflüssig halten
können.

47.

Die Natur zeigt uns in einigen Fällen diesen Übergang regelmäßig, z. B. bei der Canna und mehreren Pflanzen dieser Familie. Ein wahres, wenig verändertes Kronenblatt
zieht sich am obern Rande zusammen, und es zeigt sich ein
Staubbeutel, bei welchem das übrige Blatt die Stelle des
Staubfadens vertritt.

48.

An Blumen, welche öfters gefüllt erscheinen, können wir diesen Übergang in allen seinen Stufen beobachten. Bei mehreren Rosenarten zeigen sich innerhalb der vollkommen gebildeten und gefärbten Kronenblätter andere, welche teils in der Mitte, teils an der Seite zusammengezogen sind; diese Zusammenziehung wird von einer kleinen Schwiele bewirkt, welche sich mehr oder weniger als ein vollkommener Staubbeutel sehen läßt, und in eben diesem Grade nähert sich das Blatt der einfacheren Gestalt eines Staubwerkzeugs. Bei einigen gefüllten Mohnen ruhen völlig ausgebildete Antheren auf wenig veränderten Blättern der stark gefüllten Kronen, bei andern ziehen staubbeutelähnliche Schwielen die Blätter mehr oder weniger zusammen.

49.

Verwandeln sich nun alle Staubwerkzeuge in Kronenblätter, so werden die Blumen unfruchtbar; werden aber in einer Blume, indem sie sich füllt, doch noch Staubwerkzeuge entwickelt, so gehet die Befruchtung vor sich.

50.

Und so entstehet ein Staubwerkzeug, wenn die Organe, die wir bisher als Kronenblätter sich ausbreiten gesehen, wieder in einem höchst zusammengezogenen und zugleich in einem höchst verfeinten Zustande erscheinen. Die oben vorgetragene Bemerkung wird dadurch abermals bestätigt, und wir werden auf diese abwechselnde Wirkung der Zusammenziehung und Ausdehnung, wodurch die Natur endlich ans Ziel gelangt, immer aufmerksamer gemacht.

VII.

Nektarien

51.

So schnell der Übergang bei manchen Pflanzen von der
Krone zu den Staubwerkzeugen ist, so bemerken wir doch,
daß die Natur nicht immer diesen Weg mit *einem* Schritt
zurücklegen kann. Sie bringt vielmehr Zwischenwerkzeuge
hervor, welche an Gestalt und Bestimmung sich bald dem
einen, bald dem andern Teile nähern und, obgleich ihre
Bildung höchst verschieden ist, sich dennoch meist unter
einen Begriff vereinigen lassen: daß es *langsame Übergänge
von den Kelchblättern zu den Staubgefäßen* seien.

52.

Die meisten jener verschieden gebildeten Organe, welche
Linné mit dem Namen Nektarien bezeichnet, lassen sich
unter diesem Begriff vereinigen; und wir finden auch hier
Gelegenheit, den großen Scharfsinn des außerordentlichen
Mannes zu bewundern, der, ohne sich die Bestimmung die-
ser Teile ganz deutlich zu machen, sich auf eine Ahndung
verließ und sehr verschieden scheinende Organe mit *einem*
Namen zu belegen wagte.

53.

Es zeigen uns verschiedene Kronenblätter schon ihre Verwandtschaft mit den Staubgefäßen dadurch, daß sie, ohne
ihre Gestalt merklich zu verändern, Grübchen oder Glandeln an sich tragen, welche einen honigartigen Saft abschei-
den. Daß dieser eine noch unausgearbeitete, nicht völlig
determinierte Befruchtungs-Feuchtigkeit sei, können wir in
den schon oben angeführten Rücksichten einigermaßen vermuten, und diese Vermutung wird durch Gründe, welche
wir unten anführen werden, noch einen höhern Grad von
Wahrscheinlichkeit erreichen.

54.

Nun zeigen sich auch die sogenannten Nektarien als für sich bestehende Teile; und dann nähert sich ihre Bildung bald den Kronenblättern, bald den Staubwerkzeugen. So sind z. E. die dreizehn Fäden mit ihren ebenso vielen roten Kügelchen auf den Nektarien der Parnassia den Staubwerkzeugen höchst ähnlich. Andere zeigen sich als Staubfäden ohne Antheren, als an der Valisneria, der Fevillea; wir finden sie an der Pentapetes in einem Kreise mit den Staubwerkzeugen regelmäßig abwechseln, und zwar schon in Blattgestalt; auch werden sie in der systematischen Beschreibung als Filamenta castrata petaliformia angeführt. Eben solche schwankende Bildungen sehen wir an der Kiggellaria und der Passionsblume.

55.

Gleichfalls scheinen uns die eigentlichen *Nebenkronen* den Namen der Nektarien in dem oben angegebenen Sinne zu verdienen. Denn wenn die Bildung der Kronenblätter durch eine Ausdehnung geschieht, so werden dagegen die Nebenkronen durch eine Zusammenziehung, folglich auf eben die Weise wie die Staubwerkzeuge gebildet. So sehen wir, innerhalb vollkommener ausgebreiteter Kronen, kleinere zusammengezogene Nebenkronen wie im Narcissus, dem Nerium, dem Agrostemma.

56.

Noch sehen wir bei verschiedenen Geschlechtern andere Veränderungen der Blätter, welche auffallender und merkwürdiger sind. Wir bemerken an verschiedenen Blumen, daß ihre Blätter inwendig, unten eine kleine Vertiefung haben, welche mit einem honigartigen Safte ausgefüllt ist. Dieses Grübchen, indem es sich bei andern Blumengeschlechtern und Arten mehr vertieft, bringt auf der Rückseite des Blatts eine sporn- oder hornartige Verlängerung hervor, und die Gestalt des übrigen Blattes wird sogleich mehr oder weniger modifiziert. Wir können dieses an verschiedenen Arten und Varietäten des Agleis genau bemerken.

57.

Im höchsten Grad der Verwandlung findet man dieses Organ, z. B. bei dem Aconitum und der Nigella, wo man aber doch mit geringer Aufmerksamkeit ihre Blattähnlichkeit bemerken wird; besonders wachsen sie bei der Nigella leicht wieder in Blätter aus, und die Blume wird durch die Umwandlung der Nektarien gefüllt. Bei dem Aconito wird man mit einiger aufmerksamen Beschauung die Ähnlichkeit der Nektarien und des gewölbten Blattes, unter welchen sie verdeckt stehen, erkennen.

58.

Haben wir nun eben gesagt, daß die Nektarien Annäherungen der Kronenblätter zu den Staubgefäßen seien, so können wir bei dieser Gelegenheit über die unregelmäßigen Blumen einige Bemerkungen machen. So könnten z. E. die fünf äußern Blätter des Melianthus als wahre Kronenblätter aufgeführt, die fünf innern aber als eine Nebenkrone, aus sechs Nektarien bestehend, beschrieben werden, wovon das obere sich der Blattgestalt am meisten nähert, das untere, das auch jetzt schon Nektarium heißt, sich am weitesten von ihr entfernt. In eben dem Sinne könnte man die Carina der Schmetterlingsblumen ein Nektarium nennen, indem sie unter den Blättern dieser Blume sich an die Gestalt der Staubwerkzeuge am nächsten heranbildet und sich sehr weit von der Blattgestalt des sogenannten Vexilli entfernt. Wir werden auf diese Weise die pinselförmigen Körper, welche an dem Ende der Carina einiger Arten der Polygala befestigt sind, gar leicht erklären und uns von der Bestimmung dieser Teile einen deutlichen Begriff machen können.

59.

Unnötig würde es sein, sich hier ernstlich zu verwahren, daß es bei diesen Bemerkungen die Absicht nicht sei, das durch die Bemühungen der Beobachter und Ordner bisher Abgesonderte und in Fächer Gebrachte zu verwirren; man wünscht nur, durch diese Betrachtungen die abweichenden Bildungen von Pflanzen erklärbarer zu machen.

VIII.

Noch einiges von den Staubwerkzeugen

60.

Daß die Geschlechtsteile der Pflanzen durch die Spiralgefäße wie die übrigen Teile hervorgebracht werden, ist durch mikroskopische Beobachtungen außer allem Zweifel gesetzt. Wir nehmen daraus ein Argument für die innere Identität der verschiedenen Pflanzenteile, welche uns bisher in so mannichfaltigen Gestalten erschienen sind.

61.

Wenn nun die Spiralgefäße in der Mitte der Saftgefäß-Bündel liegen und von ihnen umschlossen werden, so können wir uns jene starke Zusammenziehung einigermaßen näher vorstellen, wenn wir die Spiralgefäße, die uns wirklich als elastische Federn erscheinen, in ihrer höchsten Kraft gedenken, so daß sie überwiegend, hingegen die Ausdehnung der Saftgefäße subordiniert wird.

62.

Die verkürzten Gefäßbündel können sich nun nicht mehr ausbreiten, sich einander nicht mehr aufsuchen und durch Anastomose kein Netz mehr bilden; die Schlauchgefäße, welche sonst die Zwischenräume des Netzes ausfüllen, können sich nicht mehr entwickeln, alle Ursachen, wodurch Stengel-, Kelch- und Blumenblätter sich in die Breite ausgedehnt haben, fallen hier völlig weg, und es entsteht ein schwacher, höchst einfacher Faden.

63.

Kaum daß noch die feinen Häutchen der Staubbeutel gebildet werden, zwischen welchen sich die höchst zarten Gefäße nunmehr endigen. Wenn wir nun annehmen, daß hier
eben jene Gefäße, welche sich sonst verlängerten, ausbrei-
teten und sich einander wieder aufsuchten, gegenwärtig in
einem höchst zusammengezogenen Zustande sind; wenn wir
aus ihnen nunmehr den höchst ausgebildeten Samenstaub
hervordringen sehen, welcher das durch seine Tätigkeit ersetzt, was den Gefäßen, die ihn hervorbringen, an Ausbreitung entzogen ist; wenn er nunmehr losgelöst die weiblichen
Teile aufsucht, welche den Staubgefäßen durch gleiche Wirkung der Natur entgegengewachsen sind; wenn er sich fest
an sie anhängt, und seine Einflüsse ihnen mitteilt: so sind
wir nicht abgeneigt, die Verbindung der beiden Geschlechter
eine geistige Anastomose zu nennen, und glauben wenigstens einen Augenblick die Begriffe von Wachstum und
Zeugung einander nähergerückt zu haben.

64.

Die feine Materie, welche sich in den Antheren entwickelt,
erscheint uns als ein Staub; diese Staubkügelchen sind aber
nur Gefäße, worin höchst feiner Saft aufbewahrt ist. Wir
pflichten daher der Meinung derjenigen bei, welche behaupten, daß dieser Saft von den Pistillen, an denen sich die
Staubkügelchen anhängen, eingesogen und so die Befruchtung bewirkt werde. Es wird dieses um so wahrscheinlicher,
da einige Pflanzen keinen Samenstaub, vielmehr nur eine
bloße Feuchtigkeit absondern.

65.

Wir erinnern uns hier des honigartigen Saftes der Nektarien und dessen wahrscheinlicher Verwandtschaft mit der
ausgearbeitetern Feuchtigkeit der Samenbläschen. Vielleicht
sind die Nektarien vorbereitende Werkzeuge, vielleicht
wird ihre honigartige Feuchtigkeit von den Staubgefäßen

ingesogen, mehr determiniert und völlig ausgearbeitet; ine Meinung, die um so wahrscheinlicher wird, da man ach der Befruchtung diesen Saft nicht mehr bemerkt.

6.

Wir lassen hier, obgleich nur im Vorbeigehen, nicht unbe-erkt, daß sowohl die Staubfäden als Antheren verschie-lentlich zusammengewachsen sind und uns die wunderbar-ten Beispiele der schon mehrmals von uns angeführten Anastomose und Verbindung der in ihren ersten Anfängen wahrhaft getrennten Pflanzenteile zeigen.

IX.

Bildung des Griffels

67.

War ich bisher bemüht, die innere Identität der verschiede-en, nacheinander entwickelten Pflanzenteile, bei der größ-en Abweichung der äußern Gestalt, soviel es möglich ge-wesen, anschaulich zu machen, so wird man leicht vermuten können, daß nunmehr meine Absicht sei, auch die Struktur der weiblichen Teile auf diesem Wege zu erklären.

68.

Wir betrachten zuvörderst den Griffel von der Frucht ab-gesondert, wie wir ihn auch oft in der Natur finden; und um so mehr können wir es tun, da er sich in dieser Gestalt von der Frucht unterschieden zeigt.

69.

Wir bemerken nämlich, daß der Griffel auf eben der Stufe des Wachstums stehe, wo wir die Staubgefäße gefunden haben. Wir konnten nämlich beobachten, daß die Staub-gefäße durch eine Zusammenziehung hervorgebracht wer-

den; die Griffel sind oft in demselbigen Falle, und wir
sehen sie, wenn auch nicht immer, mit den Staubgefäßen
von gleichem Maße, doch nur um weniges länger oder kür-
zer gebildet. In vielen Fällen sieht der Griffel fast einem
Staubfaden ohne Anthere gleich, und die Verwandtschaft
ihrer Bildung ist äußerlich größer als bei den übrigen Teilen. Da sie nun beiderseits durch Spiralgefäße hervorgebracht werden, so sehen wir desto deutlicher, daß der
weibliche Teil sowenig als der männliche ein besonderes
Organ sei, und wenn die genaue Verwandtschaft desselben
mit dem männlichen uns durch diese Betrachtung recht anschaulich wird, so finden wir jenen Gedanken, die Begattung eine Anastomose zu nennen, passender und einleuch-
tender.

70.

Wir finden den Griffel sehr oft aus mehreren einzelnen
Griffeln zusammengewachsen, und die Teile, aus denen er
bestehet, lassen sie kaum am Ende, wo sie nicht einmal
immer getrennt sind, erkennen. Dieses Zusammenwachsen,
dessen Wirkung wir schon öfters bemerkt haben, wird hier
am meisten möglich; ja es muß geschehen, weil die feinen
Teile vor ihrer gänzlichen Entwickelung in der Mitte des
Blütenstandes zusammengedrängt sind und sich auf das
innigste miteinander verbinden können.

71.

Die nahe Verwandtschaft mit den vorhergehenden Teilen
des Blütenstandes zeigt uns die Natur in verschiedenen regelmäßigen Fällen mehr oder weniger deutlich. So ist z. B.
das Pistill der Iris mit seiner Narbe in völliger Gestalt
eines Blumenblattes vor unsern Augen. Die schirmförmige
Narbe der Sarazenie zeigt sich zwar nicht so auffallend aus
mehreren Blättern zusammengesetzt, doch verleugnet sie sogar die grüne Farbe nicht. Wollen wir das Mikroskop zu
Hülfe nehmen, so finden wir mehrere Narben, z. E. der

Crocus, der Zanichella, als völlige ein- oder mehrblätterige Kelche gebildet.

72.

Rückschreitend zeigt uns die Natur öfters den Fall, daß sie die Griffel und Narben wieder in Blumenblätter verwandelt; z. B. füllt sich der Ranunculus asiaticus dadurch, daß sich die Narben und Pistille des Fruchtbehälters zu wahren Kronenblättern umbilden, indessen die Staubwerkzeuge, gleich hinter der Krone, oft unverändert gefunden werden. Einige andere bedeutende Fälle werden unten vorkommen.

73.

Wir wiederholen hier jene oben angezeigten Bemerkungen, daß Griffel und Staubfäden auf der gleichen Stufe des Wachstums stehen, und erläutern jenen Grund des wechselsweisen Ausdehnens und Zusammenziehens dadurch abermals. Vom Samen bis zu der höchsten Entwicklung des Stengelblattes bemerkten wir zuerst eine Ausdehnung, darauf sahen wir durch eine Zusammenziehung den Kelch entstehen, die Blumenblätter durch eine Ausdehnung, die Geschlechtsteile abermals durch eine Zusammenziehung; und wir werden nun bald die größte Ausdehnung in der Frucht und die größte Konzentration in dem Samen gewahr werden. In diesen sechs Schritten vollendet die Natur unaufhaltsam das ewige Werk der Fortpflanzung der Vegetabilien durch zwei Geschlechter.

X.

Von den Früchten

74.

Wir werden nunmehr die Früchte zu beobachten haben und uns bald überzeugen, daß dieselben gleichen Ursprungs und gleichen Gesetzen unterworfen seien. Wir reden hier eigentlich von solchen Gehäusen, welche die Natur bildet, um die sogenannten bedeckten Samen einzuschließen oder vielmehr aus dem Innersten dieser Gehäuse durch die Begattung eine größere oder geringere Anzahl Samen zu entwickeln. Daß diese Behältnisse gleichfalls aus der Natur und Organisation der bisher betrachteten Teile zu erklären seien, wird sich mit wenigem zeigen lassen.

75.

Die rückschreitende Metamorphose macht uns hier abermals auf dieses Naturgesetz aufmerksam. So läßt sich zum Beispiel an den Nelken, diesen eben wegen ihrer Ausartung so bekannten und beliebten Blumen, oft bemerken, daß die Samenkapseln sich wieder in kelchähnliche Blätter verändern und daß in eben diesem Maße die aufgesetzten Griffel an Länge abnehmen; ja es finden sich Nelken, an denen sich das Fruchtbehältnis in einen wirklichen vollkommenen Kelch verwandelt hat, indes die Einschnitte desselben an der Spitze noch zarte Überbleibsel der Griffel und Narben tragen und sich aus dem Innersten dieses zweiten Kelches wieder eine mehr oder weniger vollständige Blätterkrone statt der Samen entwickelt.

76.

Ferner hat uns die Natur selbst durch regelmäßige und beständige Bildungen auf eine sehr mannichfaltige Weise die Fruchtbarkeit geoffenbart, welche in einem Blatt verborgen liegt. So bringt ein zwar verändertes, doch noch völlig kenntliches Blatt der Linde aus seiner Mittelrippe ein Stielchen und an demselben eine vollkommene Blüte und Frucht hervor. Bei dem Ruscus ist die Art, wie Blüten und Früchte auf den Blättern aufsitzen, noch merkwürdiger.

77.

Noch stärker und gleichsam ungeheuer wird uns die unmittelbare Fruchtbarkeit der Stengelblätter in den Farrenkräu-

tern vor Augen gelegt, welche durch einen innern Trieb,
und vielleicht gar ohne bestimmte Wirkung zweier Geschlechter, unzählige, des Wachstums fähige Samen oder
vielmehr Keime entwickeln und umherstreuen, wo also ein
Blatt an Fruchtbarkeit mit einer ausgebreiteten Pflanze,
mit einem großen und ästereichen Baume wetteifert.

78.

Wenn wir diese Beobachtungen gegenwärtig behalten, so
werden wir in den Samenbehältern, ohnerachtet ihrer mannichfaltigen Bildung, ihrer besonderen Bestimmung und
Verbindung unter sich, die Blattgestalt nicht verkennen. So
wäre z. B. die Hülse ein einfaches, zusammengeschlagenes,
an seinen Rändern verwachsenes Blatt, die Schoten würden
aus mehr übereinandergewachsenen Blättern bestehen, die
zusammengesetzten Gehäuse erklärten sich aus mehreren
Blättern, welche sich um einen Mittelpunkt vereiniget, ihr
Innerstes gegeneinander aufgeschlossen und ihre Ränder
miteinander verbunden hätten. Wir können uns hiervon
durch den Augenschein überzeugen, wenn solche zusammen-
gesetzte Kapseln nach der Reife voneinander springen, da
denn jeder Teil derselben sich uns als eine eröffnete Hülse
oder Schote zeigt. Ebenso sehen wir bei verschiedenen Arten eines und desselben Geschlechts eine ähnliche Wirkung
regelmäßig vorgehen; z. B. sind die Fruchtkapseln der Nigella orientalis in der Gestalt von halb miteinander verwachsenen Hülsen um eine Axe versammlet, wenn sie bei
der Nigella Damascena völlig zusammengewachsen erscheinen.

79.

Am meisten rückt uns die Natur diese Blattähnlichkeit aus
den Augen, indem sie saftige und weiche oder holzartige
und feste Samenbehälter bildet; allein sie wird unserer
Aufmerksamkeit nicht entschlüpfen können, wenn wir ihr
in allen Übergängen sorgfältig zu folgen wissen. Hier sei es

genug, den allgemeinen Begriff davon angezeigt und die
Übereinstimmung der Natur an einigen Beispielen gewiesen
zu haben. Die große Mannichfaltigkeit der Samenkapseln
gibt uns künftig Stoff zu mehrerer Betrachtung.

80.

Die Verwandtschaft der Samenkapseln mit den vorhergehenden Teilen zeigt sich auch durch das Stigma, welches
bei vielen unmittelbar aufsitzt und mit der Kapsel unzertrennlich verbunden ist. Wir haben die Verwandtschaft der
Narbe mit der Blattgestalt schon oben gezeigt und können
hier sie nochmals aufführen; indem sich bei gefüllten Mohnen bemerken läßt, daß die Narben der Samenkapseln in
farbige, zarte, Kronenblättern völlig ähnliche Blättchen
verwandelt werden.

81.

Die letzte und größte Ausdehnung, welche die Pflanze in
ihrem Wachstum vornimmt, zeigt sich in der Frucht. Sie ist
sowohl an innerer Kraft als äußerer Gestalt oft sehr groß,
ja ungeheuer. Da sie gewöhnlich nach der Befruchtung vor
sich gehet, so scheint der nunmehr determinierte Same, indem er zu seinem Wachstum aus der ganzen Pflanze die
Säfte herbeiziehet, ihnen die Hauptrichtung nach der Samenkapsel zu geben, wodurch denn ihre Gefäße genährt
erweitert und oft in dem höchsten Grade ausgefüllt und
ausgespannt werden. Daß hieran reinere Luftarten einen
großen Anteil haben, läßt sich schon aus dem Vorigen
schließen, und es bestätigt sich durch die Erfahrung, daß
die aufgetriebenen Hülsen der Colutea reine Luft enthalten.

XI.

Von den unmittelbaren Hüllen des Samens

82.

Dagegen finden wir, daß der Same in dem höchsten Grade von Zusammenziehung und Ausbildung seines Innern sich befindet. Es läßt sich bei verschiedenen Samen bemerken, daß er Blätter zu seinen nächsten Hüllen umbilde, mehr oder weniger sich anpasse, ja meistens durch seine Gewalt sie völlig an sich schließe und ihre Gestalt gänzlich verwandle. Da wir oben mehrere Samen sich aus und in *einem* Blatt entwickeln gesehn, so werden wir uns nicht wundern, wenn ein einzelner Samenkeim sich in eine Blatthülle kleidet.

83.

Die Spuren solcher nicht völlig den Samen angepaßten Blattgestalten sehen wir an vielen geflügelten Samen, z. B. des Ahorns, der Rüster, der Esche, der Birke. Ein sehr merkwürdiges Beispiel, wie der Samenkeim breitere Hüllen nach und nach zusammenzieht und sich anpaßt, geben uns die drei verschiedenen Kreise verschiedengestalteter Samen der Calendel. Der äußerste Kreis behält noch eine mit den Kelchblättern verwandte Gestalt, nur daß eine die Rippe ausdehnende Samenanlage das Blatt krümmt und die Krümmung inwendig der Länge nach durch ein Häutchen in zwei Teile abgesondert wird. Der folgende Kreis hat sich schon mehr verändert, die Breite des Blättchens und das Häutchen haben sich gänzlich verloren; dagegen ist die Gestalt etwas weniger verlängert, die in dem Rücken befindliche Samenanlage zeigt sich deutlicher, und die kleinen Erhöhungen auf derselben sind stärker; diese beiden Reihen scheinen entweder gar nicht oder nur unvollkommen befruchtet zu sein. Auf sie folgt die dritte Samenreihe, in ihrer echten Gestalt stark gekrümmt und mit einem völlig angepaßten und in allen seinen Striefen und Erhöhungen

völlig ausgebildeten Involucro. Wir sehen hier abermals
eine gewaltsame Zusammenziehung ausgebreiteter blattähn-
licher Teile, und zwar durch die innere Kraft des Samens,
wie wir oben durch die Kraft der Anthere das Blumenblatt
zusammengezogen gesehen haben.

XII.

Rückblick und Übergang

84.

Und so wären wir der Natur auf ihren Schritten so be-
dachtsam als möglich gefolgt; wir hätten die äußere Gestalt
der Pflanze in allen ihren Umwandlungen, von ihrer Entwickelung aus dem Samenkorn bis zur neuen Bildung desselben, begleitet und ohne Anmaßung, die ersten Triebfedern der Naturwirkungen entdecken zu wollen, auf
Äußerung der Kräfte, durch welche die Pflanze ein und
eben dasselbe Organ nach und nach umbildet, unsre Aufmerksamkeit gerichtet. Um den einmal ergriffenen Faden
nicht zu verlassen, haben wir die Pflanze durchgehends nur
als einjährig betrachtet, wir haben nur die Umwandlung
der Blätter, welche die Knoten begleiten, bemerkt und alle
Gestalten aus ihnen hergeleitet. Allein es wird, um diesem
Versuch die nötige Vollständigkeit zu geben, nunmehr noch
nötig, von den *Augen* zu sprechen, welche unter jedem
Blatt verborgen liegen, sich unter gewissen Umständen entwickeln und unter andern völlig zu verschwinden scheinen.

XIII.

Von den Augen und ihrer Entwickelung

85.

Jeder Knoten hat von der Natur die Kraft, ein oder mehrere Augen hervorzubringen; und zwar geschieht solches in der Nähe der ihn begleitenden Blätter, welche die Bildung und das Wachstum der Augen vorzubereiten und mitzubewirken scheinen.

86.

In der sukzessiven Entwickelung eines Knotens aus dem andern, in der Bildung eines Blattes an jedem Knoten und eines Auges in dessen Nähe beruhet die erste, einfache, langsam fortschreitende Fortpflanzung der Vegetabilien.

87.

Es ist bekannt, daß ein solches Auge in seinen Wirkungen eine große Ähnlichkeit mit dem reifen Samen hat; und daß oft in jenem noch mehr als in diesem die ganze Gestalt der künftigen Pflanze erkannt werden kann.

88.

Ob sich gleich an dem Auge ein Wurzelpunkt so leicht nicht bemerken läßt, so ist doch derselbe ebenso darin wie in dem Samen gegenwärtig und entwickelt sich, besonders durch feuchte Einflüsse, leicht und schnell.

89.

Das Auge bedarf keiner Cotyledonen, weil es mit seiner schon völlig organisierten Mutterpflanze zusammenhängt und aus derselbigen, solange es mit ihr verbunden ist, oder, nach der Trennung, von der neuen Pflanze, auf welche man es gebracht hat, oder durch die alsobald gebildeten Wurzeln, wenn man einen Zweig in die Erde bringt, hinreichende Nahrung erhält.

90.

Das Auge besteht aus mehr oder weniger entwickelten Knoten und Blättern, welche den künftigen Wachstum weiterverbreiten sollen. Die Seitenzweige also, welche aus den Knoten der Pflanzen entspringen, lassen sich als besondere Pflänzchen, welche ebenso auf dem Mutterkörper stehen, wie dieser an der Erde befestigt ist, betrachten.

91.

Die Vergleichung und Unterscheidung beider ist schon öfters, besonders aber vor kurzem so scharfsinnig und mit so vieler Genauigkeit ausgeführt worden, daß wir uns hier bloß mit einem unbedingten Beifall darauf berufen können.*

92.

Wir führen davon nur so viel an. Die Natur unterscheidet bei ausgebildeten Pflanzen Augen und Samen deutlich voneinander. Steigen wir aber von da zu den unausgebildeten Pflanzen herab, so scheint sich der Unterschied zwischen beiden selbst vor den Blicken des schärfsten Beobachters zu verlieren. Es gibt unbezweifelte Samen, unbezweifelte Gemmen; aber der Punkt, wo wirklich befruchtete, durch die Wirkung zweier Geschlechter von der Mutterpflanze isolierte Samen mit Gemmen zusammentreffen, welche aus der Pflanze nur hervordringen und sich ohne bemerkbare Ursache loslösen, ist wohl mit dem Verstande, keineswegs aber mit den Sinnen zu erkennen.

93.

Dieses wohl erwogen, werden wir folgern dürfen: daß die Samen, welche sich durch ihren eingeschlossenen Zustand von den Augen, durch die sichtbare Ursache ihrer Bildung und Absonderung von den Gemmen unterscheiden, dennoch mit beiden nahe verwandt sind.

* *Gaertner* »De fructibus et seminibus plantarum«, Cap. 1.

XIV.

Bildung der zusammengesetzten Blüten und Fruchtstände

94.

Wir haben bisher die einfachen Blütenstände, ingleichen die Samen, welche in Kapseln befestigt hervorgebracht werden, durch die Umwandlung der Knotenblätter zu erklären gesucht, und es wird sich bei näherer Untersuchung finden, daß in diesem Falle sich keine Augen entwickeln, vielmehr die Möglichkeit einer solchen Entwickelung ganz und gar aufgehoben wird. Um aber die zusammengesetzten Blütenstände sowohl als die gemeinschaftlichen Fruchtstände um *einen* Kegel, *eine* Spindel, auf *einem* Boden und so weiter zu erklären, müssen wir nun die Entwickelung der Augen zu Hülfe nehmen.

95.

Wir bemerken sehr oft, daß Stengel, ohne zu einem einzelnen Blütenstande sich lange vorzubereiten und aufzusparen, schon aus den Knoten ihre Blüten hervortreiben und so bis an ihre Spitze oft ununterbrochen fortfahren. Doch lassen sich die dabei vorkommenden Erscheinungen aus der oben vorgetragenen Theorie erklären. Alle Blumen, welche sich aus den Augen entwickeln, sind als ganze Pflanzen anzusehen, welche auf der Mutterpflanze ebenso wie diese auf der Erde stehen. Da sie nun aus den Knoten reinere Säfte erhalten, so erscheinen selbst die ersten Blätter der Zweiglein viel ausgebildeter als die ersten Blätter der Mutterpflanze, welche auf die Cotyledonen folgen; ja es wird die Ausbildung des Kelches und der Blume oft sogleich möglich.

96.

Eben diese aus den Augen sich bildenden Blüten würden, bei mehr zudringender Nahrung, Zweige geworden sein und das Schicksal des Mutterstengels, dem er sich unter solchen Umständen unterwerfen müßte, gleichfalls erduldet haben.

97.

So wie nun von Knoten zu Knoten sich dergleichen Blüten entwickeln, so bemerken wir gleichfalls jene Veränderung der Stengelblätter, die wir oben bei dem langsamen Übergange zum Kelch beobachtet haben. Sie ziehen sich immer mehr und mehr zusammen und verschwinden endlich beinahe ganz. Man nennt sie alsdann Bracteas, indem sie sich von der Blattgestalt mehr oder weniger entfernen. In eben diesem Maße wird der Stiel verdünnt, die Knoten rücken mehr zusammen, und alle oben bemerkten Erscheinungen gehen vor, nur daß am Ende des Stengels kein entschiedener Blütenstand folgt, weil die Natur ihr Recht schon von Auge zu Auge ausgeübt hat.

98.

Haben wir nun einen solchen an jedem Knoten mit einer Blume gezierten Stengel wohl betrachtet, so werden wir uns gar bald einen *gemeinschaftlichen Blütenstand* erklären können: wenn wir das, was oben von Entstehung des Kelches gesagt ist, mit zu Hülfe nehmen.

99.

Die Natur bildet einen *gemeinschaftlichen Kelch* aus *vielen* Blättern, welche sie aufeinanderdrängt und um *eine* Axe versammlet; mit eben diesem starken Triebe des Wachstums entwickelt sie *einen* gleichsam *unendlichen Stengel, mit allen seinen Augen in Blütengestalt, auf einmal, in der möglichsten* aneinandergedrängten *Nähe*, und jedes Blümchen befruchtet das unter ihm schon vorbereitete Samengefäß. Bei dieser ungeheuren Zusammenziehung verlieren sich die Knotenblätter nicht immer; bei den Disteln begleitet das Blättchen getreulich das Blümchen, das sich aus den Augen neben ihnen entwickelt. Man vergleiche mit diesem Paragraph die Gestalt des Dipsacus laciniatus. Bei vielen Gräsern wird eine jede Blüte durch ein solches Blättchen, das in diesem Falle der Balg genannt wird, begleitet.

100.

Auf diese Weise wird es uns nun anschaulich sein, *wie die um einen gemeinsamen Blütenstand entwickelten Samen wahre, durch die Wirkung beider Geschlechter ausgebildete und entwickelte Augen seien.* Fassen wir diesen Begriff fest und betrachten in diesem Sinne mehrere Pflanzen, ihren Wachstum und Fruchtstände, so wird der Augenschein bei einiger Vergleichung uns am besten überzeugen.

101.

Es wird uns sodann auch nicht schwer sein, den Fruchtstand der in der Mitte einer einzelnen Blume oft um eine Spindel versammleten, bedeckten oder unbedeckten Samen zu erklären. Denn es ist ganz einerlei, ob eine einzelne Blume einen gemeinsamen Fruchtstand umgibt und die zusammengewachsenen Pistille von den Antheren der Blume die Zeugungssäfte einsaugen und sie den Samenkörnern einflößen oder ob ein jedes Samenkorn sein eignes Pistill, seine eigenen Antheren, seine eigenen Kronenblätter um sich habe.

102.

Wir sind überzeugt, daß mit einiger Übung es nicht schwer sei, sich auf diesem Wege die mannichfaltigen Gestalten der Blumen und Früchte zu erklären; nur wird freilich dazu erfordert, daß man mit jenen oben festgestellten Begriffen der Ausdehnung und Zusammenziehung, der Zusammendrängung und Anastomose wie mit algebraischen Formeln bequem zu operieren und sie da, wo sie hingehören, anzuwenden wisse. Da nun hierbei viel darauf ankommt, daß man die verschiedenen Stufen, welche die Natur sowohl in der Bildung der Geschlechter, der Arten, der Varietäten als

in dem Wachstum einer jeden einzelnen Pflanze betritt, genau beobachte und miteinander vergleiche: so würde eine
Sammlung Abbildungen zu diesem Endzwecke nebenein-
andergestellt und eine Anwendung der botanischen Terminologie auf die verschiedenen Pflanzenteile bloß in dieser Rücksicht angenehm und nicht ohne Nutzen sein. Es
würden zwei Fälle von durchgewachsenen Blumen, welche
der oben angeführten Theorie sehr zustatten kommen, den
Augen vorgelegt, sehr entscheidend gefunden werden.

XV.

Durchgewachsene Rose

103.

Alles, was wir bisher nur mit der Einbildungskraft und
dem Verstande zu ergreifen gesucht, zeigt uns das Beispiel
einer durchgewachsenen Rose auf das deutlichste. Kelch und
Krone sind um die Axe geordnet und entwickelt, anstatt
aber, daß nun im Centro das Samenbehältnis *zusammengezogen*, an demselben und um dasselbe die männlichen
und weiblichen Zeugungsteile *geordnet* sein sollten, begibt
sich der Stiel halb *rötlich*, halb *grünlich* wieder in die *Höhe*;
kleinere dunkelrote, zusammengefaltete Kronenblätter, deren einige die Spur der Antheren an sich tragen, entwickeln
sich *sukzessiv* an demselben. Der Stiel wächst fort, schon
lassen sich daran wieder Dornen sehn, die folgenden einzelnen gefärbten Blätter werden kleiner und gehen zuletzt
vor unsern Augen in halb rot, halb grün gefärbte Stengelblätter über, es bildet sich eine Folge von regelmäßigen
Knoten, aus deren Augen abermals, obgleich unvollkommene Rosenknöspchen zum Vorschein kommen.

104.

Es gibt uns eben dieses Exemplar auch noch einen sichtbaren Beweis des oben ausgeführten: daß nämlich alle

Kelche nur in ihrer Peripherie zusammengezogene Folia floralia seien. Denn hier bestehet der regelmäßige, um die Axe versammelte Kelch aus fünf völlig entwickelten, drei- oder fünffach zusammengesetzten Blättern, dergleichen sonst die Rosenzweige an ihren Knoten hervorbringen.

XVI.

Durchgewachsene Nelke

105.

Wenn wir diese Erscheinung recht beobachtet haben, so wird uns eine andere, welche sich an einer durchgewachsenen Nelke zeigt, fast noch merkwürdiger werden. Wir sehen eine vollkommene, mit Kelch und überdies mit einer gefüllten Krone versehene, auch in der Mitte mit einer, zwar nicht ganz ausgebildeten, Samenkapsel völlig geendigte Blume. Aus den Seiten der Krone entwickeln sich vier vollkommene neue Blumen, welche durch drei- und mehrknotige Stengel von der Mutterblume entfernt sind; sie haben abermals Kelche, sind wieder gefüllt, und zwar nicht sowohl durch einzelne Blätter als durch Blattkronen, deren Nägel zusammengewachsen sind, meistens aber durch Blumenblätter, welche wie Zweiglein zusammengewachsen und um einen Stiel entwickelt sind. Ohngeachtet dieser ungeheuren Entwickelung sind die Staubfäden und Antheren in einigen gegenwärtig. Die Fruchthüllen mit den Griffeln sind zu sehen und die Rezeptakel der Samen wieder zu Blättern entfaltet, ja in einer dieser Blumen waren die Samendecken zu einem völligen Kelch verbunden und enthielten die Anlage zu einer vollkommen gefüllten Blume wieder in sich.

106.

Haben wir bei der Rose einen gleichsam nur halbdeterminierten Blütenstand, aus dessen Mitte einen abermals her-

vortreibenden Stengel und an demselbigen neue Stengelblätter sich entwickeln gesehen, so finden wir an dieser
Nelke bei wohlgebildetem Kelche und vollkommener
Krone, bei wirklich in der *Mitte* bestehenden *Fruchtgehäu-
sen, aus dem Kreise der Kronenblätter, sich Augen entwik-
keln* und wirkliche Zweige und Blumen darstellen. Und so
zeigen uns denn beide Fälle, daß die Natur gewöhnlich in
den Blumen ihren Wachstum schließe und gleichsam eine
Summe ziehe, daß sie der Möglichkeit ins Unendliche mit
einzelnen Schritten fortzugehen Einhalt tue, um durch die
Ausbildung der Samen schneller zum Ziel zu gelangen.

XVII.

Linnés Theorie von der Antizipation

107.

Wenn ich auf diesem Wege, den einer meiner Vorgänger,
welcher ihn noch dazu an der Hand seines großen Lehrers
versuchte, so fürchterlich und gefährlich beschreibt*, auch
hie und da gestrauchelt hätte, wenn ich ihn nicht genugsam
geebnet und zum besten meiner Nachfolger von allen Hin-
dernissen gereiniget hätte, so hoffe ich doch diese Bemühung nicht fruchtlos unternommen zu haben.

108.

Es ist hier Zeit, der Theorie zu gedenken, welche Linné zu
Erklärung eben dieser Erscheinungen aufgestellt. Seinem
scharfen Blick konnten die Bemerkungen, welche auch gegenwärtigen Vortrag veranlaßt, nicht entgehen. Und wenn
wir nunmehr da fortschreiten können, wo er stehenblieb,
so sind wir es den gemeinschaftlichen Bemühungen so vieler

---

* *Ferber* in »Praefatione Dissertationis secundae de Prolepsi Plantarum«.

Beobachter und Denker schuldig, welche manches Hindernis aus dem Wege geräumt, manches Vorurteil zerstreut haben. Eine genaue Vergleichung seiner Theorie und des oben Ausgeführten würde uns hier zu lange aufhalten. Kenner werden sie leicht selbst machen, und sie müßte zu umständlich sein, um denen anschaulich zu werden, die über diesen Gegenstand noch nicht gedacht haben. Nur bemerken wir kürzlich, was ihn hinderte, weiter fort und bis ans Ziel zu schreiten.

109.

Er machte seine Bemerkung zuerst an Bäumen, diesen zusammengesetzten und lange daurenden Pflanzen. Er beobachtete, daß ein Baum, in einem weitern Gefäße überflüssig genährt, mehrere Jahre hintereinander Zweige aus Zweigen hervorbringe, da derselbe, in ein engeres Gefäß eingeschlossen, schnell Blüten und Früchte trage. Er sahe, daß jene sukzessive Entwickelung hier auf einmal zusammengedrängt hervorgebracht werde. Daher nannte er diese Wirkung der Natur *Prolepsis,* eine *Antizipation,* weil die Pflanze durch die sechs Schritte, welche wir oben bemerkt haben, sechs Jahre vorauszunehmen schien. Und so führte er auch seine Theorie bezüglich auf die Knospen der Bäume aus, ohne auf die einjährigen Pflanzen besonders Rücksicht zu nehmen, weil er wohl bemerken konnte, daß seine Theorie nicht so gut auf diese als auf jene passe. Denn nach seiner Lehre müßte man annehmen, daß jede einjährige Pflanze eigentlich von der Natur bestimmt gewesen sei, sechs Jahre zu wachsen, und diese längere Frist in dem Blüten- und Fruchtstande auf einmal antizipiere und sodann verwelke.

110.

Wir sind dagegen zuerst dem Wachstum der einjährigen Pflanze gefolgt; nun läßt sich die Anwendung auf die daurenden Gewächse leicht machen, da eine aufbrechende Knospe des ältesten Baumes als eine einjährige Pflanze an-

zusehen ist, ob sie sich gleich aus einem schon lange bestehenden Stamme entwickelt und selbst eine längere Dauer
haben kann.

111.

Die zweite Ursache, welche Linnéen verhinderte, weiter
vorwärtszugehen, war, daß er die verschiedenen ineinander-
geschlossenen Kreise des Pflanzenkörpers, die äußere Rinde,
die innere, das Holz, das Mark, zu sehr als gleichwirkende,
in gleichem Grad lebendige und notwendige Teile ansah
und den Ursprung der Blumen und Fruchtteile diesen verschiedenen Kreisen des Stammes zuschrieb, weil jene, ebenso
wie diese, voneinander umschlossen und sich auseinander-
zuentwickeln scheinen. Es war dieses aber nur eine oberflächliche Bemerkung, welche, näher betrachtet, sich nirgend
bestätiget. So ist die äußere Rinde zu weiterer Hervorbringung ungeschickt und bei daurenden Bäumen eine nach
außen zu verhärtete und abgesonderte Masse, wie das Holz
nach innen zu verhärtet wird. Sie fällt bei vielen Bäumen
ab, andern Bäumen kann sie, ohne den geringsten Schaden
derselben, genommen werden; sie wird also weder einen
Kelch noch irgendeinen lebendigen Pflanzenteil hervorbringen. Die zweite Rinde ist es, welche alle Kraft des Lebens
und Wachstums enthält. In dem Grad, in welchem sie ver-
letzt wird, wird auch das Wachstum gestört, sie ist es,
welche bei genauer Betrachtung alle äußeren Pflanzenteile
nach und nach im Stengel oder auf einmal in Blüte und
Frucht hervorbringt. Ihr wurde von Linnéen nur das sub-
ordinierte Geschäft, die Blumenblätter hervorzubringen,
zugeschrieben. Dem Holze ward dagegen die wichtige Hervorbringung der männlichen Staubwerkzeuge zuteil; anstatt
daß man gar wohl bemerken kann, es sei dasselbe ein durch
Solideszenz zur Ruhe gebrachter, wenngleich daurender,
doch der Lebenswirkung abgestorbener Teil. Das Mark
sollte endlich die wichtigste Funktion verrichten, die weiblichen Geschlechtsteile und eine zahlreiche Nachkommen-

schaft hervorbringen. Die Zweifel, welche man gegen diese
große Würde des Markes erregt, die Gründe, die man dagegen angeführt hat, sind auch mir wichtig und entscheidend. Es war nur scheinbar, als wenn sich Griffel und
Frucht aus dem Mark entwickelten, weil diese Gestalten,
wenn wir sie zum erstenmal erblicken, in einem weichen,
unbestimmten, markähnlichen, parenchymatosen Zustande
sich befinden und eben in der Mitte des Stengels, wo wir
uns nur Mark zu sehen gewöhnt haben, zusammengedrängt
sind.

XVIII.

Wiederholung

112.

Ich wünsche, daß gegenwärtiger Versuch, die Metamorphose
der Pflanzen zu erklären, zu Auflösung dieser Zweifel einiges beitragen und zu weiteren Bemerkungen und Schlüs-
sen Gelegenheit geben möge. Die Beobachtungen, worauf
er sich gründet, sind schon einzeln gemacht, auch gesammlet
und gereihet worden*; und es wird sich bald entscheiden,
ob der Schritt, den wir gegenwärtig getan, sich der Wahrheit nähere. So kurz als möglich fassen wir die Hauptresul-
tate des bisherigen Vortrags zusammen.

113.

Betrachten wir eine Pflanze, insofern sie ihre Lebenskraft
äußert, so sehen wir dieses auf eine doppelte Art geschehen,
zuerst durch das *Wachstum*, indem sie Stengel und Blätter
hervorbringt, und sodann durch die *Fortpflanzung*, welche
in dem Blüten- und Fruchtbau vollendet wird. Beschauen
wir das Wachstum näher, so sehen wir, daß indem die

---

* *Batsch*, »Anleitung zur Kenntnis und Geschichte der Pflanzen«,
1. Teil, 19. Kapitel.

Pflanze sich von Knoten zu Knoten, von Blatt zu Blatt
fortsetzt, indem sie sproßt, gleichfalls eine Fortpflanzung
geschehe, die sich von der Fortpflanzung durch Blüte und
Frucht, welche *auf einmal* geschiehet, darin unterscheidet,
daß sie *sukzessiv* ist, daß sie sich in einer Folge einzelner
Entwickelungen zeigt. Diese sprossende, nach und nach sich
äußernde Kraft ist mit jener, welche auf einmal eine große
Fortpflanzung entwickelt, auf das genauste verwandt. Man
kann unter verschiedenen Umständen eine Pflanze nötigen,
daß sie immerfort *sprosse*, man kann dagegen den *Blütenstand beschleunigen*. Jenes geschieht, wenn rohere Säfte der
Pflanze in einem größeren Maße zudringen; dieses, wenn
die geistigeren Kräfte in derselben überwiegen.

114.

Schon dadurch, daß wir das *Sprossen* eine sukzessive, den
Blüten- und *Fruchtstand* aber eine simultane Fortpflanzung
genannt haben, ist auch die Art, wie sich beide äußern, bezeichnet worden. Eine Pflanze, welche *sproßt*, dehnt sich
mehr oder weniger aus, sie entwickelt einen Stiel oder Stengel, die Zwischenräume von Knoten zu Knoten sind meist
bemerkbar, und ihre Blätter breiten sich von dem Stengel
nach allen Seiten zu aus. Eine Pflanze dagegen, welche
blüht, hat sich in allen ihren Teilen zusammengezogen,
Länge und Breite sind gleichsam aufgehoben, und alle ihre
Organe sind in einem höchst konzentrierten Zustande zunächst aneinanderentwickelt.

115.

Es mag nun die Pflanze sprossen, blühen oder Früchte bringen, so sind es doch nur immer *dieselbigen Organe,* welche,
in vielfältigen Bestimmungen und unter oft veränderten
Gestalten, die Vorschrift der Natur erfüllen. Dasselbe Organ, welches am Stengel als Blatt sich ausgedehnt und eine
höchst mannichfaltige Gestalt angenommen hat, zieht sich
nun im Kelche zusammen, dehnt sich im Blumenblatte wie-

der aus, zieht sich in den Geschlechtswerkzeugen zusammen, um sich als Frucht zum letztenmal auszudehnen.

116.

Diese Wirkung der Natur ist zugleich mit einer andern verbunden, mit der *Versammlung verschiedener Organe um ein Zentrum* nach gewissen Zahlen und Maßen, welche jedoch bei manchen Blumen oft unter gewissen Umständen weit überschritten und vielfach verändert werden.

117.

Auf gleiche Weise wirkt bei der *Bildung* der Blüten und Früchte *eine Anastomose* mit, wodurch die nahe aneinandergedrängten, höchst feinen Teile der Fruktifikation entweder auf die Zeit ihrer ganzen Dauer oder auch nur auf einen Teil derselben innigst verbunden werden.

118.

Doch sind diese Erscheinungen der *Annäherung, Zentralstellung* und *Anastomose* nicht allein dem Blüten- und Fruchtstande eigen; wir können vielmehr etwas Ähnliches bei den Cotyledonen wahrnehmen, und andere Pflanzenteile werden uns in der Folge reichen Stoff zu ähnlichen Betrachtungen geben.

119.

So wie wir nun die verschieden scheinenden Organe der sprossenden und blühenden Pflanze alle aus einem einzigen, nämlich dem *Blatte*, welches sich gewöhnlich an jedem Knoten entwickelt, zu erklären gesucht haben, so haben wir auch diejenigen Früchte, welche ihre Samen fest in sich zu verschließen pflegen, aus der Blattgestalt herzuleiten gewagt.

120.

Es verstehet sich hier von selbst, daß wir ein allgemeines Wort haben müßten, wodurch wir dieses in so verschiedene

Gestalten metamorphosierte Organ bezeichnen und alle Erscheinungen seiner Gestalt damit vergleichen könnten: gegenwärtig müssen wir uns damit begnügen, daß wir uns gewöhnen, die Erscheinungen vorwärts und rückwärts gegeneinanderzuhalten. Denn wir können ebensogut sagen, ein Staubwerkzeug sei ein zusammengezogenes Blumenblatt, als wir von dem Blumenblatte sagen können, es sei ein Staubgefäß im Zustande der Ausdehnung; ein Kelchblatt sei ein zusammengezogenes, einem gewissen Grad der Verfeinerung sich näherndes Stengelblatt, als wir von einem Stengelblatt sagen können, es sei ein durch Zudringen roherer Säfte ausgedehntes Kelchblatt.

121.

Ebenso läßt sich von dem Stengel sagen, er sei ein ausgedehnter Blüten- und Fruchtstand, wie wir von diesem prädiziert haben, er sei ein zusammengezogener Stengel.

122.

Außerdem habe ich am Schlusse des Vortrags noch die Entwickelung der *Augen* in Betrachtung gezogen und dadurch die zusammengesetzten Blumen wie auch die unbedeckten Fruchtstände zu erklären gesucht.

123.

Und auf diese Weise habe ich mich bemüht, eine Meinung, welche viel Überzeugendes für mich hat, so klar und vollständig, als es mir möglich sein wollte, darzulegen. Wenn solche demohngeachtet noch nicht völlig zur Evidenz gebracht ist; wenn sie noch manchen Widersprüchen ausgesetzt sein und die vorgetragne Erklärungsart nicht überall anwendbar scheinen möchte: so wird es mir desto mehr Pflicht werden, auf alle Erinnerungen zu merken und diese Materie in der Folge genauer und umständlicher abzuhandeln, um diese Vorstellungsart anschaulicher zu machen und ihr einen allgemeinern Beifall zu erwerben, als sie vielleicht gegenwärtig nicht erwarten kann.

Metamorphose der Pflanzen

Zweiter Versuch

Einleitung

1.

So entfernt die Gestalt der organisierten Geschöpfe voneinander ist, so finden wir doch, daß sie gewisse Eigenschaften miteinander gemein haben, gewisse Teile miteinander verglichen werden können. Recht gebraucht, ist dieses der Faden, woran wir uns durch das Labyrinth der
lebendigen Gestalten durchhelfen, so wie uns der Mißbrauch dieses Begriffes auf ganz falsche Wege führt und
uns in der Wissenschaft eher rück- als vorwärtsbringt.

2.

Da alle Geschöpfe, welche wir lebendig nennen, darin über-
einkommen, daß sie die Kraft haben, ihresgleichen hervorzubringen, so suchen wir mit Recht die Organe der Zeugung wie durch alle Geschlechter der Tiere, so auch im
Pflanzenreich auf; wir finden sie auch bis fast auf der
untersten Stufe dieses letzten Reiches, wo sie noch immer
die Aufmerksamkeit der Beobachter beschäftigen.

3.

Außer dieser allgemeinsten Eigenschaft finden wir, daß andere, die zunächst daran grenzen, gleichfalls eine Zusammenstellung leiten. So mag die Samenkapsel mit dem Eier-
stocke, der Same mit dem Ei allenfalls noch im allgemeinen
verglichen werden. Gehen wir aber nun weiter und wollen
die Teile des Samens einer Pflanze mit den Teilen eines
Vogeleis oder gar einer tierischen Frucht vergleichen, so
entfernen wir uns so weit von der Wahrheit, wie mir es
dünkt, als wir im Anfange derselben nahe waren, und so-

sehr eine Pflanze von einem Tier verschieden ist, muß auch
schon der Same der Pflanze von dem Ei oder Embryon
entschieden sein.

4.

Es sind daher die Vergleichungen der Cotyledonen mit dem
Mutterkuchen, der verschiedenen Schalen des Samens mit
den Häutchen der tierischen Geburten nur scheinbar und
um desto gefährlicher, als man dadurch abgehalten wird,
genauer die Natur und Eigenschaft solcher Teile kennenzulernen.
Es war indessen natürlich, daß man diese Vergleichung zu
weit trieb, da wirklich die Natur uns einigen Anlaß dazu
gibt; ebenso hat man das Gewebe, welches die hohlen Röhren mancher Pflanze ausfüllt, vielleicht nicht mit Unrecht
das Mark genannt und solches mit dem Marke der tierischen Knochen verglichen. Allein man zog die falsche Folgerung, daß das Mark ein wesentlicher Teil des Pflanzenkörpers sei, man suchte, man fand es da, wo es nicht exi-
stierte; man gab ihm Kräfte und Einfluß, die es nicht hatte,
indem man sich an dem Begriffe des Markes in den menschlichen Knochen festhielt, welches auch durch die Imagina-
tion der Poeten, deren Terminologie sich in der Wissenschaft einschlich, zu einer höhern Würde gelangte, als es
wohl nicht verdient hatte.
Siehe Versuch über die Gestalt der Tiere.

5.

Man ging noch weiter, und indem man zur Bequemlichkeit der Einbildungskraft und zur Begünstigung gewisser
schwärmerischer Religionsideen alles auf eins zurückführen
und alles in einem jeden finden wollte, sah man in der
Pflanze Muskeln, Adern, lymphatische Gefäße, Eingeweide,
einen Schlund, Glandeln und was nicht sonst.
Siehe Agricola Agriculture parfaite.
Es sind zwar diese falschen Beobachtungen nach und nach

durch genauere, besonders durch mikroskopische Beobachtungen außer Kurs gebracht, allein es ist immer noch manches übrig, welches zum Besten der Wissenschaft wegzuschaffen wäre.

6.

Es ist hier wohl am Platze, anderer Gleichnisse zu gedenken, da man nicht sowohl die Naturreiche unter sich, sondern mit Gegenständen der übrigen Welt vergleicht, wodurch man, durch eine witzige Ausweichung, der Physiologie der drei Reiche großen Schaden tut, wie z. E. Linné die Blumenblätter Vorhänge des hochzeitlichen Bettes nennt, welches artige Gleichnis einem Poeten Ehre machen würde. Allein! Die Entdeckung des wahren physiologischen Verhältnisses eines solchen Teiles wird dadurch wie durch die so bequeme als falsche Beherzigung der Zwecke nach außen gänzlich verhindert.

Der Hauptbegriff, welcher, wie mich dünkt, bei jeder Betrachtung eines lebendigen Wesens zum Grunde liegen muß, von dem man nicht abweichen darf, ist, daß es mit sich selbst beständig, daß seine Teile in einem notwendigen Verhältnis gegen sich selbst stehn, daß nichts Mechanisches gleichsam von außen gebauet und hervorgebracht werde, obgleich Teile nach außen zu wirken und von außen Bestimmung annehmen.

Siehe Versuch über die Gestalt der Tiere.

7.

Es liegt dieser Begriff in dem ersten Versuche, die Metamorphose der Pflanzen zu erklären, zum Grunde, ebenso werde ich ihn nie in der gegenwärtigen Abhandlung außer Augen lassen, sowenig als in irgendeiner Betrachtung, welche ich über ein lebendiges Wesen anzustellen habe. Doch habe ich mich bei einer andern Gelegenheit schon erklärt, daß hier nicht die Frage sei, ob die Vorstellungsart, der Endzweck manchen Menschen bequem, ja unentbehrlich

sei, ob sie nicht, aufs Sittliche angewendet, gute und nützliche Wirkungen haben könnte, sondern ob sie den Physiologen der organisierten Körper förderlich oder hinderlich
sei, welches letztere ich mir zu behaupten getraue und deswegen sie selbst zu meiden und andere davor zu warnen
für Pflicht halte, weil man, wie Epiktet sagt, eine Sache
nicht da anfassen soll, wo ihr die Handhabe fehlt, sondern
vielmehr da, wo die Handhabe uns das Anfassen erleichtert. Es kann sich auch hier der Naturforscher beruhigen
und seinen Weg desto ungestörter fortgehen, da die neuere
philosophische Schule nach der von ihrem Lehrer vorge-
zeichneten Anleitung [siehe Kants »Kritik der teleologi-
schen Urteilskraft«, besonders § 61] diese Vorstellungsart
kurrenter zu machen sich zur Pflicht rechnen wird, da denn
der Naturforscher in der Folge die Gelegenheit nicht versäumen darf, auch ein Wort mitzureden.

8.

Ich habe in dem ersten Versuche zu zeigen mich bemühet,
daß die verschiedenen Teile der Pflanze aus einem völlig
ähnlichen Organ entspringen, welches, ob es gleich im
Grunde immer dasselbe bleibt, durch eine Progression modifiziert und verändert wird.

9.

Diesem Grundsatze liegt ein ander Prinzip zum Grunde,
daß nämlich eine Pflanze die Kraft hat, sich durch bloße
Fortsetzung völlig ähnlicher Teile ins Unendliche zu vermehren, wie ich denn ein Weidenreis abschneiden, dasselbe
pflanzen, den nächsten Trieb wegschneiden und wieder
pflanzen und so ins Unendliche fortfahren kann. Ebenso
wenn ich einen Stolonem abreiße und pflanze, so gibt mir
derselbe, ohne zu blühen, neue Stolones und so in infinitum
fort pp.

10.

Der zweite hierauf gegründete Erfahrungssatz ist der: daß das Wachstum, welches über der Erde, gegen die Luft zu, sich fortsetzt, nicht immer in einem gleichen Schritte vorwärtsgehen kann, sondern die Gestalt nach und nach verändern und die Teile anders bestimmen muß. Dieses ist die regelmäßige vorwärtsschreitende Metamorphose der Pflanzen, welche den Menschen am meisten interessiert, indem er gewöhnlich auf Blumen und Früchte, welche dadurch entstehen, am aufmerksamsten ist.

11.

Jene Betrachtungen fortzusetzen, durch Beispiele zu erläutern, durch Kupfer anschaulicher zu machen, durch Schriftsteller ihnen mehr Autorität zu geben, ist die Absicht des gegenwärtigen zweiten Versuchs, wo denn auch dasjenige, was aus der ganzen Pflanzenkunde sich zunächst anschließt, herbeizuführen und der Weg zu weiteren Fortschritten zu bereiten sei.

Zoologie. Osteologie. Vergleichende Anatomie

Typus

Es ist nichts in der Haut,
Was nicht im Knochen ist.
Vor schlechtem Gebilde jedem graut,
Das ein Augenschmerz ihm ist.

Was freut denn jeden? Blühen zu sehn,
Das von innen schon gut gestaltet;
Außen mag's in Glätte, mag in Farben gehn,
Es ist ihm schon voran gewaltet.

Erster Entwurf einer allgemeinen Einleitung in die vergleichende Anatomie, ausgehend von der Osteologie

Jena, im Januar 1795

I.

Von den Vorteilen der vergleichenden Anatomie und von den Hindernissen, die ihr entgegenstehen

Naturgeschichte beruht überhaupt auf Vergleichung.

Äußere Kennzeichen sind bedeutend, aber nicht hinreichend, um organische Körper gehörig zu sondern und wieder zusammenzustellen.

Anatomie leistet am organisierten Wesen, was Chemie am unorganisierten.

Die vergleichende Anatomie beschäftigt den Geist mannichfaltig, gibt uns Gelegenheit, die organischen Naturen aus vielen Gesichtspunkten zu betrachten.

Neben Zergliederung des menschlichen Körpers geht die der Tiere immer sachte fort.

Die Einsicht in den Körperbau und in die Physiologie des Menschen ist durch Entdeckungen, die man an Tieren gemacht, sehr erweitert worden.

Die Natur hat verschiedene Eigenschaften und Bestimmungen unter die Tiere verteilt, jedes zeigt sich charakteristisch ausgesprochen. Ihr Bau ist einfach, notdürftig, oft in ein großes weitschichtiges Volum ausgedehnt.

Des Menschen Bau ist in zartere Ramifikationen vermannichfaltiget, reich und gedrängt ausgestattet, bedeutende Stellen in die Enge gezogen, abgesonderte Teile durch Anastomose verbunden.

Dem Beobachter liegt im Tiere das Tierische mit allen unmittelbaren Forderungen und Bedürfnissen vor Augen.

Im Menschen ist das Tierische zu höhern Zwecken gesteigert und für das Auge, wie für den Geist, in Schatten gestellt.

Die Hindernisse, welche der vergleichenden Anatomie bisher im Wege standen, sind mannichfaltig. Sie hat keine Grenzen, und jede bloß empirische Behandlung müdet sich ab in dem weiten Umfang.

Die Beobachtungen blieben einzeln, wie sie gemacht wurden, stehen. Man konnte sich über Terminologie nicht vereinigen. Gelehrte, Stallmeister, Jäger, Fleischer etc. hatten verschiedene Benennungen hergebracht.

Niemand glaubte an einen Vereinigungspunkt, an den man die Gegenstände hätte anschließen können, oder einen Gesichtspunkt, aus dem man sie anzusehen hätte.

Man wendete, wie in andern Wissenschaften, so auch hier, nicht genug geläuterte Vorstellungsarten an. Entweder man nahm die Sache zu trivial und haftete bloß an der Erscheinung, oder man suchte sich durch Endursachen zu helfen, wodurch man sich denn nur immer weiter von der Idee eines lebendigen Wesens entfernte. Ebensosehr und auf gleiche Weise hinderte die fromme Denkart, da man jedes Einzelne zur Ehre Gottes unmittelbar verbrauchen wollte. Man verlor sich in leere Spekulationen, z. B. über die Seele der Tiere usw.

Die Anatomie des Menschen bis in die feinsten Teile zu verfolgen, ward eine unendliche Arbeit gefordert. Ja sogar diese, der Medizin untergeordnet, konnte nur von wenigen als ein besonderes Studium betrieben werden. Noch wenigere hatten Neigung, Zeit, Vermögen und Gelegenheit, in der vergleichenden Anatomie etwas Bedeutendes und Zusammenhängendes zu leisten.

II.

Über einen aufzustellenden Typus zu Erleichterung der vergleichenden Anatomie

Die Ähnlichkeit der Tiere untereinander und mit dem Menschen ist in die Augen fallend und im allgemeinen anerkannt, im besondern schwerer zu bemerken, im einzelnen nicht immer sogleich darzutun, öfters verkannt und manchmal gar geleugnet. Die verschiedenen Meinungen der Beobachter sind daher schwer zu vereinigen. Denn es fehlt an einer Norm, an der man die verschiedenen Teile prüfen könnte, es fehlt an einer Folge von Grundsätzen, zu denen man sich bekennen müßte.

Man verglich die Tiere mit dem Menschen und die Tiere untereinander, und so war bei vieler Arbeit immer nur etwas Einzelnes erzweckt und, durch diese vermehrten Einzelnheiten, jede Art von Überblick immer unmöglicher. Beispiele aus *Buffon* würden sich manche vorlegen lassen. *Josephis* Unternehmen und anderer wäre in diesem Sinne zu beurteilen. Da man nun auf solche Weise alle Tiere mit jedem und jedes Tier mit allen vergleichen mußte, so sieht man die Unmöglichkeit ein, je auf diesem Wege eine Vereinigung zu finden.

Deshalb geschieht hier ein Vorschlag zu einem anatomischen Typus, zu einem allgemeinen Bilde, worin die Gestalten sämtlicher Tiere, der Möglichkeit nach, enthalten wären und wornach man jedes Tier in einer gewissen Ordnung beschriebe. Dieser Typus müßte soviel wie möglich in physiologischer Rücksicht aufgestellt sein. Schon aus der allgemeinen Idee eines Typus folgt, daß kein einzelnes Tier als ein solcher Vergleichungskanon aufgestellt werden könne; kein Einzelnes kann Muster des Ganzen sein.

Der Mensch, bei seiner hohen organischen Vollkommenheit darf, eben dieser Vollkommenheit wegen, nicht als Maßstab der unvollkommenen Tiere aufgestellt werden. Man verfahre vielmehr folgendermaßen.

Die Erfahrung muß uns vorerst die Teile lehren, die allen Tieren gemein sind und worin diese Teile verschieden sind. Die Idee muß über dem Ganzen walten und auf eine generische Weise das allgemeine Bild abziehen. Ist ein solcher Typus auch nur zum Versuch aufgestellt, so können wir die bisher gebräuchlichen Vergleichungsarten zur Prüfung desselben sehr wohl benutzen.

Man verglich: Tiere untereinander, Tiere zum Menschen, Menschenrassen untereinander, die beiden Geschlechter wechselseitig, Hauptteile des Körpers, z. B. obere und untere Extremitäten, untergeordnete Teile, z. B. einen Wirbelknochen mit den andern.

Alle diese Vergleichungen können nach aufgestelltem Typus noch immer stattfinden, nur wird man sie mit besserer Folge und größerm Einfluß auf das Ganze der Wissenschaft vornehmen. Ja dasjenige, was bisher schon geschehen, beurteilen und die wahr gefundenen Beobachtungen an gehörigen Orten einreihen.

Nach aufgebautem Typus verfährt man bei Vergleichung auf doppelte Weise. Erstlich, daß man einzelne Tierarten nach demselben beschreibt. Ist dieses geschehen, so braucht man Tier mit Tier nicht mehr zu vergleichen, sondern man hält die Beschreibungen nur gegeneinander, und die Vergleichung macht sich von selbst. Sodann kann man aber auch einen besondern Teil durch alle Hauptgattungen durchbeschreiben, wodurch eine belehrende Vergleichung vollkommen bewirkt wird. Beide Arten von Monographien müßten jedoch so vollständig als möglich sein, wenn sie fruchten sollten, besonders zur letztern könnten sich mehrere Beobachter vereinigen. Doch müßte man vorerst über ein allgemeines Schema sich verständigen, worauf das Mechanische der Arbeit durch eine Tabelle befördert werden könnte, welche jeder bei seiner Arbeit zugrunde legte. Und so wäre er gewiß, daß er bei der kleinsten, spezialsten Arbeit für alle, für die Wissenschaft gearbeitet hätte. Bei der jetzigen Lage der Dinge ist es traurig, daß jeder wieder von vorne anfangen muß.

III.

Allgemeinste Darstellung des Typus

Im vorhergehenden war eigentlich nur von komparierte[r]
Anatomie der Säugetiere gesprochen und von den Mittel[n]
welche das Studium derselben erleichtern könnten; jetz[t]
aber, da wir die Erbauung des Typus unternehmen, müsse[n]
wir uns weiter in der organischen Natur umsehen, weil wi[r]
ohne einen solchen Überblick kein allgemeines Bild de[r]
Säugetiere aufstellen könnten und weil sich dieses Bild[,]
wenn wir bei dessen Konstruktion die ganze Natur zu Rat[e]
ziehen, künftighin rückwärts dergestalt modifizieren läß[t]
daß auch die Bilder unvollkommener Geschöpfe darau[s]
herzuleiten sind.

Alle einigermaßen entwickelten Geschöpfe zeigen schon a[m]
äußern Gebäude drei Hauptabteilungen. Man betrachte di[e]
vollendeten Insekten! Ihr Körper besteht in drei Teilen[,]
welche verschiedene Lebensfunktionen ausüben, durch ihr[e]
Verbindung untereinander und Wirkung aufeinander di[e]
organische Existenz auf einer hohen Stufe darstellen. Dies[e]
drei Teile sind das Haupt, der Mittel- und Hinterteil; di[e]
Hülfsorgane findet man unter verschiedenen Umstände[n]
an ihnen befestigt.

Das Haupt ist seinem Platze nach immer vorn, ist der Ver[-]
sammlungsort der abgesonderten Sinne und enthält die re[-]
gierenden Sinneswerkzeuge, in einem oder mehreren Ner[-]
venknoten, die wir Gehirn zu nennen pflegen, verbunde[n]
Der mittlere Teil enthält die Organe des innern Lebens[-]
antriebes und einer immer fortdauernden Bewegung nac[h]
außen; die Organe des innern Lebensanstoßes sind wenige[r]
bedeutend, weil bei diesen Geschöpfen jeder Teil offenba[r]
mit einem eignen Leben begabt ist. Der hinterste Teil ent[-]
hält die Organe der Nahrung und Fortpflanzung sowi[e]
der gröbern Absonderung.

Sind nun die benannten drei Teile getrennt und oft nu[r]

durch fadenartige Röhren verbunden, so zeigt dies einen vollkommenen Zustand an. Deshalb ist der Hauptmoment der sukzessiven Raupenverwandlung zum Insekt eine sukzessive Separation der Systeme, welche im Wurm noch unter der allgemeinen Hülle verborgen lagen, sich teilweis in einem unwirksamen, unausgesprochenen Zustand befanden; nun aber, da die Entwicklung geschehen ist, da die letzten besten Kräfte für sich wirken, so ist die freie Bewegung und Tätigkeit des Geschöpfs vorhanden und durch mannichfaltige Bestimmung und Absonderung der organischen Systeme die Fortpflanzung möglich.

Bei den vollkommenen Tieren ist das Haupt von der zweiten Abteilung mehr oder weniger entschieden abgesondert, die dritte aber durch Verlängerung des Rückgrats mit der vordern verbunden und in eine allgemeine Decke gehüllt; daß sie aber durch eine Scheidewand von dem mittlern System der Brust abgeteilt sei, zeigt uns die Zergliederung.

Hülfsorgane hat das Haupt, insofern sie zur Aneignung der Speisen nötig sind; sie zeigen sich bald als geteilte Zangen, bald als ein mehr oder weniger verbundenes Kinnladenpaar.

Der mittlere Teil hat bei unvollkommenen Tieren sehr vielfache Hülfsorgane, Füße, Flügel und Flügeldecken; bei den vollkommenen Tieren sind an diesem mittlern Teile auch die mittlern Hülfsorgane, Arme oder Vorderfüße, angebracht. Der hintere Teil hat bei den Insekten in ihrem entwickelten Zustand keine Hülfsorgane, hingegen bei vollkommenen Tieren, wo die beiden Systeme angenähert und zusammengedrängt sind, stehen die letzten Hülfsorgane, Füße genannt, am hinteren Ende des dritten Systemes, und so werden wir die Säugetiere durchgängig gebildet finden. Ihr letzter oder hinterster Teil hat mehr oder weniger noch eine Fortsetzung, den Schwanz, die aber eigentlich nur als eine Andeutung der Unendlichkeit organischer Existenzen angesehen werden kann.

IV.

Anwendung der allgemeinen Darstellung des Typus auf das Besondere

Die Teile des Tieres, ihre Gestalt untereinander, ihr Verhältnis, ihre besondern Eigenschaften, bestimmen die Lebensbedürfnisse des Geschöpfs. Daher die entschiedene, aber eingeschränkte Lebensweise der Tiergattungen und Arten.

Betrachten wir nach jenem erst im Allgemeinsten aufgestellten Typus die verschiedenen Teile der vollkommensten, die wir Säugetiere nennen, so finden wir, daß der Bildungskreis der Natur zwar eingeschränkt ist, dabei jedoch, wegen der Menge der Teile und wegen der vielfachen Modifikabilität, die Veränderungen der Gestalt ins Unendliche möglich werden.

Wenn wir die Teile genau kennen und betrachten, so werden wir finden, daß die Mannichfaltigkeit der Gestalt daher entspringt, daß diesem oder jenem Teil ein Übergewicht über die andern zugestanden ist.

So sind, zum Beispiel, Hals und Extremitäten auf Kosten des Körpers bei der Giraffe begünstigt, dahingegen beim Maulwurf das Umgekehrte stattfindet.

Bei dieser Betrachtung tritt uns nun gleich das Gesetz entgegen: daß keinem Teil etwas zugelegt werden könne, ohne daß einem andern dagegen etwas abgezogen werde, und umgekehrt.

Hier sind die Schranken der tierischen Natur, in welchen sich die bildende Kraft auf die wunderbarste und beinahe auf die willkürlichste Weise zu bewegen scheint, ohne daß sie im mindesten fähig wäre, den Kreis zu durchbrechen oder ihn zu überspringen. Der Bildungstrieb ist hier in einem zwar beschränkten, aber doch wohleingerichteten Reiche zum Beherrscher gesetzt. Die Rubriken seines Etats, in welche sein Aufwand zu verteilen ist, sind ihm vorgeschrieben, was er auf jedes wenden will, steht ihm, bis auf einen gewissen Grad, frei. Will er der einen mehr zuwenden, so ist er nicht ganz gehindert, allein er ist genötigt, an einer andern sogleich etwas fehlen zu lassen; und so kann die Natur sich niemals verschulden oder wohl gar bankrutt werden.

Wir wollen versuchen, uns durch das Labyrinth der tierischen Bildung an diesem Leitfaden durchzuhelfen, und wir werden künftig finden, daß er auch bis zu den formlosesten organischen Naturen hinabreicht. Wir wollen ihn an der Form prüfen, um ihn nachher auch bei den Kräften brauchen zu können.

Wir denken uns also das abgeschlossene Tier als eine kleine Welt, die um ihrer selbst willen und durch sich selbst da ist. So ist auch jedes Geschöpf Zweck seiner selbst, und weil alle seine Teile in der unmittelbarsten Wechselwirkung stehen, ein Verhältnis gegeneinander haben und dadurch den Kreis des Lebens immer erneuern, so ist auch jedes Tier als physiologisch vollkommen anzusehen. Kein Teil desselben ist, von innen betrachtet, unnütz oder, wie man sich manchmal vorstellt, durch den Bildungstrieb gleichsam willkürlich hervorgebracht; obgleich Teile nach außen zu unnütz erscheinen können, weil der innere Zusammenhang der tierischen Natur sie so gestaltete, ohne sich um die äußeren Verhältnisse zu bekümmern. Man wird also künftig von solchen Gliedern, wie z. B. von den Eckzähnen des Sus babirussa, nicht fragen: Wozu dienen sie? sondern: Woher entspringen sie? Man wird nicht behaupten, einem Stier seien die Hörner gegeben, daß er stoße, sondern man wird untersuchen, *wie* er Hörner haben könne, um zu stoßen. Jenen allgemeinen Typus, den wir nun freilich erst konstruieren und in seinen Teilen erst erforschen wollen, werden wir im Ganzen unveränderlich finden, werden die höchste Klasse der Tiere, die Säugetiere selbst, unter den verschiedensten Gestalten in ihren Teilen höchst übereinstimmend antreffen. Nun aber müssen wir, indem wir bei und mit dem Beharr-

lichen beharren, auch zugleich mit und neben dem Veränderlichen unsere Ansichten zu verändern und mannichfaltige Beweglichkeit lernen, damit wir den Typus in aller
seiner Versatilität zu verfolgen gewandt seien und uns dieser Proteus nirgendhin entschlüpfe.

Fragt man aber nach den Anlässen, wodurch eine so mannichfaltige Bestimmbarkeit zum Vorschein komme, so ant-
worten wir vorerst: Das Tier wird durch Umstände zu
Umständen gebildet; daher seine innere Vollkommenheit
und seine Zweckmäßigkeit nach außen.

Um nun jene Idee eines haushälterischen Gebens und Neh-
mens anschaulich zu machen, führen wir einige Beispiele an.
Die Schlange steht in der Organisation weit oben. Sie hat
ein entschiedenes Haupt, mit einem vollkommenen Hülfs-
organ, einer vorne verbundenen unteren Kinnlade. Allein
ihr Körper ist gleichsam unendlich, und er kann es deswegen sein, weil er weder Materie noch Kraft auf Hülfsorgane zu verwenden hat. Sobald nun diese in einer andern
Bildung hervortreten, wie z. B. bei der Eidechse nur kurze
Arme und Füße hervorgebracht werden, so muß die un-
bedingte Länge sogleich sich zusammenziehen und ein kür-
zerer Körper stattfinden. Die langen Beine des Frosches
nötigen den Körper dieser Kreatur in eine sehr kurze Form,
und die ungestaltete Kröte ist nach eben diesem Gesetze in
die Breite gezogen.

Hier kommt es nun darauf an, wie weit man dieses Prinzip
durch die verschiedenen naturhistorischen Klassen, Geschlechter und Arten kursorisch durchführen und durch Beurteilung des Habitus und der äußerlichen Kennzeichen die
Idee im Allgemeinen anschaulich und angenehm machen
wollte, damit die Lust und der Mut gereizt würde, mit
Aufmerksamkeit und Mühe das Einzelne zu durchsuchen.

Zuerst wäre aber der Typus in der Rücksicht zu betrachten, wie die verschiedenen elementaren Naturkräfte auf ihn
wirken und wie er den allgemeinen äußern Gesetzen, bis
auf einen gewissen Grad, sich gleichfalls fügen muß.

Das Wasser schwellt die Körper, die es umgibt, berührt, in die es mehr oder weniger hineindringt, entschieden auf. So wird der Rumpf des Fisches, besonders das Fleisch desselben, aufgeschwellt nach den Gesetzen des Elements. Nun muß nach den Gesetzen des organischen Typus auf diese Aufschwellung des Rumpfes das Zusammenziehen der Extremitäten oder Hülfsorgane folgen, ohne was noch weiter für Bestimmungen der übrigen Organe daraus entstehen, die sich später zeigen werden.

Die Luft, indem sie das Wasser in sich aufnimmt, trocknet aus. Der Typus also, der sich in der Luft entwickelt, wird, je reiner, je weniger feucht sie ist, desto trockener inwendig werden, und es wird ein mehr oder weniger magerer Vogel entstehen, dessen Fleisch und Knochengeripppe reichlich zu bekleiden, dessen Hülfsorgane hinlänglich zu versorgen, für die bildende Kraft noch Stoff genug übrigbleibt. Was bei dem Fische auf das Fleisch gewandt wird, bleibt hier für die Federn übrig. So bildet sich der Adler durch die Luft zur Luft, durch die Berghöhe zur Berghöhe. Der Schwan, die Ente, als eine Art von Amphibien, verraten ihre Neigung zum Wasser schon durch ihre Gestalt. Wie wundersam der Storch, der Strandläufer ihre Nähe zum Wasser und ihre Neigung zur Luft bezeichnen, ist anhaltender Betrachtung wert.

So wird man die Wirkung des Klimas, der Berghöhe, der Wärme und Kälte, nebst den Wirkungen des Wassers und der gemeinen Luft, auch zur Bildung der Säugetiere sehr mächtig finden. Wärme und Feuchtigkeit schwellt auf und bringt selbst innerhalb der Grenzen des Typus unerklärlich scheinende Ungeheuer hervor, indessen Hitze und Trockenheit die vollkommensten und ausgebildetsten Geschöpfe, sosehr sie auch der Natur und Gestalt nach dem Menschen entgegenstehen, z. B. den Löwen und Tiger, hervorbringen, und so ist das heiße Klima allein imstande, selbst der unvollkommenen Organisation etwas Menschenähnliches zu erteilen, wie z. B. im Affen und Papageien geschieht.

Man kann auch den Typus verhältnismäßig gegen sich selbst betrachten und die Vergleichung innerhalb desselben anstellen, z. B. die Vergleichung der harten und weichen Teile gegeneinander. So scheinen z. B. die Ernährungs- und Zeugungsorgane weit mehr Kraft wegzunehmen als die Bewegungs- und Antriebsorgane. Herz und Lunge sitzen in einem knöchernen Gehäuse fest, anstatt daß Magen, Gedärme und Gebärmutter in einem weichen Behältnisse schwanken. Man sieht, daß, der Bildungs-Intention nach, so gut ein Brustgrat als ein Rückgrat stattfindet. Aber das Brustgrat, bei den Tieren das untere, ist, gegen das Rückgrat betrachtet, kurz und schwach. Seine Wirbelknochen sind länglich, schmal oder breit gedrückt, und wenn das Rückgrat vollkommene oder unvollkommene Rippen zu Nachbarn hat, so stehen am Brustgrate nur Knorpel gegenüber. Das Brustgrat scheint also den sämtlichen oberen Eingeweiden einen Teil seiner Festigkeit, den untern hingegen seine völlige Existenz aufzuopfern; so wie selbst das Rückgrat diejenigen Rippen, welche an den Lendenwirbeln stehen könnten, der vollkommenen Ausbildung der benachbarten wichtigen weichen Teile aufopfert.

Wenden wir nun sofort das von uns ausgesprochene Gesetz auf verwandte Naturerscheinungen an, so möchte manches interessante Phänomen erklärbar sein. Der Hauptpunkt der ganzen weiblichen Existenz ist die Gebärmutter. Sie nimmt unter den Eingeweiden einen vorzüglichen Platz ein und äußert, entweder in der Wirklichkeit oder Möglichkeit, die höchsten Kräfte, in Anziehung, Ausdehnung, Zusammenziehung usw. Nun scheint die Bildungskraft auf diesen Teil durch alle vollkommneren Tiere so viel verwenden zu müssen, daß sie genötigt ist, bei andern Teilen der Gestalt kärglich zu verfahren, daher möchte ich die mindere Schönheit des Weibchens erklären; auf die Eierstöcke war so viel zu verwenden, daß äußerer Schein nicht mehr stattfinden konnte. In der Ausführung der Arbeit selbst werden uns viele solche Fälle vorkommen, die wir hier im Allgemeinen nicht vorausnehmen dürfen.

Durch alle diese Betrachtungen steigen wir zuletzt zum Menschen herauf, und es wird die Frage sein, ob und wann wir den Menschen auf der höchsten Stufe der Organisation antreffen. Hoffentlich wird uns unser Faden durch dieses Labyrinth durchbringen und uns auch über die verschiedenen Abweichungen der menschlichen Gestalt und zuletzt über die schönste Organisation Aufschlüsse geben.

V.

Vom osteologischen Typus insbesondere

Ob nun aber diese Vorstellungsart dem behandelnden Gegenstande völlig gemäß sei, kann nur dann erst geprüft und entschieden werden, wenn durch umsichtige Anatomie die Teile der Tiere gesondert und wieder miteinander verglichen worden. Auch die Methode, nach welcher wir nunmehr die Ordnung der Teile betrachten, wird künftig erst durch Erfahrung und Gelingen gerechtfertiget.

Das Knochengebäude ist das deutliche Gerüst aller Gestalten. Einmal wohl erkannt, erleichtert es die Erkenntnis aller übrigen Teile. Hier sollte nun freilich, ehe wir weitergehen, manches besprochen werden, z. B. wie es mit der Osteologie des Menschen gegangen. Auch sollte man über Partes proprias et improprias einiges verhandeln; doch ist uns diesmal nur gegönnt, lakonisch und aphoristisch zu verfahren.

Ohne Widerrede zu befürchten, dürfen wir vorerst behaupten, daß die Einteilung des menschlichen Knochengebäudes bloß zufällig entstanden; daher man denn bei Beschreibungen bald mehr, bald weniger Knochen annahm, auch jeder sie nach Belieben und eigner Ordnung beschrieb.

Wie es ferner nach so vielfältigen Bemühungen um die Knochenlehre des Säugetieres überhaupt aussehe, wäre sorgfältig auszumitteln, wobei denn *Campers* Urteil über die wichtigsten Schriften der vergleichenden Osteologie jeder Prüfung und Benutzung zustatten käme.

Im ganzen wird man sich auch bei der allgemeinen vergleichenden Osteologie überzeugen, daß sie eben aus Mangel eines ersten Vorbildes und dessen genau bestimmter Abteilung in große Verworrenheit geraten sei; *Volcher Coiter, Duverney, Daubenton* und andere sind nicht frei von Verwechselung der Teile; ein Fehler, der beim Beginnen jeder Wissenschaft unvermeidlich, bei dieser aber sehr verzeihlich ist.

Gewisse beschränkende Meinungen setzten sich fest, man wollte z. B. dem Menschen seinen Zwischenknochen abstreiten. Was man dabei zu gewinnen glaubte, war wunderlich genug: hier sollte das Unterscheidungszeichen zwischen uns und dem Affen sein. Dagegen bemerkte man nicht, daß man durch indirekte Leugnung des Typus die schönste Aussicht verlor.

Ferner behauptete man eine Zeitlang, der Eckzahn des Elefanten stehe im Zwischenknochen; da er doch unabänderlich der obern Kinnlade angehört und ein genauer Beobachter gar wohl bemerken kann, daß von der obern Kinnlade sich eine Lamelle um den ungeheuren Zahn herumschlingt und die Natur keineswegs duldet, daß hier etwas gegen Gesetz und Ordnung geschehe.

Wenn wir nun ausgesprochen, daß der Mensch nicht könne fürs Tier, das Tier nicht für den Menschen als Typus aufgestellt werden, so müssen wir nunmehr das Dritte, was sich zwischen beide hineinsetzt, ungesäumt hinstellen und die Ursache unseres Verfahrens nach und nach zur Sprache bringen.

Notwendig ist es daher, alle Knochenabteilungen, welche nur vorkommen können, aufzusuchen und zu bemerken; hiezu gelangen wir durch Betrachtung der verschiedensten Tierarten, ja durch Untersuchung des Fötus.

Wir nehmen das vierfüßige Tier, wie es vor uns steht und das Haupt vorreckt, von vorn nach hinten, und bauen erst den Schädel, dann das übrige zusammen; die Begriffe, Ge-

danken, Erfahrungen, die uns hiebei leiteten, sprechen wir
zum Teil aus, wir lassen sie vermuten und teilen sie in der
Folge mit; ohne weiteres also zur Darlegung des ersten allgemeinsten Schema.

VI.

Der osteologische Typus in seiner Einteilung zusammengestellt

A. Das Haupt.
 a) Ossa intermaxillaria,
 b) Ossa maxillae superioris,
 c) Ossa palatina.
Diese Knochen lassen sich in mehr als einem Sinne miteinander vergleichen: sie bilden die Base des Gesichts und Vor-
derhauptes; sie machen zusammen den Gaumen aus; sie
haben in der Form vieles gemein und stehen deshalb voran,
weil wir das Tier von vornen nach hinten zu beschreiben
und die beiden ersten nicht allein offenbar die vordersten
Teile des Tierkörpers ausmachen, sondern auch den Charakter des Geschöpfs vollkommen aussprechen, weil ihre
Form die Nahrungsweise des Geschöpfes bestimmt.
 d) Ossa zygomatica,
 e) Ossa lacrymalia
setzen wir auf die vorhergehenden und bilden das Gesicht
mehr aus; auch wird der untere Rand der Augenhöhle fertig.
 f) Ossa nasi,
 g) Ossa frontis
setzen wir als Decke über jene, erzeugen den oberen Rand
der Augenhöhlen, die Räume für die Geruchsorgane und
das Gewölbe des Vorderhirnes.
 h) Os sphenoideum anterius
fügen wir dem Ganzen von unten und hinten als Base zu,

bereiten dem Vorderhirne das Bette und mehreren Nerven ihre Ausgänge. Der Körper dieses Knochens ist mit dem Körper des Os posterius beim Menschen immer verwachsen.

i) Os ethmoideum,

k) Conchae,

l) Vomer,

und so kommen die Werkzeuge des Geruchs an ihren Ort.

m) Os sphenoideum posterius

schließt sich an das vordere an. Die Basis des Gehirnbehälters nähert sich ihrer Vollkommenheit.

n) Ossa temporum

bilden die Wände über demselben, verbinden sich vorwärts.

o) Ossa bregmatis

decken diese Abteilung des Gewölbes.

p) Basis ossis occipitis

vergleicht sich den beiden Sphenoideis.

q) Ossa lateralia

machen die Wände, vergleichen sich den Ossibus temporum.

r) Os lambdoideum

schließt das Gebäude, vergleicht sich den Ossibus bregmatis.

s) Ossa petrosa

enthalten die Gehörwerkzeuge und werden an dem leeren Platze eingefügt.

Hier endigen sich die Knochen, die das Gebäude des Hauptes ausmachen und gegeneinander unbeweglich sind.

t) Kleine Knochen des Gehörwerkzeuges.

Bei der Ausführung wird gezeigt, wie diese Knochenabteilungen wirklich existieren, wie sie noch Unterabteilungen haben. Es wird die Proportion und das Verhältnis derselben untereinander, Wirkung aufeinander, Wirkung der äußern und innern Teile dargestellt und der Typus konstruiert und mit Beispielen erläutert.

B. Der Rumpf.

I. Spina dorsalis,

a) Vertebrae colli.

Nähe des Hauptes wirkt auf die Halswirbel, besonders die ersten.

  b) dorsi,
die Wirbelknochen, an denen die Rippen angesetzt sind,
kleiner als die
  c) lumborum,
Lendenwirbel, die frei stehen,
  d) pelvis,
diese werden durch die Nähe der Beckenknochen mehr oder
weniger verändert,
  e) caudae
sind an Zahl sehr verschieden.
    Costae
     verae,
      spuriae.
  II. Spina pectoralis,
     Sternum,
     Cartilagines.
Die Vergleichung des Rück- und Brustgrates, der Rippen
und der Knorpel führt uns auf interessante Punkte.
C. Hülfsorgane.
  1. Maxilla inferior,
  2. Brachia
   affixa sursum vel retrorsum,
    Scapula
   deorsum vel antrorsum,
     Clavicula,
     Humerus,
     Ulna, Radius,
     Carpus,
     Metacarpus,
     Digiti,
  Form, Proportion, Zahl.
  3. Pedes
   affixi sursum vel adversum,
    Ossa ilium,
    Ossa ischii
   deorsum vel antrorsum,

      Ossa pubis,
      Femur, Patella,
      Tibia, Fibula,
      Tarsus,
      Metatarsus,
      Digiti.
Innere:
      Os hyoides
      Cartilagines, plus minus ossificatae.

VII.

Was bei Beschreibung der einzelnen Knochen vorläufig zu bemerken sei

Beantwortung zweier Fragen ist notwendig:
I. Finden wir die im Typus aufgestellten Knochenabteilungen in allen Tieren?
II. Wann erkennen wir, daß es dieselben seien?
Hindernisse:
    Die Knochenbildung ist unbeständig:
    a) in ihrer Ausbreitung oder Einschränkung;
    b) in dem Verwachsen der Knochen;
    c) in den Grenzen der Knochen gegen die Nachbarn;
    d) in der Zahl;
    e) in der Größe;
    f) in der Form.
Die Form ist:
    einfach oder ausgebildet, zusammengedrängt oder entwickelt;
    bloß notdürftig oder überflüssig begabt;
    vollkommen und isoliert oder zusammen verwachsen und verringert.
Vorteile:
    Die Knochenbildung ist beständig,

   a) daß der Knochen immer an seinem Platze steht;
   b) daß er immer dieselbe Bestimmung hat.

Die erste Frage läßt sich also nur unter der Hinsicht auf die Hindernisse und unter den angezeigten Bedingungen mit Ja beantworten.

Die zweite Frage können wir auflösen, wenn wir uns der ebengenannten Vorteile bedienen. Und zwar werden wir dabei folgendermaßen zu Werke gehen:

1. werden wir den Knochen an seinem Platze aufsuchen;
2. nach dem Platze, den er in der Organisation einnimmt, seine Bestimmung kennenlernen;
3. die Form, die er nach seiner Bestimmung haben kann und im allgemeinen haben muß, determinieren;
4. die mögliche Abweichung der Form teils aus dem Begriff, teils aus der Erfahrung herleiten und abstrahieren;
5. und bei jedem Knochen diese Abweichungen in einer gewissen anschaulichen Ordnung möglichst vortragen.

Und so können wir hoffen, wenn sie sich unserm Blick entziehen, sie aufzufinden, ihre verschiedensten Bildungen unter einen Hauptbegriff zu bringen und auf diese Art die Vergleichung zu erleichtern.

A. Verschiedenheit der Einschränkung und Ausbreitung des ganzen Knochensystems

Wir haben schon den osteologischen Typus im Ganzen dargestellt und die Ordnung festgesetzt, nach welcher wir seine Teile durchgehen wollen. Ehe wir nun aber zum Besonderen schreiten, ehe wir es wagen, die Eigenschaften auszusprechen, welche jedem Knochen im allgemeinsten Sinne zukommen, dürfen wir uns die Hindernisse nicht verbergen, welche unseren Bemühungen entgegenstehen könnten.

Indem wir jenen Typus aufstellen und als eine allgemeine Norm, wonach wir die Knochen der sämtlichen Säugetiere zu beschreiben und zu beurteilen haben, denken, setzen wir in der Natur eine gewisse Konsequenz voraus, wir trauen ihr zu, daß sie in allen einzelnen Fällen nach einer gewissen Regel verfahren werde. Auch können wir darinnen nicht irren. Schon oben sprachen wir unsere Überzeugung aus, in der uns jeder flüchtige Blick auf das Tierreich bestärkt: daß ein gewisses allgemeines Bild allen diesen einzelnen Gestalten zugrunde liege.

Allein die lebendige Natur könnte dieses einfache Bild nicht in das Unendliche vermannichfaltigen, wenn sie nicht einen großen Spielraum hätte, in welchem sie sich bewegen kann, ohne aus den Schranken ihres Gesetzes herauszutreten. Wir wollen also zuerst zu bemerken suchen, worin die Natur bei Bildung der einzelnen Knochen sich unbeständig zeigt, sodann worin sie sich beständig erweist, und es wird uns möglich sein, auf diesem Wege die allgemeinen Begriffe festzusetzen, nach welchen jeder einzelne Knochen durch das ganze Tierreich zu finden ist.

Die Natur ist unbeständig in der Ausbreitung und Einschränkung des Knochensystems.

Das Knochengebäude kann als Teil eines organischen Ganzen nicht isoliert betrachtet werden. Es steht mit allen übrigen Teilen, den halbharten und weichen, in Verbindung. Die übrigen Teile sind mehr oder weniger mit dem Knochensystem verwandt und fähig, in den festen Zustand überzugehen.

Wir sehen dieses deutlich bei der Erzeugung der Knochen, vor und nach der Geburt eines wachsenden Tieres, wo die Membranen, Knorpel und nach und nach die Knochenmassen gebildet werden; wir sehen es bei alten P rsonen, im kranken Zustande, wo mehrere Teile, welche die Natur nicht mit zum Knochensystem bestimmt hat, verknöchern und zu demselben hinübergezogen werden und dasselbe dadurch gleichsam ausgebreitet wird.

Eben dieses Verfahren hat sich die Natur vorbehalten, bei Bildung der Tiere hie und da anzuwenden und die Knochenmasse dorthin zu bringen, wo bei anderen nur Sehnen und Muskeln sich befinden. So hängt z. B. bei einigen Tieren (bis jetzt ist es mir vom Pferd und Hund bekannt) mit dem Knorpel des Processus styloideus ossis temporum ein länglicher, flacher, fast wie eine kleine Rippe gestalteter Knochen zusammen, dessen weitere Bestimmung und Verbindung aufzusuchen ist. So ist bekannt, daß z. B. der Bär, einige Fledermäuse einen Knochen in der männlichen Rute haben, und es werden sich solcher Fälle noch mehrere finden.

Es scheint aber auch im Gegenteile die Natur ihr Knochensystem manchmal einzuschränken und hie und da etwas fehlen zu lassen, wie z. B. das Schlüsselbein mehreren Tieren völlig abgeht.

Es drängen sich uns bei dieser Gelegenheit mehrere Betrachtungen auf, bei denen aber hier zu verweilen außer der Zeit sein würde, z. B. wie der Verknöcherung gewisse Grenzen gesetzt sind, welche sie nicht überschreitet, ob man gleich nicht bemerken kann, was sie zurückhält. Ein auffallendes Beispiel zeigt sich an den Knochen, Knorpeln und Membranen des Schlundes.

So wird es uns, um nur einen Seitenblick in die weite Natur zu tun, künftig merkwürdig werden, wenn wir sehen, wie bei Fischen und Amphibien sich oft große Knochenmassen auf die Haut werfen und, wie wir bei der Schildkröte wahrnehmen, die äußeren gewöhnlich weichen und zarten Teile in einen harten und starren Zustand übergehen.

Doch müssen wir uns vorerst in unsern engen Kreis einschließen und nur das nicht außer acht lassen, was oben angezeigt worden, daß nämlich flüssige, weiche und ganz harte Teile in einem organischen Körper als Eins angesehen werden müssen und daß es der Natur frei stehe, bald da, bald dorthin zu wirken.

B. Verschiedenheit des Verwachsens

Wenn wir jene Knochenabteilungen bei verschiedenen Tieren aufsuchen, so finden wir, daß sie nicht überall dieselbigen zu sein scheinen, sondern daß sie manchmal zusammen verwachsen, manchmal voneinander getrennt, in verschiedenen Gattungen und Arten, ja sogar in verschiedenen Individuen derselben Art, besonders auch von verschiedenen Altern dieser Individuen gefunden werden, ohne daß man eben sogleich eine Ursache dieser Mannichfaltigkeit anzugeben wüßte.

Es ist dieser Punkt, soviel mir bewußt ist, noch niemals recht durchgearbeitet worden, und es sind daher die Differenzen bei Beschreibung des menschlichen Körpers entstanden, wo sie zwar, wenn sie auch nicht förderlich sind, dennoch wegen der Beschränktheit des Gegenstandes allenfalls nicht hinderlich sein mögen.

Wollen wir nun aber unsere osteologischen Kenntnisse über die sämtlichen Säugetiere ausbreiten, wollen wir dabei so zu Werke gehen, daß wir durch unsere Methode selbst den anderen Tierklassen, den Amphibien und Vögeln, uns nähern, ja zuletzt an eben dem Faden uns durch die ganze Reihe der organischen Körper durchfinden können, so müssen wir freilich anders zu Werke gehen und, wie das alte Sprichwort sagt, um gut zu lehren, gut unterscheiden.

Es ist bekannt, daß schon beim menschlichen Fötus und bei einem neugeborenen Kinde sich mehrere Knochenabteilungen finden als bei einem Halberwachsenen und bei diesem wieder mehr als bei einem ausgewachsenen oder veralteten Menschen.

Wie empirisch man aber zu Werke gegangen, um die menschlichen Knochen, besonders die Knochen des Kopfes, zu beschreiben, würde auffallender sein, wenn uns nicht die Gewohnheit diese fehlerhafte Methode erträglich gemacht hätte. Man versucht nämlich in einem gewissen, nicht ganz bestimmten Alter durch mechanische Hülfsmittel den Kopf auseinanderzutreiben, und was sich alsdann separiert, nimmt man als Teile an, die nun, wie sie sich zusammen befinden, als ein Ganzes beschrieben werden.

Es scheint sehr sonderbar, daß man bei anderen Systemen,

z. B. bei den Muskeln, Nerven, Gefäßen, bis auf die kleinsten Abteilungen vorgedrungen ist und bei dem Knochengebäude sich mit einem oberflächlichen Begriff teils lange befriedigt hat, teils noch befriedigt. Was ist z. B. der Idee sowohl als der Bestimmung des Os temporum und des Os petrosum mehr zuwider, als wenn man beide zusammen beschreibt, und doch ist es lange geschehen, da uns doch die vergleichende Knochenlehre zeigen wird, daß wir, um einen deutlichen Begriff von der Bildung des Gehörorgans zu erhalten, nicht allein das Os petrosum ganz abgesondert vom Os temporum betrachten, sondern jenes sogar in zwei verschiedene Teile teilen müssen.

Werden wir nun in der Folge sehen, daß diese verschiedenen Verwachsungen der Knochen wo nicht zufälligen, denn im organischen Körper kann nichts zufällig sein, doch solchen Gesetzen unterworfen sind, die nicht leicht zu erkennen oder, wenn man sie erkannt hat, nicht leicht anzuwenden sind, so bleibt uns wohl nichts übrig als, da wir durch die Ausarbeitung jenes Typus nun dazu gelangen, alle möglichen Knochenabteilungen zu kennen, nunmehr bei Untersuchung der Skelette einer jeglichen Gattung, Art und sogar der Individuen bei unserer Beschreibung anzugeben, welche Abteilungen verwachsen, welche noch bemerkbar und welche trennbar sind. Wir erhalten dadurch den großen Vorteil, daß wir die Teile auch alsdann noch erkennen, wenn sie uns selbst keine sichtbaren Zeichen ihrer Absonderungen mehr geben, daß uns das ganze Tierreich unter einem einzigen großen Bilde erscheint und daß wir nicht etwa glauben, was in einer Art, ja was in einem Individuum verborgen ist, müsse demselben fehlen. Wir lernen mit Augen des Geistes sehen, ohne die wir, wie überall, so besonders auch in der Naturforschung, blind umhertasten.

So gut wir z. B. wissen, daß beim Fötus das Hinterhauptbein aus mehreren Teilen zusammengesetzt ist und uns diese Kenntnis die Bildung des vollkommen zusammengewachsenen Hinterhauptbeines begreifen und erklären

hilft, so wird uns auch die Erfahrung die bei manchen Tie
ren noch deutlichen Knochenabteilungen und die oft selt
same, schwer zu begreifende und selbst schwer zu beschrei
bende Form desselbigen Knochens an andern Tieren un
vorzüglich am Menschen erläutern; ja wir werden, wie obe
schon bemerkt worden, um die schon sehr komplizierte Bil
dung der Säugetiere zu erklären, weiter hinabsteigen un
selbst von den Amphibien, von den Fischen und weiter hin
ab uns Hülfsmittel zu unserer Einsicht zu verschaffe
haben. Ein merkwürdiges und auffallendes Beispiel wir
die untere Kinnlade geben.

C. Verschiedenheit der Grenzen

Noch ein anderer, obgleich seltener Fall macht uns einig
Hindernisse bei Aufsuchung und Anerkennung der einzel
nen Knochen. Wir finden nämlich, daß sie manchmal an
dere Grenzen zu haben und andere Nachbarn als gewöhn
lich zu berühren scheinen. – So reicht z. B. der Seitenfort
satz des Zwischenkieferknochens beim Katzengeschlecht bi
an den Stirnknochen hinauf und trennt die obere Kinnlad
von dem Nasenknochen.

Dagegen wird beim Ochsen die Maxilla superior vom Na
senbeine durchs Tränenbein getrennt.

Beim Affen verbinden sich die Ossa bregmatis mit den
Osse sphenoideo und trennen das Os frontis und temporu
voneinander.

Diese Fälle sind genauer mit ihren Umständen zu unter
suchen, denn sie können nur scheinbar sein, und zwar au
eine bei Beschreibung der Knochen näher anzugebend
Weise.

D. Verschiedenheit der Zahl

Daß die äußersten Glieder der Extremitäten auch in de
Zahl verschieden sind, ist bekannt, und es folgt, daß di

Knochen, welche diesen Gliedern zum Grunde liegen, gleichfalls der Zahl nach verschieden sein müssen; so finden wir die Knochenzahl der Hand- und Fußwurzel, der Mittelhand und des Mittelfußes ebenso wie die Zahl der Fingerglieder bald mehr, bald minder, und zwar dergestalt, daß, wie die einen sich vermindern, die andern auch weniger werden müssen, wie bei der einzelnen Betrachtung dieser Teile gezeigt wird.

Ebenso vermindert sich die Zahl der Wirbelknochen, sowohl des Rückens, der Lenden, des Beckens als des Schwanzes; so auch die Zahl der Rippen, der wirbelförmig oder flach gestalteten Teile des Sternum; so vermindert oder vermehrt sich die Anzahl der Zähne, durch welchen letzten Unterschied sehr große Diversität in den Bau des Körpers gebracht zu sein scheint.

Doch macht uns die Beobachtung, welche die Zahl betrifft, die wenigste Mühe, weil sie die leichteste von allen ist und uns, wenn wir genau sind, nicht leicht mehr überraschen kann.

E. Verschiedenheit der Größe

Da die Tiere voneinander an Größe sehr verschieden sind, so müssen es auch ihre Knochenteile sein. Diese Verhältnisse sind dem Maß unterworfen und sind die Messungen hier brauchbar, welche von mehreren Anatomen, besonders von Daubenton, gemacht worden. Wären diese Knochenteile nicht auch oft in ihrer Form verschieden, wie wir im folgenden sehen werden, so würde uns der Unterschied der Größe wenig irre machen, weil z. B. ein Femur des größeren Tieres mit dem des kleinsten leicht zu vergleichen ist. Bei dieser Gelegenheit ist eine Bemerkung zu machen, welche in das Allgemeine der Naturgeschichte eingreift. Es entsteht nämlich die Frage, ob Größe auf Bildung, auf Form Einfluß habe und inwiefern.

Wir wissen, daß alle sehr großen Tiere zugleich unförmlich

sind, daß nämlich entweder die Masse über die Form zu
herrschen scheint oder daß das Maß der Glieder gegeneinander kein glückliches Verhältnis habe.

Dem ersten Anblick nach sollte man denken, es müsse ebenso möglich sein, daß ein Löwe von zwanzig Fuß entstehen
könnte als ein Elefant von dieser Größe und daß sich derselbe so leicht müsse bewegen können als die jetzt auf der
Erde befindlichen Löwen, wenn alles verhältnismäßig pro-
portioniert wäre; allein die Erfahrung lehrt uns, daß vollkommen ausgebildete Säugetiere über eine gewisse Größe
nicht hinausschreiten und daß daher bei zunehmender
Größe auch die Bildung anfange zu wanken und Ungeheuer
auftreten. Selbst am Menschen will man behaupten, daß
übermäßig großen Individuen etwas an Geiste abgehe, daß
kleine hingegen ihn lebhafter zeigen. Man hat ferner die
Bemerkung gemacht, daß ein Gesicht, im Hohlspiegel sehr
vergrößert gesehen, geistlos aussehe. Eben als wenn auch in
der Erscheinung nur die körperliche Masse, nicht aber die
Kraft des belebenden Geistes hier vergrößert werden
könnte.

F. Verschiedenheit der Form

Es tritt nun aber die größte Schwierigkeit ein, welche daher
entspringt, daß auch die Knochen verschiedener Tiere einander in der Form höchst unähnlich sind. Daher gerät der
Beobachter, mag er ganze Skelette vor sich haben oder nur
einzelne Teile, gar oft in Verlegenheit. Findet er die Teile
außer dem Zusammenhange, so weiß er oft nicht, wofür er
sie erklären soll; hat er sie aber auch erkannt, so weiß er
nicht, wie er sie beschreiben und insonderheit wie er sie
vergleichen kann, da ihm, bei völliger Verschiedenheit der
äußeren Bildung, das Tertium comparationis zu mangeln
scheint. Wer würde z. B. den Oberarm eines Maulwurfs
und des Hasens für eben denselben Teil verwandter organischer Wesen halten? Von den Arten jedoch, wie gleiche

Glieder verschiedener Tiere in der Form so sehr voneinander abweichen können und die uns erst bei der Ausführung ganz deutlich werden dürften, wollen wir uns vorerst folgende vorzüglich merken.

Bei dem einen Tiere kann der Knochen einfach sein und nur gleichsam das Rudiment dieses Organes vorstellen, bei andern hingegen derselbe Knochen in seiner völligen Ausbildung und in seiner möglichen Vollkommenheit sich finden. – So ist z. B. der Zwischenknochen des Rehes von dem Zwischenknochen des Löwen so unterschieden, daß beim ersten Anblick keine Vergleichung stattzuhaben scheint.

So kann ein Knochen zwar in einem gewissen Sinne ausgebildet, aber durch die übrige Bildung zusammengedrängt und mißgestaltet sein, daß man gleichfalls kaum wagen würde, ihn für denselbigen Knochen zu erkennen. In diesem Fall sind die Ossa bregmatis der Hörner und Geweihe tragenden Tiere gegen die Ossa bregmatis des Menschen, der Zwischenknochen des Walrosses gegen den irgendeines Raubtieres.

Ferner: Aller Knochen, der bloß notdürftig seine Bestimmung erfüllt, hat auch eine bestimmtere und kenntlichere Form als derselbe Knochen, der mehr Knochenmasse zu haben scheint, als er zu eben dieser Bestimmung braucht; daher er seine Gestalt auf eine sonderbare Weise verändert, besonders aber aufgebläht wird. So machen ungeheure Sinuositäten die Flächenknochen beim Ochsen und Schweine völlig unkenntlich, dahingegen dieselben bei den Katzenarten außerordentlich schön und deutlich gefunden werden.

Noch eine Art, wodurch ein Knochen sich unseren Augen beinahe völlig verlieren kann, ist, wenn er mit einem Nachbar zusammenwächst, und zwar dergestalt, daß, wegen besonderer Umstände, der Nachbar mehr Knochenmaterie braucht, als ihm bei einer regelmäßigen Bildung bestimmt wäre. Dadurch wird dem andern verwachsenen Knochen so viel entzogen, daß er sich fast gänzlich verzehrt. So verwachsen die sieben Halswirbelknochen des Walfisches mit-

einander, und zwar dergestalt, daß man fast nur den Atla
mit einem Anhange zu sehen glaubt.

Dagegen ist das Beständigste der *Platz*, in welchem de
Knochen jedesmal gefunden wird, und die Bestimmung
wozu er sich in einem organischen Gebäude bequemt. Wi
werden daher bei unserer Ausarbeitung den Knochen jeder
zeit zuerst an seinem Platze aufsuchen und finden, daß e
auf demselben, wenn auch verschoben, gedrückt und ver
rückt gefunden wird, manchmal auch zu großer Ausdeh
nung gelangt. Wir wollen sehen, was er dem Platze nach
den er in der Organisation einnimmt, für einer Bestimmun
dienen muß. Es wird sich hieraus erkennen lassen, was e
nach seiner Bestimmung für eine Form haben müsse, vo
der er wenigstens im allgemeinen nicht abweichen kann.

Man wird alsdann die möglichen Abweichungen diese
Form teils aus dem Begriff, teils aus der Erfahrung herlei
ten und abstrahieren können.

Man wird bei jedem Knochen versuchen, die Abweichungen
in denen er sich zeigt, in einer gewissen anschaulichen Ord
nung vorzutragen, dergestalt, daß man sich vom Einfache
zum Vielfachen und Ausgebildeten, oder umgekehrt, ein
Reihe darlegt, je nachdem die besondern Umstände de
Deutlichkeit am günstigsten scheinen. Man sieht leicht ein
wie wünschenswert vollständige Monographien einzelne
Knochen durch die ganze Klasse der Säugetiere wären, s
wie wir oben vollständigere und genauere Beschreibung mi
Rücksicht auf den auszubildenden Typus gewünscht haben.

Bei gegenwärtiger Bemühung werden wir versuchen, o
nicht ein Vereinigungspunkt sei, um welchen wir die ge
machten und noch zu machenden Erfahrungen über diese
Gegenstand in einen übersehbaren Kreis vereinigen können.

Versuch aus der vergleichenden Knochenlehre, daß der Zwischenknochen der obern Kinnlade dem Menschen mit den übrigen Tieren gemein sei

Jena, 1784

Einige Versuche osteologischer Zeichnungen sind hier in der Absicht zusammengeheftet worden, um Kennern und Freunden vergleichender Zergliederungskunde eine kleine Entdeckung vorzulegen, die ich glaube gemacht zu haben.

Bei Tierschädeln fällt es gar leicht in die Augen, daß die obere Kinnlade aus mehr als einem Paar Knochen bestehet. Ihr vorderer Teil wird durch sehr sichtbare Nähte und Harmonien mit dem hintern Teile verbunden und macht ein Paar besondere Knochen aus.

Dieser vorderen Abteilung der oberen Kinnlade ist der Name Os intermaxillare gegeben worden. Die Alten kannten schon diesen Knochen*, und neuerdings ist er besonders merkwürdig geworden, da man ihn als ein Unterscheidungszeichen zwischen dem Affen und Menschen angegeben. Man hat ihn jenem Geschlechte zugeschrieben, diesem abgeleugnet**, und wenn in natürlichen Dingen nicht der Augenschein überwiese, so würde ich schüchtern sein, aufzutreten und zu sagen, daß sich diese Knochenabteilung gleichfalls bei dem Menschen finde.

Ich will mich so kurz als möglich fassen, weil durch bloßes Anschauen und Vergleichen mehrerer Schädel eine ohnedies sehr einfache Behauptung geschwinde beurteilet werden kann.

Der Knochen, von welchem ich rede, hat seinen Namen daher erhalten, daß er sich zwischen die beiden Hauptknochen der oberen Kinnlade hineinschiebt. Er ist selbst aus zwei

---

* *Galenus*, »Lib. de ossibus«, Cap. III.
** *Campers* »sämtliche kleinere Schriften«, herausgegeben von *Herbell*, ersten Bandes zweites Stück, S. 93 und 94.
Blumenbach, »De varietate generis humani nativa«, pag. 33.

Stücken zusammengesetzt, die in der Mitte des Gesichtes aneinanderstoßen.

Er ist bei verschiedenen Tieren von sehr verschiedener Gestalt und verändert, je nachdem er sich vorwärtsstreckt oder sich zurückezieht, sehr merklich die Bildung. Sein vorderster, breitester und stärkster Teil, dem ich den Namen des Körpers gegeben, ist nach der Art des Futters eingerichtet, das die Natur dem Tiere bestimmt hat, denn es muß seine Speise mit diesem Teile zuerst anfassen, ergreifen, abrupfen, abnagen, zerschneiden, sie auf eine oder andere Weise sich zueignen; deswegen ist er bald flach und mit Knorpeln versehen, bald mit stumpfern oder schärferen Schneidezähnen gewaffnet oder erhält eine andere, der Nahrung gemäße Gestalt.

Durch einen Fortsatz an der Seite verbindet er sich aufwärts mit der obern Kinnlade, dem Nasenknochen und manchmal mit dem Stirnbeine.

Inwärts von dem ersten Schneidezahn oder von dem Orte aus, den er einnehmen sollte, begibt sich ein Stachel oder eine Spina hinterwärts, legt sich auf den Gaumenfortsatz der oberen Kinnlade an und bildet selbst eine Rinne, worin der untere und vordere Teil des Vomers oder Pflugscharbeins sich einschiebt. Durch diese Spina, den Seitenteil des Körpers dieses Zwischenknochens und den vorderen Teil des Gaumenfortsatzes der obern Kinnlade werden die Kanäle (Canales incisivi oder naso-palatini) gebildet, durch welche kleine Blutgefäße und Nervenzweige des zweiten Astes des fünften Paares gehen.

Deutlich zeigen sich diese drei Teile mit einem Blicke an einem Pferdeschädel auf der *zweiten* Tafel, Fig. 1.[1]

A. Corpus.

B. Apophysis maxillaris.

C. Apophysis palatina.

---

[1] Diese Angaben beziehen sich auf die Tafeln S. 151–155 der vorliegenden Ausgabe. [Anm. d. Hrsg.]

An diesen Hauptteilen sind wieder viele Unterabteilungen
zu bemerken und zu beschreiben. Eine lateinische Terminologie, die ich mit Beihülfe des Herrn Hofrath *Loder* ver-
fertiget habe und hier beilege, wird dabei zum Leitfaden
dienen können. Es hatte solche viele Schwierigkeiten, wenn
sie auf alle Tiere passen sollte. Da bei dem einen gewisse
Teile sich sehr zurückziehen, zusammenfließen und bei andern gar verschwinden, so wird auch gewiß, wenn man
mehr ins Feinere gehen wollte, diese Tafel noch manche
Verbesserung zulassen.

Os intermaxillare

A. *Corpus*
    a) Superficies anterior.
       1. Margo superior in quo spina nasalis.
       2. Margo inferior seu alveolaris.
       3. Angulus inferior exterior corporis.
    b) Superficies posterior, qua os intermaxillare jungitur
       apophysi palatinae ossis maxillaris superioris.
    c) Superficies lateralis exterior, qua os intermaxillare
       jungitur ossi maxillari superiori.
    d) Superficies lateralis interior, qua alterum os inter-
       maxillare jungitur alteri.
    e) Superficies superior.
       Margo anterior, in quo spina nasalis. vid. 1.
       4. Margo posterior sive ora superior canalis naso-
          palatini.
    f) Superficies inferior.
       5. Pars alveolaris.
       6. Pars palatina.
       7. Ora inferior canalis naso-palatini.
B. *Apophysis maxillaris*
    g) Superficies anterior.
    h) Superficies lateralis interna.
       8. Eminentia linearis.

    i) Superficies lateralis externa.

    k) Margo exterior.

    l) Margo interior.

    m) Margo posterior.

    n) Angulus apophyseos maxillaris.

C. *Apophysis palatina*

    o) Extremitas anterior.

    p) Extremitas posterior.

    q) Superficies superior.

    r) Superficies inferior.

    s) Superficies lateralis interna.

    t) Superficies lateralis externa.

Die Buchstaben und Zahlen, durch welche auf vorstehender Tafel die Teile bezeichnet werden, sind bei den Umrissen und einigen Figuren gleichfalls angebracht. Vielleicht wird es hier und da nicht sogleich in die Augen fallen, warum man diese und jene Einteilung festgesetzt und eine oder die andere Benennung gewählt hat. Es ist nichts ohne Ursache geschehen, und wenn man mehrere Schädel durchsieht und vergleicht, so wird die Schwierigkeit, deren ich oben schon gedacht, noch mehr auffallen.

Ich gehe nun zu einer kurzen Anzeige der Tafeln. Übereinstimmung und Deutlichkeit der Figuren wird mich einer weitläuftigen Beschreibung überheben, welche ohnedies Personen, die mit solchen Gegenständen bekannt sind, nur unnötig und verdrießlich sein würde. Am meisten wünschte ich, daß meine Leser Gelegenheit haben möchten, die Schädel selbst dabei zur Hand zu nehmen.

Die I. Tafel stellt den vorderen Teil der oberen Kinnlade des Ochsen, des Rehes und des Kameles verkleinert dar. Fig. 1 a, b, c vom Reh. Fig. 2 a, b, c vom Ochsen. Fig. 3 a, b, c vom Kamel.

Die II. Tafel das Os intermaxillare des Pferdes und des Babirussa verkleinert.

Tab. III Fig. 1. Das Os intermaxillare des Löwen von oben und unten. Man bemerke besonders die Sutur, welche Apo-

Tafel I

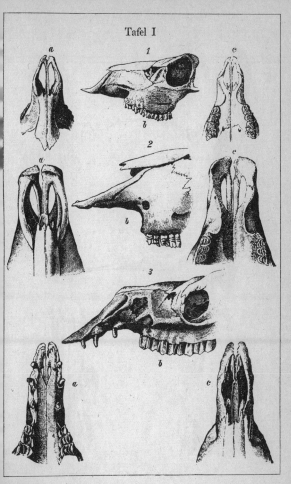

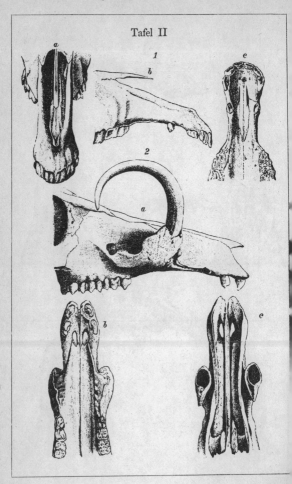

Tafel II

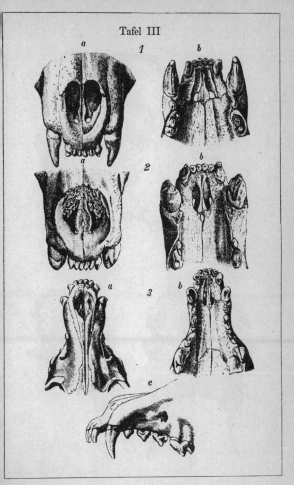

Tafel III

Tafel IV

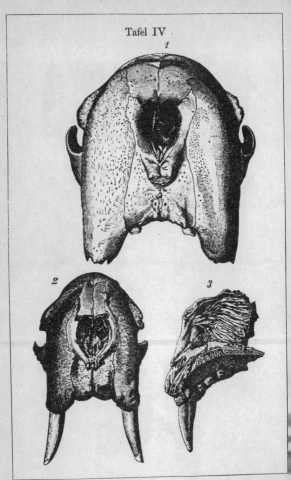

Tafel V

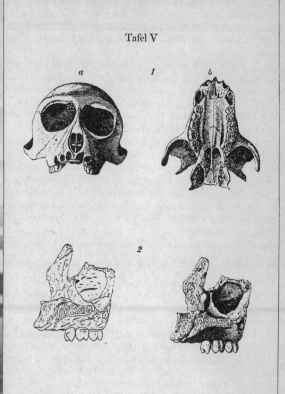

physin palatinam maxillae superioris von dem Osse inter-
maxillari trennt. Fig. 2 vom Eisbär, Fig. 3 vom Wolf.

Tab. IV Fig. 1. Das Os intermaxillare vom Walroß. Fig. 2.
Dasselbe von einem ganz jungen Walroß. Fig. 3. Superficies
lateralis interior des Ossis intermaxillaris des jungen Walrosses.

Tab. V Fig. 1 zeigt einen Affenschädel von vorn und von
unten. Man sehe, wie die Sutur aus den Canalibus incisivis
herauskommt, gegen den Hundszahn zuläuft, sich an seiner
Alveole vorwärts wegschleicht und zwischen dem nächsten
Schneidezahne und dem Hundszahne, ganz nah an diesem
letzteren, durchgeht und die beiden Alveolen trennt.

Fig. 2 sind die Teile eines Menschenschädels. Man sieht ganz
deutlich die Sutur, die das Os intermaxillare von der Apophysi palatina maxillae superioris trennt. Sie kommt aus
den Canalibus incisivis heraus, deren untere Öffnung in ein
gemeinschaftliches Loch zusammenfließt, das den Namen
des Foraminis incisivi oder palatini anterioris oder gusta-
tivi führt, und verliert sich zwischen dem Hunds- und
zweiten Schneidezahn.

Jene erste Sutur hatte schon Vesalius bemerkt* und in seinen Figuren deutlich angegeben. Er sagt, sie reiche bis an
die vordere Seite der Hundszähne, dringe aber nirgends so
tief durch, daß man dafür halten könne, der obere Kinn-
ladenknochen werde dadurch in zwei geteilt. Er weist, um
den Galen zu erklären, der seine Beschreibung bloß nach
einem Tiere gemacht hatte, auf die erste Figur pag. 46, wo
er dem menschlichen Schädel einen Hundeschädel beigefügt
hat, um den an dem Tiere gleichsam deutlicher ausgepräg-
ten Revers der Medaille dem Leser vor Augen zu legen.
Die zweite Sutur, die sich im Nasengrunde zeigt, aus den
Canalibus naso-palatinis herauskommt und bis in die Gegend der Conchae inferioris verfolgt werden kann, hat er
nicht bemerkt. Hingegen finden sich beide in der großen

* *Vesalius*, »De humani corporis fabrica« (Basil. 1555), Libr. I, Cap. IX,
Fig. II, pag. 48, 52, 53.

Osteologie des Albinus bezeichnet. Er nennt sie Suturas maxillae superiori proprias.

In *Cheseldens* »Osteographia« finden sie sich nicht, auch in John *Hunters* »Natural history of the human teeth« ist keine Spur davon zu sehen; und dennoch sind sie an einem jeden Schädel mehr oder weniger sichtbar, und wenn man aufmerksam beobachtet, ganz und gar nicht zu verkennen.

Tab. V Fig. 2 ist ein halber Oberkiefer eines gesprengten Menschenschädels, und zwar dessen inwendige Seite, durch welche beide Hälften miteinander verbunden werden. Es fehlten an dem Knochen, wornach er gezeichnet worden, zwei Vorderzähne, der Hunds- und erste Backenzahn. Ich habe sie nicht wollen supplieren lassen, besonders da das Fehlende hier von keiner Bedeutung war, vielmehr kann man das Os intermaxillare ganz frei sehen. Man kann die Sutur von den Alveolen des Schneide- und Hundszahnes bis durch die Kanäle verfolgen. Jenseits der Spinae oder Apophysi palatinae, die hier eine Art von Kamm macht, kommt sie wieder hervor und ist bis an die Eminentiam linearem sichtbar, wo sich die Concha inferior anlegt.

Man halte diese Tafel gegen Tab. IV, und man wird es bewundernswürdig finden, wie die Gestalt des Ossis intermaxillaris eines solchen Ungeheuers, wie der Trichechus rosmarus ist, lehren muß, denselben Knochen am Menschen zu erkennen und zu erklären. Auch Tab. III Fig. 1 gegen Tab. IV Fig. 2 gehalten, zeigt dieselbe Sutur beim Löwen wie beim Menschen auf das deutlichste. Ich sage nichts vom Affen, weil bei diesem die Übereinstimmung zu auffallend ist.

Es wird also kein Zweifel übrigbleiben, daß diese Knochenabteilung sich sowohl bei Menschen als Tieren findet, ob wir gleich nur einen Teil der Grenzen dieses Knochens an unserm Geschlechte genau bestimmen können, da die übrigen verwachsen und mit der oberen Kinnlade auf das genaueste verbunden sind. So zeigt sich an den äußeren Teilen der Gesichtsknochen nicht die mindeste Sutur oder Harmo-

nie, wodurch man auf die Mutmaßung kommen könnte,
daß dieser Knochen bei dem Menschen getrennt sei.

Die Ursache scheint mir hauptsächlich darin zu liegen: Dieser Knochen, der bei Tieren so außerordentlich vorgescho-
ben ist, zieht sich bei dem Menschen in ein sehr kleines Maß
zurück. Man nehme den Schädel eines Kindes oder. Em-
bryonen vor sich, so wird man sehen, wie die keimenden
Zähne einen solchen Drang an diesen Teilen verursachen
und die Beinhäutchen so spannen, daß die Natur alle
Kräfte anwenden muß, um diese Teile auf das innigste zu
verweben. Man halte einen Tierschädel dagegen, wo die
Schneidezähne so weit vorwärtsgerückt sind und der Drang
sowohl gegeneinander als gegen den Hundszahn nicht so
stark ist. Inwendig in der Nasenhöhle verhält es sich ebenso. Man kann, wie schon oben bemerkt, die Sutur des Ossis
intermaxillaris aus den Canalibus incisivis bis dahin verfolgen, wo die Ossa turbinata oder Conchae inferiores sich
anlegen. Hier wirkt also der Trieb des Wachstumes dreier
verschiedenen Knochen gegeneinander und verbindet sie
genauer.

Ich bin überzeugt, daß denjenigen, die diese Wissenschaft
tiefer durchschauen, dieser Punkt noch erklärbarer sein
wird. Ich habe verschiedene Fälle, wo dieser Knochen auch
bei Tieren zum Teil oder ganz verwachsen ist, bemerken
können, und es wird sich vielleicht in der Folge mehr darüber sagen lassen. Auch gibt es mehrere Fälle, daß Knochen, die sich bei erwachsenen Tieren leicht trennen lassen,
schon bei Kindern nicht mehr abgesondert werden können.

Bei den Cetaceis, Amphibien, Vögeln, Fischen habe ich diesen Knochen teils auch entdeckt, teils seine Spuren gefunden.
Die außerordentliche Mannichfaltigkeit, in der er sich an
den verschiedenen Geschöpfen zeigt, verdient wirklich eine
ausführliche Betrachtung und wird auch selbst Personen
auffallend sein, die an dieser so dürr scheinenden Wissenschaft sonst kein Interesse finden.

Man könnte alsdann mehr ins einzelne gehen und bei genauer stufenweiser Vergleichung mehrerer Tiere vom Einfachsten auf das Zusammengesetztere, vom Kleinen und Eingeengten auf das Ungeheure und Ausgedehnte fortschreiten.

Welch eine Kluft zwischen dem Os intermaxillare der Schildkröte und des Elefanten! Und doch läßt sich eine Reihe Formen dazwischenstellen, die beide verbindet. Das, was an ganzen Körpern niemand leugnet, könnte man hier an einem kleinen Teile zeigen.

Man mag die lebendigen Wirkungen der Natur im ganzen und großen übersehen, oder man mag die Überbleibsel ihrer entflohenen Geister zergliedern: sie bleibt immer gleich, immer mehr bewundernswürdig.

Auch würde die Naturgeschichte einige Bestimmungen dadurch erhalten. Da es ein Hauptkennzeichen unseres Knochens ist, daß er die Schneidezähne enthält, so müssen umgekehrt auch die Zähne, die in denselben eingefügt sind, als Schneidezähne gelten. Dem Trichechus rosmarus und dem Kamele hat man sie bisher abgesprochen, und ich müßte mich sehr irren, wenn man nicht jenem vier und diesem zwei zueignen könnte.

Und so beschließe ich diesen kleinen Versuch mit dem Wunsche, daß er Kennern und Freunden der Naturlehre nicht mißfallen und mir Gelegenheit verschaffen möge, näher mit ihnen verbunden, in dieser reizenden Wissenschaft, soviel es die Umstände erlauben, weitere Fortschritte zu tun.

[Zur Geschichte dieser Studien]

[...]

II.

Als ich mich zu Anfang der achtziger Jahre, unter Hofrat *Loders* Anleitung und Belehrung, viel mit Anatomie beschäftigte, war mir die Idee der Pflanzenmetamorphose

noch nicht aufgegangen; allein ich arbeitete eifrig auf einen
allgemeinen Knochen-Typus los und mußte deshalb annehmen, daß alle Abteilungen des Geschöpfes, im einzelnen
wie im ganzen, bei allen Tieren aufzufinden sein möchten,
weil ja auf dieser Voraussetzung die schon längst eingeleitete vergleichende Anatomie beruht. Hier trat nun der seltsame Fall ein, daß man den Unterschied zwischen Affen
und Menschen darin finden wollte, daß man jenem ein Os
intermaxillare, diesem aber keines zuschrieb; da nun aber
genannter Teil darum hauptsächlich merkwürdig ist, weil
die oberen Schneidezähne darin gefaßt sind, so war nicht
begreiflich, wie der Mensch Schneidezähne haben und doch
des Knochens ermangeln sollte, worin sie eingefugt stehen.
Ich suchte daher nach Spuren desselben und fand sie gar
leicht, indem die Canales incisivi vorwärts die Grenze des
Knochens bezeichnen und die von da aus, nach den Seiten
zu, auslaufenden Suturen gar wohl auf eine Absonderung
der Maxilla superior hindeuten. *Loder* gedenkt dieser Beobachtung in seinem anatomischen Handbuch, 1787, S. 89,
und man dünkte sich viel bei dieser Entdeckung. Umrisse
wurden gemacht, die das Behauptete klar vor Augen bringen sollten, jene kurze Abhandlung dazu geschrieben, ins
Lateinische übersetzt und *Campern* mitgeteilt; und zwar
Format und Schrift so anständig, daß sie der treffliche
Mann mit einiger Verwunderung aufnahm, Arbeit und Bemühung lobte, sich freundlich erwies; aber nach wie vor
versicherte, der Mensch habe kein Os intermaxillare.

Nun zeugt es freilich von einer besondern Unbekanntschaft
mit der Welt, von einem jugendlichen Selbstsinn, wenn ein
laienhafter Schüler den Gildemeistern zu widersprechen
wagt, ja, was noch töriger ist, sie zu überzeugen gedenkt.
Fortgesetzte vieljährige Versuche haben mich eines andern
belehrt, mich belehrt, daß immerfort wiederholte Phrasen
sich zuletzt zur Überzeugung verknöchern und die Organe
des Anschauens völlig verstumpfen. Indessen ist es heilsam,
daß man dergleichen nicht allzu zeitig erfährt, weil sonst

jugendlicher Frei- und Wahrheitssinn durch Mißmut gelähmt würde. Sonderbar schien es, daß nicht nur die Meister auf dieser Redensart beharrten, sondern auch gleichzeitige Mitarbeiter sich zu diesem Credo bequemten.

Wir dürfen indessen nicht ermangeln, das Andenken eines jungen geschickten Zeichners namens *Waitz* zu erneuern, der, in dergleichen Arbeiten geübt, sowohl Umrisse als ausgeführte Nachbildungen fortsetzte, indem wir entschlossen waren, kleine Abhandlungen dieser Art, die etwas Bedeutendes im anatomischen Felde berühren und erregen sollten, mit sorgfältigen Kupfern drucken zu lassen. Hier sollte der bestrittene Knochen von seiner größten Einfalt und Schwäche bis zu seiner Gedrängtheit und Kraft in einer reinen Folge dargestellt werden und wie er sich zuletzt im edelsten Geschöpfe, dem Menschen, aus Furcht, tierische Gefräßigkeit zu verraten, schamhaft verberge.

Was aber von Zeichnungen jener Zeit übriggeblieben, werde zunächst bemerkt. Da man von dem Einfachsten zum Zusammengesetzteren, vom Schwächeren zum Stärkeren überzugehen die Absicht hatte, so wählte man zuerst das Reh, wo der fragliche Knochen schwach, bügelartig und zahnlos erscheint; man ging zum Ochsen über, wo er sich verstärkt, verflächt und verbreitet. Das Kamel war seiner Zweideutigkeit wegen merkwürdig, das Pferd entschiedener, in Absicht der Schneidezähne, der Eckzahn klein. Dieser ist groß und stark am Schweine, monstros an Sus babirussa, und doch behauptet überall der Zwischenknochen seine vollkommenen Rechte. Am Löwen vollgedrängt und körperhaft, mächtig durch sechs Zähne; stumpfer am Bären; vorgestreckter am Wolf; das Walroß, wegen seiner perpendikularen Gesichtslinie, wird dem Menschen ähnlich, der Affe erhebt sich noch mehr, wenn er schon artenweise in die Bestie zurücktritt, und endlich stellt der Mensch sich ein, wo sich nach allem Vorgekannten diese Knocheneinteilung nicht verkennen läßt. Diese mannichfaltigen Knochengestalten hatte man zu besserer Ein- und Übersicht meist

von oben, unten und von der Seite zeichnen lassen, sie sind
reinlich und deutlich schattiert, unter Rahmen und Glas gebracht und stehen in dem Jenaischen Museum einem jeden
zur Ansicht frei. Von den an obiger Sammlung fehlenden
waren zum Teil schon Skizzen gemacht, andere Körper
wurden angeschafft; aber der Tod des jungen Künstlers,
der sich in die Sache zu fügen gewußt, und andere Zwi-
schenfälle störten die Vollendung des Ganzen, wie man
denn bei fortdauerndem Widerspruch die Lust verlor, von
einer so klaren und deutlichen Sache immerfort tauben
Ohren zu predigen.

Was man aber unter den Jenaischen Abbildungen den
Freunden der Wissenschaft gar wohl empfehlen darf, sind
vier Zeichnungen nach dem Kasseler Elefantenschädel, den
ich durch *Sömmerrings* Gunst und Gefälligkeit zu benutzen
in den Stand gesetzt war. Dieses junge Subjekt, das in
Deutschland sein Leben nicht fristen konnte, zeigt uns in
seinen Resten die meisten Suturen, wenigstens an einer
Seite unverwachsen; die Zeichnungen, und zwar des ganzen
Schädels, sind nach gleichem Maßstabe verkleinert und von
vier Seiten genommen, so daß man den Zusammenhang des
Ganzen gar wohl daran erkennen kann, und was uns hier
am meisten berührt, so spielt vor allen das Os intermaxillare eine große Rolle; es schlägt sich wirklich um den Eckzahn herum, daher denn auch, bei flüchtiger Beobachtung,
der Irrtum entstanden sein mag: der ungeheure Eckzahn
sei im Os intermaxillare enthalten. Allein die Natur, die
ihre großen Maximen nicht fahrenläßt, am wenigsten in
wichtigen Fällen, ließ hier eine dünne Lamelle, von der
obern Kinnlade ausgehend, die Wurzel des Eckzahns umgeben, um diese organischen Uranfänge vor den Anmaßun-
gen des Zwischenknochens zu sichern.

Zu fernerer Vergleichung ließ man den großen ausgewachsenen Elefantenschädel des Museums gleichfalls zeichnen,
da denn sehr wunderbar auffällt, wenn bei dem jungen
Subjekt die obere Kinnlade und das Os intermaxillare

schnabelartig hervorstreben und der ganze Kopf in die
Länge gezogen erscheint, dagegen am ausgewachsenen das
Ganze in ein beinahe regelmäßiges Quadrat einzuschließen
ist.

Wie ernst es aber überhaupt mit diesen Arbeiten gewesen,
erhellet auch daraus, daß, nach gedachten Zeichnungen,
zwei Kupferplatten, in klein Folio, von *Lips* auf das sau-
berste gestochen worden, zum Behuf ausführlicher Abhandlungen, die man sich vorgesetzt hatte. Abdrücke davon hat
man gleichfalls, Wissenschaftsfreunden zuliebe, aufgestellt.

Nach allem diesem wird man uns verzeihen, wenn der erste
Entwurf unserer Arbeit ohne die darin beschriebenen Tafeln vorgelegt worden; besonders wenn man betrachtet, daß
diese edle Wissenschaft seit jener Zeit erst recht ausgebreitet
und belebt ist. Kaum wird sich ein Liebhaber finden, der
nicht entweder in öffentlichen Museen oder in seiner Pri-
vatsammlung alle diejenigen Körper und Präparate besäße,
von denen hier die Rede war; sollte es aber ja daran fehlen, so kann man sich aus dem bedeutenden Werke der
Craniologie des Herrn *Spix* aufs beste belehren, wo Abbil-
dung und Beschreibung die Frage völlig außer Zweifel
setzen.

Wir finden zuerst Seite 19 klar und unbewunden ausgesprochen, daß auch am Schädel des Menschen das Os intermaxillare nicht zu leugnen sei. Ferner wird dasselbe auf
den Linearzeichnungen beim Menschen sowohl als den Tieren mit No. 13 bezeichnet. Dadurch wäre nun die Sache für
ewig abgetan, wenn nicht der unserem Geschlecht einge-
borne Widerspruchsgeist wo nicht in der Sache, doch
wenigstens in Ansicht und Wort Anlaß zu Verneinung des
anerkanntesten Wahren zu finden wüßte. In der Methode
selbst des Vortrags liegt schon der Grund des Gegensatzes:
wo der eine anfängt, hört der andere auf, wo der eine
trennt, verbindet der andere, so daß zuletzt bei dem Hörer
ein Schwanken entsteht, ob nicht beide recht haben. So darf
auch endlich nicht unbemerkt bleiben, daß, in dem Laufe

des Sprechens über diesen Gegenstand, bedeutende Männer zuletzt die Frage aufwarfen, ob es denn wirklich der Mühe wert sei, darauf immer wieder zurückzukommen. Sollen wir auch hierüber aufrichtig sprechen, so ist dieses Ablehnen schlimmer als Widerspruch, denn es enthält ein Verneinen des Interesses, wodurch jedes wissenschaftliche Streben völlig aufgehoben wird.

Doch fehlte auch Aufmunterung keineswegs. So sagte Freund *Sömmerring* in seiner Knochenlehre, 1791, S. 160: »Goethes sinnreicher Versuch aus der vergleichenden Knochenlehre, daß der Zwischenknochen der Oberkinnlade dem Menschen mit den übrigen Tieren gemein sei, von 1785, mit sehr richtigen Abbildungen, verdiente, öffentlich bekannt zu sein.«

III.

Aber nicht allein mit bildlichen Darstellungen, sondern auch mit wörtlichen Beschreibungen wollte man die Arbeit ausstatten; denn Bild und Wort wetteifern unablässig, Naturgeschichte näher zu bestimmen und weiter zu verbreiten. Nun diente jenes oben aufgestellte Schema zur Grundlage, und man beschrieb den Zwischenknochen nach allen seinen Teilen durchaus in jener Ordnung, es mochte ein Tierschädel vorkommen, welcher wollte. Dadurch häufte sich aber gar vieles Papier, das man bei näherer Ansicht zu einer freien und anschaulichen Mitteilung unbrauchbar fand; hartnäckig jedoch auf dem gefaßten Vorsatz beharrend, behandelte man dies als Vorarbeit und fing an, nach derselben zwar genaue, aber fließende und dem Stil nach wohlgefälligere Beschreibungen auszuarbeiten.

Aber alle diese Hartnäckigkeit führte nicht zum Ziel, indem die Arbeiten, mehrmals unterbrochen, keinen klaren Begriff gaben, wie dasjenige zu vollenden sei, von dessen Wahrhaftigkeit und Interesse man sich so lebhaft überzeugt hatte. Zehn Jahre waren verflossen und mehr, als meine

Verbindung mit *Schillern* mich aus diesem wissenschaftlichen Beinhaus in den freien Garten des Lebens rief. Meine Teilnahme an seinen Unternehmungen, an den Horen, den Musenalmanachen, den dramatischen Vorsätzen und aus mir selbst hervorgerufene eigene Arbeiten, als »Hermann und Dorothea«, »Achilleïs«, »Cellini«, eine neue Aussicht nach Italien und endlich eine Reise nach der Schweiz, entfernten mich entschieden von jenen Arbeiten und Vorarbeiten, so daß von der Zeit an Staub und Moder sich über Präparaten und Papieren aufhäuften, denen ich eine fröhliche Auferstehung an der Hand eines jüngeren Freundes zu wünschen nicht unterließ. Auch hätte ich diese Hoffnung wohl erfüllt gesehen, wenn nicht gleichzeitige Menschen, oft durch Umstände oder Eigenheiten, anstatt miteinander zu wirken gegeneinander zu arbeiten veranlaßt würden.

IV.

Gotthelf Fischer, ein jüngerer Mann, der mir in diesem Fache rühmlich bekannt war, gab im Jahr 1800 eine Schrift heraus: »Über die verschiedene Form des Intermaxillarknochens in verschiedenen Tieren«. Seite 17 erwähnt er meine Bemühung, indem er spricht: »*Goethens* sinnreicher Versuch aus der Knochenlehre, daß der Zwischenknochen der Obermaxille dem Menschen mit den übrigen Tieren gemein sei, ist mir unbekannt geblieben, und ich muß besonders bedauern, daß mir entgangen ist, seine schönen Zeichnungen über diesen Gegenstand zu sehen. Überhaupt wäre es zu wünschen, daß dieser feine Beobachter seine scharfsinnigen Ideen über die tierische Ökonomie, mit philosophischen durchwebt, bald der gelehrten Welt mitteilen möchte.« Hätte dieser kenntnisreiche tätige Mann nun, in Gefolg einer allgemeinen Nachricht, sich mit mir in nähere Beziehung gesetzt und sich von meinen Überzeugungen durchdringen können, so würde ich ihm gerne Manuskripte, Zeichnungen und Kupfer abgetreten haben, und die Sache wäre schon damals ins gleiche gekommen, anstatt daß noch mehrere Jahre hingingen, eh eine nützliche Wahrheit konnte anerkannt werden.

V.

Als, in Gefolg einer treuen und fleißigen Behandlung der Pflanzenmetamorphose, das Jahr 1790 mich mit erfreulichen und neuen Aussichten auch über tierische Organisation beglückte, wandte sich mein ganzes Bestreben gegen diesen Teil, ich fuhr unermüdet fort, zu beobachten, zu denken und zu ordnen, wodurch sich die Gegenstände immer mehr vor mir aufklärten. Dem Seelenkenner wird es, ohne weiteren geschichtlichen Beleg, einleuchtend sein, daß ich durch eine produktive Leidenschaft in diese schwerste aller Aufgaben getrieben ward. Der Geist übte sich an dem würdigsten Gegenstande, indem er das Lebendige nach seinem innersten Wert zu kennen und zu zergliedern suchte; aber wie sollte ein solches Streben einen glücklichen Erfolg haben, wenn man ihm nicht seine ganze Tätigkeit hingäbe?

Da ich aber aus eignem Willen und zu eignen Zwecken in diese Region gelangt, so mußte ich mit eignen frischen Augen sehen, und da konnt' ich bald bemerken, daß die vorzüglichsten Männer vom Handwerk wohl einmal nach Überzeugung aus dem herkömmlichen Gleis auf die Seite bogen, aber den eingeschlagenen Hauptweg nicht verlassen, sich auf eine neue Fahrt nicht einlassen durften, weil sie ja die gebahnte Straße und zugängliche Gegenden ihrem und anderer Vorteil gemäß zu befahren am bequemsten fanden. Gar manche andere wunderbare Entdeckung konnte mir nicht entgehen, z. B. daß man sich auch im Sonderbaren und Schwierigen gefiel, damit nur einigermaßen etwas Merkwürdiges zum Vorschein käme.

Ich aber verharrte auf meinem Vorsatz und Gang und suchte alle Vorteile ohne Rücksicht zu nutzen, die sich beim Absondern und Unterscheiden gern und willig darbieten und unsäglich fördern, wenn wir nur nicht zu weit gehen und zu rechter Zeit wieder zu verknüpfen wissen. Die Behandlung unserer Urväter, wie wir sie bei *Galen* und *Vesal* finden, konnte hier nicht in Betrachtung gezogen werden: denn wenn man Knochenpartien, wie sie gelegentlich auseinanderfallen oder zusammenbleiben, willkürlich als ein Ganzes behandelt und die Teile dieser größeren Massen durch Zahlen unterscheidet, wer kann sich, dem Sinn und Geiste nach, nur einigermaßen gefördert finden? Welche Ansicht könnte daraus erfolgen? Von dieser freilich unreifen Weise war man nach und nach abgekommen, hatte sie aber nicht aus Vorsatz, aus Maxime verlassen; deshalb hing noch oft zusammen, was wohl nachbarlich verwachsen, aber doch nicht Teil vom Teile war, ja man verknüpfte mit wunderlichem Eigensinn, was die Zeit, die doch auch wohl das Vernünftige zuläßt, geschieden hatte, wieder aufs neue.

Indem ich nun ihrer Natur nach innerlich gleiche, in der Erscheinung aber völlig ungleiche organische Teile parallelisieren sollte, hielt ich an dem Gedanken fest, man solle die Bestimmung jedes Teils für sich und sein Verhältnis zum Ganzen zu erforschen trachten, das eigene Recht jedes Einzelnen anerkennen und die Einwirkung aufs übrige zugleich im Auge behalten, wodurch denn zuletzt Notwendiges, Nützliches und Zweckmäßiges am lebendigen Wesen müßte zum Vorschein kommen.

Man erinnert sich noch der vielen Schwierigkeiten, welchen die Demonstration des menschlichen Keilbeins ausgesetzt war und wie man weder die Form recht zu fassen noch die Terminologie dem Gedächtnis einzuprägen so leicht fähig gewesen; sobald man aber einsah, daß es aus zwei gleichen, nur in der Form wenig voneinander abweichenden Knochen zusammengesetzt sei, so vereinfachte sich alles, und zugleich belebte sich das Ganze.

Gleicherweise ward man durch die verwickelteste aller Darstellungen, wodurch die Gehörwerkzeuge mit ihrer Umgebung zugleich demonstriert werden sollten, an eine Tren-

nung zu denken veranlaßt, welche sich bei Tieren gar wohl
bewirken ließ; wo man die drei Teile, die man sonst als
konsolidiert und in einen Körper verschmolzen betrachtete,
nunmehr in drei wirklich separierte und öfter sogar zu
separierende Teile auseinanderfallen sah.

Die untere Kinnlade betrachtete ich von dem Schädel ganz
getrennt und zu den Hülfsorganen gehörig, sie ward auch
deshalb den Armen und Beinen gleichgestellt. Nun, ob sie
schon bei den Mammalien nur aus zwei Teilen zu bestehen
schien, führte doch ihre Gestalt, ihre merkwürdige Beugung,
die Verbindung mit dem Oberhaupt, die aus ihr sich entwickelnden Zähne auf die Vermutung, daß auch hier ein
Komplex einzelner Knochen zu finden sei, welche, zusammengewachsen, die merkwürdige Bildung erzeugen, die
einen so wundervollen Mechanismus ausübt. Diese Vermutung ward bestätigt durch Zergliederung eines jungen
Krokodils, wobei sich zeigte, daß jede Seite aus fünf in-
und übereinandergeschobenen Knochenteilen, das Ganze
also aus zehn Teilen zusammengesetzt sei. Es war belehrend und erfreulich, nach den Spuren dieser Abteilungen
auch bei Mammalien zu forschen und, wie man sie mit den
Augen des Geistes zu entdecken glaubte, auf manche Kinn-
laden in- und auswendig aufzuzeichnen und so bestimmt
den Sinnen darzubringen, was vorher die Einbildungskraft
zu bezeichnen und festzuhalten kaum imstande war.

So bereitete ich mir immer mehr eine freie Übersicht über
die Natur und machte mich fähiger, an jedem redlichen
Bemühen in diesem Fach freudig und aufrichtig teilzunehmen. Ich erhöhte nach und nach meinen Standpunkt zu Beurteilung wissenschaftlicher und ethischer Behandlung auch
in diesen Regionen menschlicher Geschäftigkeit.

So benutzte ich viele Zeit, bis im Jahre 1795 die Gebrüder
von Humboldt, die mir schon oft als Dioskuren auf meinem Lebenswege geleuchtet, einen längeren Aufenthalt in
Jena beliebten. Auch bei dieser Gelegenheit strömte der
Mund über, wovon das Herz voll war, und ich trug die

Angelegenheit meines Typus so oft und zudringlich vor, daß man, beinahe ungeduldig, zuletzt verlangte, ich solle das in Schriften verfassen, was mir in Geist, Sinn und Gedächtnis so lebendig vorschwebte. Glücklicherweise fand ich zu selbiger Zeit ein junger, diesen Studien geneigter Freund, *Maximilian Jacobi*, daselbst, dem ich jenen Aufsatz, ziemlich wie er noch vorliegt, aus dem Stegreif diktierte und jene Methode mit wenig Abweichung als Grundlage meiner Studien beibehielt, wenn ich sie gleich nach und nach auf gar mancherlei Weise hätte modifizieren können. Die drei ersten Kapitel, die gegenwärtig als Entwurf daliegen, schrieb ich ausführlicher. Auch diese Bearbeitung verdiente vielleicht in der Folge mitgeteilt zu werden: denn sollte das meiste gegenwärtig für Kundige überflüssig sein, so bedenke man, daß es immer frische Anfänger gibt, für welche ältere Anfänge immer noch neu genug sind.

VI.

In einem so weitläufigen und unübersehlichen Felde den unmittelbaren Anblick zu vervielfältigen, bequemer, ja zudringlicher zu machen, stellte man verschiedene Teile mehrerer Tiere nebeneinander, aber jedesmal nach anderer Ordnung. Die Halsknochen z. B. ordnete man von den längten bis zu den kürzesten, wodurch zugleich das Gesetz ihrer Abweichung voneinander sich deutlicher offenbarte: von der Giraffe bis zum Walfisch war ein bedeutender Weg, man verirrte sich aber nicht in vielem, sondern man suchte die wenigen Flügelmänner, die man zu diesem Zwecke bedeutend fand. Wo die natürlichen Körper fehlen, füllte man die Lücke durch Zeichnungen. *Merck* hatte von der Giraffe, die sich in Haag befand und befindet, ine lobenswürdige Nachbildung geliefert.

Ungleichen wurden Arm und Hände von dem Punkt an, wo sie nur einer Säule, einer Stütze zu vergleichen sind, nur zu der notwendigsten Bewegung geschickt, bis zur Pro-

nation und Supination, jenem den höhergestellten Tieren
gegönnten, nicht genug zu bewundernden organischen Mechanismus, hingestellt.

So geschah auch mit den Beinen und Füßen von dem
Punkte an, da sie als unbewegliche Tragsäulen anzusehen
sind, bis dahin, wo sie in die leichtesten Schwungfedern
verwandelt erscheinen, ja sogar eine Vergleichung mit den
Armen in Gestalt und Funktion zulassen. Ferner sollte die
Verlängerung des Armes und Beines bis zur engsten Verkürzung derselben, vom Affen bis zur Phoca, das Auge und
den Geist zugleich befriedigen. Manches hievon ist geleistet,
anderes vorbereitet, anderes zerstört und verwirrt worden
Vielleicht sehen wir unter gegenwärtiger Konstellation diesen löblichen Wunsch erfüllt und bestätigt, da solche Zusammenstellungen dadurch leicht möglich werden, daß jedes
Museum unvollständige Skelette besitzt, die zu diesem Gebrauch glücklich und vorteilhaft anzuwenden sind.

Gleicherweise gab es zu bedeutenden Betrachtungen Gelegenheit, das Os ethmoideum zu vergleichen, von da an
wo es in seiner größten Breite und Freiheit wirkt, wie beim
Dasypus, bis dahin, wo es durch die näher aneinanderstehenden und in beträchtlicher Größe ausgebildeten Augenhöhlen, wie beim Affen, zusammengedrängt und der Raum
der Nasenwurzel beinahe vernichtet wird.

Da man nun hiezu die gemachten und zu machenden Beobachtungen in einiger Ordnung aufzuzeichnen gedachte, damit solche Kollektaneen näher bei der Hand und nach Bedürfnis leichter zu finden und anzuordnen sein möchten
hat man eine Tabelle nach obgedachtem Schema entworfen
und sie mit sich auf Reisen geführt und dadurch manche
mit späteren Beobachtungen Übereinstimmendes oder durch
dieselben zu Rektifizierendes gewonnen, wodurch eine allgemeinere Übersicht erleichtert und eine künftige General-Tabelle vorbereitet wurde.

Wollte man sodann ein Tier in sich selbst vergleichen, so
durfte man nur die Kolumne perpendikular herunterlesen

sollte die Vergleichung mit andern Tieren geschehen, so las man in horizontaler Richtung, und die Gestalten wechselten ohne Beschwerde vor unserer Einbildungskraft. Wie man dabei verfahren, mag nachstehende Probe ausweisen, wie solche an Ort und Stelle aufgenommen worden, ohne weitere Revision, deswegen für den Inhalt nicht zu stehen ist.

Bei dieser Gelegenheit muß ich dankbar erkennen, wie mir in Dresden, durch die Herren Vorsteher des Naturalien-Kabinetts, große Gefälligkeit erzeigt und meine Tabelle zu füllen die bequemste Gelegenheit gegeben worden. Früher wurden mir die *Merckischen* Fossilien zunutze, gegenwärtig in dem reichen Großherzoglich Darmstädtischen Museum aufbewahrt; Herrn *von Sömmerrings* schöne Sammlung hatte mir manchen Aufschluß gegeben, und durch Hülfe meiner Tabelle konnt' ich überall einzelne Merkwürdigkeiten teils zu Ausfüllung, teils zu Revision benutzen. Die höchst schätzenswerte Sammlung des Herrn *von Froriep* kam leider erst zu einer Zeit nach Weimar, da ich diesen Studien schon entfremdet war, befindet sich noch daselbst, jetzt da ich von solchen früheren Lieblingsbeschäftigungen für immer Abschied nehmen muß.

VII.

Wir wenden uns nun zu einer Angelegenheit, die, wenn darin etwas zu entscheiden wäre, großen Einfluß auf alles vorher Gesagte ausüben müßte. Es entsteht nämlich, da so viel von Gestaltung und Umgestaltung gesprochen worden, die Frage, ob man denn wirklich die Schädelknochen aus Wirbelknochen ableiten und ihre anfängliche Gestalt, ohngeachtet so großer und entschiedener Veränderungen, noch anerkennen solle und dürfe. Und da bekenne ich denn gerne, daß ich seit dreißig Jahren von dieser geheimen Verwandtschaft überzeugt bin, auch Betrachtungen darüber immer fortgesetzt habe. Jedoch ein dergleichen Aperçu, ein solches Gewahrwerden, Auffassen, Vorstellen, Begriff,

Idee, wie man es nennen mag, behält immerfort, man ge-
bärde sich, wie man will, eine esoterische Eigenschaft; im
ganzen läßt sich's aussprechen, aber nicht beweisen, im einzelnen läßt sich's wohl vorzeigen, doch bringt man es nicht
rund und fertig. Auch würden zwei Personen, die sich von
dem Gedanken durchdrungen hätten, doch über die Anwendung desselben im einzelnen sich schwerlich vereinigen,
ja um weiterzugehen, dürfen wir behaupten, daß der einzelne, einsame, stille Beobachter und Naturfreund mit sich
selbst nicht immer einig bleibt und einen Tag um den andern klärer oder dunkler sich zu dem problematischen Gegenstande verhält, je nachdem sich die Geisteskraft reiner
und vollkommner dabei hervortun kann.

Ich hatte, um hier mich durch ein Gleichnis zu erklären,
vor einiger Zeit Interesse genommen an Manuskripten des
fünfzehnten Jahrhunderts, durchaus in Abbreviaturen verfaßt. Ob nun gleich eine solche Entzifferung niemals mein
Geschäft gewesen, so ging ich doch, aufgeregt, mit Leidenschaft an die Sache und las zu meiner Verwunderung unbekannte Schriftzüge frisch weg, die mir hätten lange rät-
selhaft bleiben sollen. Aber diese Zufriedenheit dauerte
nicht fort: denn als ich nach einiger Zeit das unterbrochene
Geschäft wiederaufnahm, bemerkte ich erst, daß ich irrtüm-
lich eine Arbeit auf dem gewöhnlichen Gang der Aufmerksamkeit zu vollenden strebte, die mit Geist und Liebe, mit
Licht und Freiheit begonnen war, und daß im stillen nur
darauf zu hoffen sei, wie jene glücklichen Eingebungen des
Augenblicks sich wieder erneuern möchten.

Finden wir solchen Unterschied bei Betrachtung alter Per-
gamente, deren Züge doch entschieden fixiert vor uns daliegen, wie sehr muß die Schwierigkeit sich steigern, wenn
wir der Natur etwas abzugewinnen gedenken, welche, ewig
beweglich, das Leben, das sie verleiht, nicht erkannt wissen
will. Bald zieht sie in Abbreviaturen zusammen, was in
klarer Entwickelung gar wohl faßlich gewesen wäre, bald
macht sie, durch reihenhafte Aufzählung weitläufiger Kur-

entschrift, unerträgliche Langeweile; sie offenbart, was sie verbarg, und verbirgt, was sie eben jetzt offenbarte. Und wer darf sich einer so liebevollen Schärfe, einer so bescheidenen Kühnheit rühmen, daß sie ihm gern an jeder Stelle, in jedem Augenblick zu Willen wäre?

Gelangt nun aber ein solches, aller exoterischen Behandlung durchaus widerstrebendes Problem in die bewegte, ohnehin mit sich selbst beschäftigte Welt, geschehe dies auf eine methodisch-bescheidene oder geistreich-kühne Weise; so erfährt das Mitgeteilte gar oft eine kalte, vielleicht widerwärtige Aufnahme, und man sieht ein so zartes geistiges Wesen gar nicht an seinem Platze. Macht aber auch ein neuer, vielleicht erneuter, einfacher, edler Gedanke einigen Eindruck, so wird er doch niemals rein, wie es zu wünschen wäre, fortgeführt und entwickelt. Erfinder und Teilnehmer, Lehrer und Schüler, Schüler untereinander, die Gegner gar nicht gerechnet, widerstreiten, verwirren, entfernen sich in vielspältiger Behandlung immer mehr und mehr, und zwar dies alles deswegen, weil jeder Einzelne sich das Ganze wieder kopf- und sinnrecht machen will und es schmeichelhafter ist, irrend Original zu sein, als, die Wahrheit anerkennend, sich einer höhern Art und Weise unterzuordnen.

Wer nun, ein langes Leben hindurch, diesen Welt- und Wissensgang, so wie in der Geschichte, also auch um sich her, bis auf den heutigen Tag beobachtet hat, ein solcher kennt genau jene Hindernisse, weiß, wie und warum eine tiefe Wahrheit so schwer zu entwickeln und zu verbreiten ist; daher mag ihm wohl zu verzeihen sein, wenn er sich nicht abermals in einen Wust von Widerwärtigkeiten hineinzuwagen Lust fühlt.

Deswegen ich denn auch nur kürzlich meine vieljährig gehegte Überzeugung wiederhole: daß das Oberhaupt des Säugetiers aus sechs Wirbelknochen abzuleiten sei. Drei gelten für das Hinterhaupt, als den Schatz des Gehirns einschließend, und die zarten Lebensenden, fein verzweigt, in und über das Ganze und zugleich nach außen hin versendend; drei hinwieder bilden das Vorderhaupt, gegen die Außenwelt sich aufschließend, sie aufnehmend, ergreifend erfassend.

Jene drei ersten sind anerkannt:

das Hinterhauptbein,
das hintere Keilbein und
das vordere Keilbein;

die drei letzteren aber noch anzuerkennen:

das Gaumbein,
die obere Kinnlade und
der Zwischenknochen

Erfreut sich einer der vorzüglichen Männer, die sich bisher schon eifrig mit diesem Gegenstande befaßten, der aufgestellten Ansicht auch nur problemsweise und wendet ein paar Figuren daran, um mit wenigen Zahlen und Zeichen jeden auszumittelnden wechselseitigen Bezug und geheime Verhältnis übersehbar zu machen, so erhielte die ohnehin nicht mehr abzuwendende Publizität sogleich eine entschiedene Richtung, und wir wagten vielleicht auch noch einiges auszusprechen über die Art und Weise, solche Naturgeheimnisse zu beschauen und zu behandeln, um sie zuletzt, vielleicht allgemein faßlich, auf praktische Resultate hinzuleiten, wodurch denn Wert und Würde eines Gedankens doch endlich erst im allgemeinen geschätzt und anerkannt werden kann.

C. Zur Farbenlehre

Was es gilt

Dem Chromatiker

Bringst du die Natur heran,
Daß sie jeder nutzen kann;
Falsches hast du nicht ersonnen,
Hast der Menschen Gunst gewonnen.

Möget ihr das Licht zerstückeln,
Farb' um Farbe draus entwickeln,
Oder andre Schwänke führen,
Kügelchen polarisieren,
Daß der Hörer ganz erschrocken
Fühlet Sinn und Sinne stocken:
Nein! Es soll euch nicht gelingen,
Sollt uns nicht beiseite bringen;
Kräftig, wie wir's angefangen,
Wollen wir zum Ziel gelangen.

Entwurf einer Farbenlehre

Einleitung

Die Lust zum Wissen wird bei dem Menschen zuerst dadurch angeregt, daß er bedeutende Phänomene gewahr
wird, die seine Aufmerksamkeit an sich ziehen. Damit nun
diese dauernd bleibe, so muß sich eine innigere Teilnahme
finden, die uns nach und nach mit den Gegenständen be-
kannter macht. Alsdann bemerken wir erst eine große Mannichfaltigkeit, die uns als Menge entgegendringt. Wir sind

genötigt, zu sondern, zu unterscheiden und wieder zusammenzustellen; wodurch zuletzt eine Ordnung entsteht, die sich mit mehr oder weniger Zufriedenheit übersehen läßt.

Dieses in irgendeinem Fache nur einigermaßen zu leisten, wird eine anhaltende strenge Beschäftigung nötig. Deswegen finden wir, daß die Menschen lieber durch eine allgemeine theoretische Ansicht, durch irgendeine Erklärungsart die Phänomene beiseite bringen, anstatt sich die Mühe zu geben, das Einzelne kennenzulernen und ein Ganzes zu erbauen.

Der Versuch, die Farbenerscheinungen auf- und zusammenzustellen, ist nur zweimal gemacht worden, das erstemal von Theophrast, sodann von Boyle. Dem gegenwärtigen wird man die dritte Stelle nicht streitig machen.

Das nähere Verhältnis erzählt uns die Geschichte. Hier sagen wir nur so viel, daß in dem verflossenen Jahrhundert an eine solche Zusammenstellung nicht gedacht werden konnte, weil Newton seiner Hypothese einen verwickelten und abgeleiteten Versuch zum Grund gelegt hatte, auf welchen man die übrigen zudringenden Erscheinungen, wenn man sie nicht verschweigen und beseitigen konnte, künstlich bezog und sie in ängstlichen Verhältnissen umherstellte; wie etwa ein Astronom verfahren müßte, der aus Grille den Mond in die Mitte unseres Systems setzen möchte. Er wäre genötigt, die Erde, die Sonne mit allen übrigen Planeten um den subalternen Körper herumzubewegen und durch künstliche Berechnungen und Vorstellungsweisen das Irrige seines ersten Annehmens zu verstecken und zu beschönigen.

Schreiten wir nun in Erinnerung dessen, was wir oben vorwortlich beigebracht, weiter vor. Dort setzten wir das Licht als anerkannt voraus, hier tun wir ein Gleiches mit dem Auge. Wir sagten, die ganze Natur offenbare sich durch die Farbe dem Sinne des Auges. Nunmehr behaupten wir, wenn es auch einigermaßen sonderbar klingen mag, daß das Auge keine Form sehe, indem Hell, Dunkel und Farbe zusammen allein dasjenige ausmachen, was den Gegenstand vom Gegenstand, die Teile des Gegenstandes voneinander fürs Auge unterscheidet. Und so erbauen wir aus diesen dreien die sichtbare Welt und machen dadurch zugleich die Malerei möglich, welche auf der Tafel eine weit vollkommner sichtbare Welt, als die wirkliche sein kann, hervorzubringen vermag.

Das Auge hat sein Dasein dem Licht zu danken. Aus gleichgültigen tierischen Hülfsorganen ruft sich das Licht ein Organ hervor, das seinesgleichen werde; und so bildet sich das Auge am Lichte fürs Licht, damit das innere Licht dem äußeren entgegentrete.

Hierbei erinnern wir uns der alten ionischen Schule, welche mit so großer Bedeutsamkeit immer wiederholte, nur von Gleichem werde Gleiches erkannt; wie auch der Worte eines alten Mystikers, die wir in deutschen Reimen folgendermaßen ausdrücken möchten:

> Wär' nicht das Auge sonnenhaft,
> Wie könnten wir das Licht erblicken?
> Lebt' nicht in uns des Gottes eigne Kraft,
> Wie könnt' uns Göttliches entzücken?

Jene unmittelbare Verwandtschaft des Lichtes und des Auges wird niemand leugnen, aber sich beide zugleich als eins und dasselbe zu denken, hat mehr Schwierigkeit. Indessen wird es faßlicher, wenn man behauptet, im Auge wohne ein ruhendes Licht, das bei der mindesten Veranlassung von innen oder von außen erregt werde. Wir können in der Finsternis durch Forderungen der Einbildungskraft uns die hellsten Bilder hervorrufen. Im Traume erscheinen uns die Gegenstände wie am vollen Tage. Im wachenden Zustande wird uns die leiseste äußere Lichteinwirkung bemerkbar; ja wenn das Organ einen mechanischen Anstoß erleidet, so springen Licht und Farben hervor.

Vielleicht aber machen hier diejenigen, welche nach einer gewissen Ordnung zu verfahren pflegen, bemerklich, daß wir ja noch nicht einmal entschieden erklärt, was denn

Farbe sei. Dieser Frage möchten wir gar gern hier abermals ausweichen und uns auf unsere Ausführung berufen, wo wir umständlich gezeigt, wie sie erscheine. Denn es bleibt uns auch hier nichts übrig, als zu wiederholen, die Farbe sei die gesetzmäßige Natur in bezug auf den Sinn des Auges. Auch hier müssen wir annehmen, daß jemand diesen Sinn habe, daß jemand die Einwirkung der Natur auf diesen Sinn kenne: denn mit dem Blinden läßt sich nicht von der Farbe reden.

Damit wir aber nicht gar zu ängstlich eine Erklärung zu vermeiden scheinen, so möchten wir das Erstgesagte folgendermaßen umschreiben. Die Farbe sei ein elementares Naturphänomen für den Sinn des Auges, das sich, wie die übrigen alle, durch Trennung und Gegensatz, durch Mischung und Vereinigung, durch Erhöhung und Neutralisation, durch Mitteilung und Verteilung und so weiter manifestiert und unter diesen allgemeinen Naturformeln am besten angeschaut und begriffen werden kann.

Diese Art, sich die Sache vorzustellen, können wir niemand aufdringen. Wer sie bequem findet, wie wir, wird sie gern in sich aufnehmen. Ebensowenig haben wir Lust, sie künftig durch Kampf und Streit zu verteidigen. Denn es hatte von jeher etwas Gefährliches, von der Farbe zu handeln, dergestalt, daß einer unserer Vorgänger gelegentlich gar zu äußern wagt: Hält man dem Stier ein rotes Tuch vor, so wird er wütend; aber der Philosoph, wenn man nur überhaupt von Farbe spricht, fängt an zu rasen.

Sollen wir jedoch nunmehr von unserem Vortrag, auf den wir uns berufen, einige Rechenschaft geben, so müssen wir vor allen Dingen anzeigen, wie wir die verschiedenen Bedingungen, unter welchen die Farbe sich zeigen mag, gesondert. Wir fanden dreierlei Erscheinungsweisen, dreierlei Arten von Farben oder, wenn man lieber will, dreierlei Ansichten derselben, deren Unterschied sich aussprechen läßt.

Wir betrachteten also die Farben zuerst, insofern sie dem Auge angehören und auf einer Wirkung und Gegenwirkung desselben beruhen; ferner zogen sie unsere Aufmerksamkeit an sich, indem wir sie an farblosen Mitteln oder durch deren Beihülfe gewahrten; zuletzt aber wurden sie uns merkwürdig, indem wir sie als den Gegenständen angehörig denken konnten. Die ersten nannten wir physiologische, die zweiten physische, die dritten chemische Farben. Jene sind unaufhaltsam flüchtig, die andern vorübergehend, aber allenfalls verweilend, die letzten festzuhalten bis zur spätesten Dauer.

Indem wir sie nun in solcher naturgemäßen Ordnung, zum Behuf eines didaktischen Vortrags, möglichst sonderten und auseinanderhielten, gelang es uns zugleich, sie in einer stetigen Reihe darzustellen, die flüchtigen mit den verweilenden und diese wieder mit den dauernden zu verknüpfen und so die erst sorgfältig gezogenen Abteilungen für ein höheres Anschauen wiederaufzuheben.

Hierauf haben wir in einer vierten Abteilung unserer Arbeit, was bis dahin von den Farben unter mannichfaltigen besonderen Bedingungen bemerkt worden, im allgemeinen ausgesprochen und dadurch eigentlich den Abriß einer künftigen Farbenlehre entworfen. Gegenwärtig sagen wir nur so viel voraus, daß zur Erzeugung der Farbe Licht und Finsternis, Helles und Dunkles oder, wenn man sich einer allgemeineren Formel bedienen will, Licht und Nichtlicht gefordert werde. Zunächst am Licht entsteht uns eine Farbe, die wir Gelb nennen, eine andere zunächst an der Finsternis, die wir mit dem Worte Blau bezeichnen. Diese beiden, wenn wir sie in ihrem reinsten Zustand dergestalt vermischen, daß sie sich völlig das Gleichgewicht halten, bringen eine dritte hervor, welche wir Grün heißen. Jene beiden ersten Farben können aber auch jede an sich selbst eine neue Erscheinung hervorbringen, indem sie sich verdichten oder verdunkeln. Sie erhalten ein rötliches Ansehen, welches sich bis auf einen so hohen Grad steigern kann, daß man das ursprüngliche Blau und Gelb kaum darin mehr erkennen mag. Doch läßt sich das höchste und reine

Rot, vorzüglich in physischen Fällen, dadurch hervorbringen, daß man die beiden Enden des Gelbroten und Blauroten vereinigt. Dieses ist die lebendige Ansicht der Farbenerscheinung und -erzeugung. Man kann aber auch zu dem spezifiziert fertigen Blauen und Gelben ein fertiges Rot annehmen und rückwärts durch Mischung hervorbringen, was wir vorwärts durch Intensieren bewirkt haben. Mit diesen drei oder sechs Farben, welche sich bequem in einen Kreis einschließen lassen, hat die Elementare Farbenlehre allein zu tun. Alle übrigen, ins Unendliche gehenden Abänderungen gehören mehr in das Angewandte, gehören zur Technik des Malers, des Färbers, überhaupt ins Leben.

Sollen wir sodann noch eine allgemeine Eigenschaft aussprechen, so sind die Farben durchaus als Halblichter, als Halbschatten anzusehen, weshalb sie denn auch, wenn sie zusammengemischt ihre spezifischen Eigenschaften wechselseitig aufheben, ein Schattiges, ein Graues hervorbringen.

In unserer fünften Abteilung sollten sodann jene nachbarlichen Verhältnisse dargestellt werden, in welchen unsere Farbenlehre mit dem übrigen Wissen, Tun und Treiben zu stehen wünschte. So wichtig diese Abteilung ist, so mag sie vielleicht gerade eben deswegen nicht zum besten gelungen sein. Doch wenn man bedenkt, daß eigentlich nachbarliche Verhältnisse sich nicht eher aussprechen lassen, als bis sie sich gemacht haben, so kann man sich über das Mißlingen eines solchen ersten Versuches wohl trösten. Denn freilich ist erst abzuwarten, wie diejenigen, denen wir zu dienen suchten, denen wir etwas Gefälliges und Nützliches zu erzeigen dachten, das von uns möglichst Geleistete aufnehmen werden, ob sie sich es zueignen, ob sie es benutzen und weiterführen oder ob sie es ablehnen, wegdrängen und notdürftig für sich bestehen lassen. Indessen dürfen wir sagen, was wir glauben und was wir hoffen.

Vom Philosophen glauben wir Dank zu verdienen, daß wir gesucht, die Phänomene bis zu ihren Urquellen zu verfolgen, bis dorthin, wo sie bloß erscheinen und sind und wo sich nichts weiter an ihnen erklären läßt. Ferner wird ihm willkommen sein, daß wir die Erscheinungen in eine leicht übersehbare Ordnung gestellt, wenn er diese Ordnung selbst auch nicht ganz billigen sollte.

Den Arzt, besonders denjenigen, der das Organ des Auges zu beobachten, es zu erhalten, dessen Mängeln abzuhelfen und dessen Übel zu heilen berufen ist, glauben wir uns vorzüglich zum Freunde zu machen. In der Abteilung von den physiologischen Farben, in dem Anhange, der die pathologischen andeutet, findet er sich ganz zu Hause. Und wir werden gewiß durch die Bemühungen jener Männer, die zu unserer Zeit dieses Fach mit Glück behandeln, jene erste, bisher vernachlässigte und man kann wohl sagen wichtigste Abteilung der Farbenlehre ausführlich bearbeitet sehen.

Am freundlichsten sollte der Physiker uns entgegenkommen, da wir ihm die Bequemlichkeit verschaffen, die Lehre von den Farben in der Reihe aller übrigen elementaren Erscheinungen vorzutragen und sich dabei einer übereinstimmenden Sprache, ja fast derselbigen Worte und Zeichen wie unter den übrigen Rubriken zu bedienen. Freilich machen wir ihm, insofern er Lehrer ist, etwas mehr Mühe: denn das Kapitel von den Farben läßt sich künftig nicht wie bisher mit wenig Paragraphen und Versuchen abtun; auch wird sich der Schüler nicht leicht so frugal, als man ihn sonst bedienen mögen, ohne Murren abspeisen lassen. Dagegen findet sich späterhin ein anderer Vorteil. Denn wenn die Newtonische Lehre leicht zu lernen war, so zeigten sich bei ihrer Anwendung unüberwindliche Schwierigkeiten. Unsere Lehre ist vielleicht schwerer zu fassen, aber alsdann ist auch alles getan: denn sie führt ihre Anwendung mit sich.

Der Chemiker, welcher auf die Farben als Kriterien achtet, um die geheimen Eigenschaften körperlicher Wesen zu entdecken, hat bisher bei Benennung und Bezeichnung der Farben manches Hindernis gefunden; ja man ist nach einer näheren und feineren Betrachtung bewogen worden, die

Farbe als ein unsicheres und trügliches Kennzeichen bei chemischen Operationen anzusehen. Doch hoffen wir sie durch unsere Darstellung und durch die vorgeschlagene Nomenklatur wieder zu Ehren zu bringen und die Überzeugung zu erwecken, daß ein Werdendes, Wachsendes, ein Bewegliches, der Umwendung Fähiges nicht betrüglich sei, vielmehr geschickt, die zartesten Wirkungen der Natur zu offenbaren.

Blicken wir jedoch weiter umher, so wandelt uns eine Furcht an, dem Mathematiker zu mißfallen. Durch eine sonderbare Verknüpfung von Umständen ist die Farbenlehre in das Reich, vor den Gerichtsstuhl des Mathematikers gezogen worden, wohin sie nicht gehört. Dies geschah wegen ihrer Verwandtschaft mit den übrigen Gesetzen des Sehens, welche der Mathematiker zu behandeln eigentlich berufen war. Es geschah ferner dadurch, daß ein großer Mathematiker die Farbenlehre bearbeitete, und da er sich als Physiker geirrt hatte, die ganze Kraft seines Talents aufbot, um diesem Irrtum Konsistenz zu verschaffen. Wird beides eingesehen, so muß jedes Mißverständnis bald gehoben sein, und der Mathematiker wird gern, besonders die physische Abteilung der Farbenlehre, mit bearbeiten helfen.

Dem Techniker, dem Färber hingegen muß unsre Arbeit durchaus willkommen sein. Denn gerade diejenigen, welche über die Phänomene der Färberei nachdachten, waren am wenigsten durch die bisherige .Theorie befriedigt. Sie waren die ersten, welche die Unzulänglichkeit der Newtonischen Lehre gewahr wurden. Denn es ist ein großer Unterschied, von welcher Seite man sich einem Wissen, einer Wissenschaft nähert, durch welche Pforte man hereinkommt. Der echte Praktiker, der Fabrikant, dem sich die Phänomene täglich mit Gewalt aufdringen, welcher Nutzen oder Schaden von der Ausübung seiner Überzeugungen empfindet, dem Geld- und Zeitverlust nicht gleichgültig ist, der vorwärts will, von anderen Geleistetes erreichen, übertreffen soll: er empfindet viel geschwinder das Hohle, das Falsche einer Theorie als der Gelehrte, dem zuletzt die hergebrachten Worte für bare Münze gelten, als der Mathematiker, dessen Formel immer noch richtig bleibt, wenn auch die Unterlage nicht zu ihr paßt, auf die sie angewendet worden. Und so werden auch wir, da wir von der Seite der Malerei, von der Seite ästhetischer Färbung der Oberflächen, in die Farbenlehre hereingekommen, für den Maler das Dankenswerteste geleistet haben, wenn wir in der sechsten Abteilung die sinnlichen und sittlichen Wirkungen der Farbe zu bestimmen gesucht und sie dadurch dem Kunstgebrauch annähern wollen. Ist auch hierbei, wie durchaus, manches nur Skizze geblieben, so soll ja alles Theoretische eigentlich nur die Grundzüge andeuten, auf welchen sich hernach die Tat lebendig ergehen und zu gesetzlichem Hervorbringen gelangen mag.

Neuere Einleitung

Nach abgeschlossenem entoptischen Vortrag, dessen Bearbeitung uns mehrere Jahre beschäftigt, nach dem frischen Beweis, daß an unsere Farbenlehre sich jede neu entdeckte Erscheinung freundlich anschließt, ins Ganze fügt und keiner besondern theoretischen Erklärung bedarf, finden wir der Sache geraten, manches Einzelne, was sich bisher gesammelt, hier gleichfalls darzulegen und in jene Einheit zu verschlingen. Den Hauptsinn unseres ganzen Vorhabens wiederholen wir daher, weil das meiste, was bis jetzt über Farbe öffentlich gesagt worden, auf das deutlichste zeigt, daß man meine Bemühungen entweder nicht kennt oder ignoriert, nicht versteht oder nicht verstehen will.

Und so wird es nicht zu weit ausgeholt sein, wenn wir sagen, daß unsere ältesten Vorfahren, bei ihrer Naturbeschauung, sich mit dem Phänomen begnügt, dasselbe wohl zu kennen getrachtet, aber an Versuche, wodurch es wie-

derholt würde, wodurch sein Allgemeineres zutage käme,
nicht gedacht. Sie beschauten die Natur, besuchten Hand-
werker und Fabrikanten und belehrten sich, ohne sich auf-
zuklären. Sehr lange verfuhr man so: denn wie kindlich
war noch die Art von Versuch, daß man in einem ehernen
Kessel Eisen-Feilspäne durch einen untergehaltenen Magnet
gleichsam sieden ließ.

In der Zwischenzeit wollen wir uns nicht aufhalten und
nur gedenken, wie im 15. und 16. Jahrhundert die unend-
lichste Masse von einzelnen Erfahrungen auf die Menschen
eindrang, wie Porta Kenntnisse und Fertigkeiten viele
Jahre durch in der ganzen Welt zusammensuchte und wie
Gilbert am Magneten zeigte, daß man auch ein einzelnes
Phänomen in sich abschließen könne.

In demselben Zeitraum zeigte Baco auf das lebhafteste zur
Erfahrung hin und erregte das Verlangen, unzählbaren und
unübersehbaren Einzelnheiten nachzugehn. Immer mehr
und mehr beobachtete man; man probierte, versuchte, wiederholte; man überdachte, man überlegte zugleich, und so
kam ein Wissen zur Erscheinung, von dem man vorher keinen Begriff gehabt hatte. Weil dies aber nicht vorübergehen, sondern das einmal Gefundene festgehalten und
immer wieder dargestellt werden sollte, so befleißigte man
sich schon in der zweiten Hälfte des 17. Jahrhunderts notdürftig verbesserter Instrumente, und es fanden sich Personen, die aus dem Handhaben derselben eine Art von Ge-
werbe machten. Dies alles war gut und löblich, aber die
Lust zu theoretisieren, gegen welche Baco sich so heftig geäußert hatte, kann und darf den Menschen nicht verlassen;
und so groß ist die Macht des Gedankens, er sei wahr oder
falsch, daß er die Erfahrung mit sich fortreißt: daher denn
auch gesteigerte und verwickelte Maschinen der Theorie zu
Diensten sein und dem Wahren wie dem Falschen zur Bestätigung und Gründung dienen mußten. Nirgends war
dieses umgekehrte Verfahren trauriger als in der Farbenlehre, wo eine ganz falsche, auf ein falsches Experiment

gegründete Lehre durch neue, das Unwahre stets verbergende und die Verwirrung immer vermehrende, verwickeltere Versuche unzugänglich gemacht und vor dem reinen Menschenverstand düster verhüllt ward.

Da ich in die Naturwissenschaft als Freiwilliger hineinkam, ohne Aussicht und Absicht auf einen Lehrstuhl, welchen, besteigend, man denn doch immer bereit sein muß, ebensogut dasjenige vorzutragen, was man nicht weiß, als das, was man weiß, und zwar um der lieben Vollständigkeit willen, so konnte ich dagegen auf eine andere Vollständigkeit denken, auf den Baconischen Weg zurückkehrend und die sämtlichen Phänomene, soviel ich ihrer gewahr werden konnte, sammlend, welches ohne eine gewisse Ordnung, ohne ein Neben-, Über- und Untereinander, für den denkenden Geist unmöglich ist.

Wie ich in der Farbenlehre gehandelt, liegt jedermann vor Augen, der es beschauen will, das Fachwerk, das ich beliebt, wüßte ich noch jetzt nicht zu verändern; noch jetzt gibt es mir Gelegenheit, Verwandtes mit Verwandtem zu gesellen, wie die entoptischen Farben bezeugen mögen, die, als neu entdeckt, sich in meinen übrigen Vortrag einschalten lassen, eben als hätte man sie gleich anfangs in Betracht gezogen. Hiedurch finde ich mich also berechtigt, ja genötigt, was ich etwa nachzubringen habe, in derselben Ordnung aufzuführen: denn es kommt hier nicht darauf an, durch eine Hypothese die Erscheinungen zu verrenken, sondern die klaren natürlichen Rechte einer jeden anzuerkennen und ihr den Platz in der Stadt Gottes und der Natur anzuweisen, wo sie sich denn gern hinstellen, ja niederlassen mag. Und wie sollte man einen so großen, errungenen und erprobten Vorteil aufgeben, da jedermann, der ein Instrument erfunden, das ihm in der Ausübung besondere Bequemlichkeit gewährt, aber andern unbekannt ist, solches bekannt zu machen sucht, entweder zu seiner Ehre oder, wenn er das Glück hat, ein Engländer zu sein, nach erlangtem Patent zu seinem zeitlichen Gewinn. Lasse man mich also auch die

Vorteile wiederholt an Beispielen praktisch aussprechen, die mir aus der Methode zufließen, wornach ich die Farbenlehre gebildet. Sobald ich nämlich die Haupt- und Grundphänomene gefunden und, wie sie sich verzweigen und aufeinander beziehen, geordnet hatte, so entstanden wahrhaft geistige Lokate, in welche man gar leicht den besondern Fall dem allgemeinen Begriff unterzuordnen und das Vereinzelte, Seltsame, Wunderbare in den Kreis des Bekannten und Faßlichen einzuschließen fähig wird.

Anzeige und Übersicht des Goethischen Werkes zur Farbenlehre

Ein Heft mit XVI illuminierten Kupfertafeln und deren Erklärung

Einem jeden Autor ist vergönnt, entweder in einer Vorrede oder in einer Rekapitulation, von seiner Arbeit, besonders wenn sie einigermaßen weitläuftig ist, Rechenschaft zu geben. Auch hat man es in der neuern Zeit nicht ungemäß gefunden, wenn der Verleger dasjenige, was der Aufnahme einer Schrift günstig sein könnte, gegen das Publikum in Gestalt einer Ankündigung äußerte. Nachstehendes dürfte wohl in diesem doppelten Sinne gelten.

Dieses Ihro Durchlaucht, der regierenden Herzogin von Weimar, gewidmete Werk beginnt mit einer Einleitung, in der zuvörderst die Absicht im allgemeinen dargelegt wird. Sie geht kürzlich dahin, die chromatischen Erscheinungen in Verbindung mit allen übrigen physischen Phänomenen zu betrachten, sie besonders mit dem, was uns der Magnet, der Turmalin gelehrt, was Elektrizität, Galvanismus, chemischer Prozeß uns offenbart, in eine Reihe zu stellen und so durch Terminologie und Methode eine vollkommnere Einheit des physischen Wissens vorzubereiten. Es soll gezeigt werden,

daß bei den Farben, wie bei den übrigen genannten Natur-
erscheinungen, ein Hüben und Drüben, eine Verteilung, eine
Vereinigung, ein Gegensatz, eine Indifferenz, kurz, eine
Polarität statthabe, und zwar in einem hohen, mannichfal-
tigen, entschiedenen, belehrenden und fördernden Sinne.
Um unmittelbar zur Sache zu gehen, so werden Licht und
Auge als bekannt und anerkannt angenommen.

Das Werk teilt sich in drei Teile, den didaktischen, polemischen und historischen, deren Veranlassung und Zusammenhang mit wenigem angezeigt wird.

Didaktischer Teil

Seit Wiederherstellung der Wissenschaften ergeht an einzelne Forscher und ganze Sozietäten immer die Forderung,
man solle sich treu an die Phänomene halten und eine
Sammlung derselben naturgemäß aufstellen. Die theoretische
und praktische Ungeduld des Menschen aber hindert gar
oft die Erreichung eines so löblichen Zwecks. Andere Fächer
der Naturwissenschaft sind glücklicher gewesen als die Farbenlehre. Der einigemal wiederholte Versuch, die Phänomene zusammenzustellen, hat aus mehreren Ursachen nicht
recht glücken wollen. Was wir in unserm Entwurf zu leisten gesucht, ist folgendes.

Daß die Farben auf mancherlei Art und unter ganz verschiedenen Bedingungen erscheinen, ist jedermann auffallend und bekannt. Wir haben die Erfahrungsfälle zu sich-
ten uns bemüht, sie, insofern es möglich war, zu Versuchen
erhoben und unter drei Hauptrubriken geordnet. Wir betrachten demnach die Farben, unter mehreren Abteilungen,
von der *physiologischen*, *physischen* und *chemischen* Seite.

Die *erste Abteilung* umfaßt die *physiologischen*, welche
dem Organ des Auges vorzüglich angehören und durch
dessen Wirkung und Gegenwirkung hervorgebracht werden.
Man kann sie daher auch die subjektiven nennen. Sie sind

unaufhaltsam flüchtig, schnell verschwindend. Unsere Vorfahren schrieben sie dem Zufall, der Phantasie, ja einer Krankheit des Auges zu und benannten sie darnach. Hier kommt zuerst das Verhältnis des großen Gegensatzes von Licht und Finsternis zum Auge in Betrachtung; sodann die Wirkung heller und dunkler Bilder aufs Auge. Dabei zeigt sich denn das erste, den Alten schon bekannte Grundgesetz, durch das Finstere werde das Auge gesammlet, zusammengezogen, durch das Helle hingegen entbunden, ausgedehnt. Das farbige Abklingen blendender farbloser Bilder wird sodann mit seinem Gegensatze vorgetragen; hierauf die Wirkung farbiger Bilder, welche gleichfalls ihren Gegensatz hervorrufen, gezeigt und dabei die Harmonie und Totalität der Farbenerscheinung, als der Angel, auf dem die ganze Lehre sich bewegt, ein für allemal ausgesprochen. Die farbigen Schatten, als merkwürdige Fälle einer solchen wechselseitigen Forderung, schließen sich an; und durch schwachwirkende gemäßigte Lichter wird der Übergang zu den subjektiven Höfen gefunden. Ein Anhang sondert die nah verwandten pathologischen Farben von den physiologischen; wobei der merkwürdige Fall besonders zur Sprache kommt, daß einige Menschen gewisse Farben voneinander nicht unterscheiden können.

Die *zweite Abteilung* macht uns nunmehr mit den *physischen* Farben bekannt. Wir nannten diejenigen so, zu deren Hervorbringung gewisse materielle, aber farblose Mittel nötig sind, die sowohl durchsichtig und durchscheinend als undurchsichtig sein können. Diese Farben zeigen sich nun schon objektiv wie subjektiv, indem wir sie sowohl außer uns hervorbringen und für Gegenstände ansprechen als auch dem Auge zugehörig und in demselben hervorgebracht annehmen. Sie müssen als vorübergehend, nicht festzuhaltend angesehen werden und heißen deswegen apparente, flüchtige, falsche, wechselnde Farben. Sie schließen sich unmittelbar an die physiologischen an und scheinen nur um einen geringen Grad mehr Realität zu haben.

Hier werden nun die *dioptrischen* Farben, in zwei Klassen geteilt, aufgeführt. Die erste enthält jene höchst wichtigen Phänomene, wenn das Licht durch trübe Mittel fällt oder wenn das Auge durch solche hindurchsieht. Diese weisen uns auf eine der großen Naturmaximen hin, auf ein Ur-phänomen, woraus eine Menge von Farbenerscheinungen, besonders die atmosphärischen, abzuleiten sind. In der zweiten Klasse werden die Refraktionsfälle erst subjektiv, dann objektiv durchgeführt und dabei unwidersprechlich gezeigt, daß kein farbloses Licht, von welcher Art es auch sei, durch Refraktion eine Farbenerscheinung hervorbringe, wenn dasselbe nicht begrenzt, nicht in ein Bild verwandelt worden. So bringt die Sonne das prismatische Farbenbild nur insofern hervor, als sie selbst ein begrenztes leuchtendes und wirksames Bild ist. Jede weiße Scheibe auf schwarzem Grund leistet subjektiv dieselbe Wirkung.

Hierauf wendet man sich zu den *paroptischen* Farben. So heißen diejenigen, welche entstehen, wenn das Licht an einem undurchsichtigen farblosen Körper herstrahlt; sie wurden bisher einer Beugung desselben zugeschrieben. Auch in diesem Falle finden wir, wie bei den vorhergehenden, eine Randerscheinung und sind nicht abgeneigt, hier gleich-falls farbige Schatten und Doppelbilder zu erblicken. Doch bleibt dieses Kapitel weiterer Untersuchung ausgesetzt.

Die epoptischen Farben dagegen sind ausführlicher und be-friedigender behandelt. Es sind solche, die auf der Ober-fläche eines farblosen Körpers, durch verschiedenen Anlaß erregt, ohne Mitteilung von außen, für sich selbst entsprin-gen. Sie werden von ihrer leisesten Erscheinung bis zu ihrer hartnäckigsten Dauer verfolgt, und so gelangen wir zu der *dritten Abteilung*, welche die *chemischen* Farben ent-hält. Der chemische Gegensatz wird unter der älteren For-mel von Acidum und Alkali ausgesprochen und der dadurch entspringende chromatische Gegensatz an Körpern eingelei-tet. Auf die Entstehung des Weißen und Schwarzen wird hingedeutet; dann von Erregung der Farbe, Steigerung und

Kulmination derselben, dann von ihrem Hin- und Wider-
schwanken, nicht weniger von dem Durchwandern des ganzen Farbenkreises gesprochen; ihre Umkehrung und end-
liche Fixation, ihre Mischung und Mitteilung, sowohl die
wirkliche als scheinbare, betrachtet und mit ihrer Entzie-
hung geschlossen. Nach einem kurzen Bedenken über Far-
ben-Nomenklatur wird angedeutet, wie aus diesen gegebenen Ansichten sowohl unorganische als organische Natur-
körper zu betrachten und nach ihren Farbeäußerungen zu
beurteilen sein möchten. Physische und chemische Wirkung
farbiger Beleuchtung, ingleichen die chemische Wirkung bei
der dioptrischen Achromasie, zwei höchst wichtige Kapitel
machen den Beschluß. Die chemischen Farben können wir
uns nun objektiv als den Gegenständen angehörig denken.
Sie heißen sonst Colores proprii, materiales, veri, perma-
nentes und verdienen wohl diesen Namen, denn sie sind bis
zur spätesten Dauer festzuhalten.

Nachdem wir dergestalt zum Behuf unsers didaktischen
Vortrages die Erscheinungen möglichst auseinandergehalten,
gelang es uns doch, durch eine solche naturgemäße Ordnung
sie zugleich in einer stetigen Reihe darzustellen, die flüchtigen mit den verweilenden und diese wieder mit den dauernden zu verknüpfen und so die erst sorgfältig gezogenen
Abteilungen für ein höheres Anschaun wiederaufzuheben.

In einer *vierten Abteilung* haben wir, was bis dahin von
den Farben unter mannichfaltigen besondern Bedingungen
bemerkt worden, im allgemeinen ausgesprochen und dadurch eigentlich den Abriß einer künftigen Farbenlehre
entworfen.

In der *fünften Abteilung* werden die nachbarlichen Verhältnisse dargestellt, in welchen unsere Farbenlehre mit dem
übrigen Wissen, Tun und Treiben zu stehen wünschte. Dem
Philosophen, den Arzt, den Physiker, den Chemiker, dem
Mathematiker, den Techniker laden wir ein, an unserer Arbeit teilzunehmen und unser Bemühen, die Farbenlehre dem
Kreis der übrigen Naturerscheinungen einzuverleiben, von
ihrer Seite zu begünstigen.

Die *sechste Abteilung* ist der sinnlich-sittlichen Wirkung der Farbe gewidmet, woraus zuletzt die ästhetische hervorgeht. Hier treffen wir auf den Maler, dem zuliebe eigentlich wir uns in dieses Feld gewagt, und so schließt sich das Farbenreich in sich selbst ab, indem wir wieder auf die physiologischen Farben und auf die naturgemäße Harmonie der sich einander fordernden, der sich gegenseitig entsprechenden Farben gewiesen werden.

Polemischer Teil

Die Naturforscher der ältern und mittlern Zeit hatten, ungeachtet ihrer beschränkten Erfahrung, doch einen freien Blick über die mannichfaltigen Farbenphänomene und waren auf dem Wege, eine vollständige und zulängliche Sammlung derselben aufzustellen. Die seit einem Jahrhundert herrschende Newtonische Theorie hingegen gründete sich auf einen beschränkten Fall und bevorteilte alle die übrigen Erscheinungen um ihre Rechte, in welche wir sie durch unsern Entwurf wiedereinzusetzen getrachtet. Dieses war nötig, wenn wir die hypothetische Verzerrung so vieler herrlichen und erfreulichen Naturphänomene wieder ins gleiche bringen wollten. Wir konnten nunmehr mit desto größerer Sicherheit an die Kontrovers gehn, welche wir, ob sie gleich auf verschiedene Weise hätte eingeleitet werden können, nach Maßgabe der Newtonischen Optik führen, indem wir diese Schritt vor Schritt polemisch verfolgen und das Irrtumsgespinst, das sie enthält, zu entwirren und aufzulösen suchen.

Wir halten es rätlich, mit wenigem anzugeben, wie sich unsere Ansicht, besonders des beschränkten Refraktions-Falles, von derjenigen unterscheide, welche Newton gefaßt und die sich durch ihn über die gelehrte und ungelehrte Welt verbreitet hat.

Newton behauptet, in dem weißen farblosen Lichte überall,

besonders aber in dem Sonnenlicht, seien mehrere verschie-
denfarbige Lichter wirklich enthalten, deren Zusammenset-
zung das weiße Licht hervorbringe. Damit nun diese bunten Lichter zum Vorschein kommen sollen, setzt er dem
weißen Licht gar mancherlei Bedingungen entgegen: vorzüglich brechende Mittel, welche das Licht von seiner Bahn
ablenken; aber diese nicht in einfacher Vorrichtung. Er gibt
den brechenden Mitteln allerlei Formen, den Raum, in dem
er operiert, richtet er auf mannichfaltige Weise ein; er beschränkt das Licht durch kleine Öffnungen, durch winzige
Spalten, und nachdem er es auf hunderterlei Art in die
Enge gebracht, behauptet er, alle diese Bedingungen hätten
keinen andern Einfluß, als die Eigenschaften, die Fertigkeiten des Lichts rege zu machen, so daß sein Inneres aufgeschlossen und sein Inhalt offenbart werde.

Die Lehre dagegen, die wir mit Überzeugung aufstellen,
beginnt zwar auch mit dem farblosen Lichte, sie bedient
sich auch äußerer Bedingungen, um farbige Erscheinungen
hervorzubringen; sie gesteht aber diesen Bedingungen Wert
und Würde zu. Sie maßt sich nicht an, Farben aus dem
Licht zu entwickeln, sie sucht vielmehr durch unzählige
Fälle darzutun, daß die Farbe zugleich von dem Lichte und
von dem, was sich ihm entgegenstellt, hervorgebracht werde.
Also, um bei dem Refraktionsfalle zu verweilen, auf welchem sich die Newtonische Theorie doch eigentlich gründet,
so ist es keineswegs die Brechung allein, welche die Farbenerscheinung verursacht; vielmehr bleibt eine zweite Bedingung unerläßlich, daß nämlich die Brechung auf ein Bild
wirke und ein solches von der Stelle wegrücke. Ein Bild
entsteht nur durch Grenzen; und diese Grenzen übersieht
Newton ganz, ja er leugnet ihren Einfluß. Wir aber schreiben dem Bilde sowohl als seiner Umgebung, der Fläche sowohl als der Grenze, der Tätigkeit sowohl als der Schranke
vollkommen gleichen Einfluß zu. Es ist nichts anders als
eine Randerscheinung, und keines Bildes Mitte wird farbig
als insofern die farbigen Ränder sich berühren oder über-

greifen. Alle Versuche stimmen uns bei. Je mehr wir sie vermannichfaltigen, desto mehr wird ausgesprochen, was wir behaupten, desto planer und klarer wird die Sache, desto leichter wird es uns, mit diesem Faden an der Hand auch durch die polemischen Labyrinthe mit Heiterkeit und Bequemlichkeit hindurchzukommen. Ja wir wünschen nichts mehr, als daß der Menschenverstand, von den wahren Naturverhältnissen, auf die wir immer dringend zurückkehren, geschwind überzeugt, unsern polemischen Teil, an welchem freilich noch manches nachzuholen und schärfer zu bestimmen wäre, bald für überflüssig erklären möge.

Historischer Teil

War es uns in dem didaktischen Entwurfe schwer geworden, die Farbenlehre oder Chromatik, in der es übrigens wenig oder nichts zu messen gibt, von der Lehre des natürlichen und künstlichen Sehens, der eigentlichen Optik, worin die Meßkunst großen Beistand leistet, möglichst zu trennen und sie für sich zu betrachten, so begegnen wir dieser Schwierigkeit abermals in dem historischen Teile, da alles, was uns aus älterer und neuerer Zeit über die Farben berichtet worden, sich durch die ganze Naturlehre und besonders durch die Optik gleichsam nur gelegentlich durchschmiegt und für sich beinahe niemals Masse bildet. Was wir daher auch sammelten und zusammenstellten, blieb allzusehr Bruchwerk, als daß es leicht hätte zu einer Geschichte verarbeitet werden können, wozu uns überhaupt in der letzten Zeit die Ruhe nicht gegönnt war. Wir entschlossen uns daher, das Gesammelte als Materialien hinzulegen und sie nur durch Stellung und durch Zwischenbetrachtungen einigermaßen zu verknüpfen.

In diesem dritten Teile also macht uns, nach einem kurzen Überblick der Urzeit, die *erste Abteilung* mit dem bekannt, was die Griechen, von *Pythagoras* an bis *Aristoteles*, über

Farben geäußert, welches auszugsweise übersetzt gegeben wird; sodann aber *Theophrasts* Büchlein von den Farben in vollständiger Übersetzung. Dieser ist eine kurze Abhandlung über die Versatilität der griechischen und lateinischen Farbenbenennungen beigefügt.

Die *zweite Abteilung* läßt uns einiges von den Römern erfahren. Die Hauptstelle des *Lucretius* ist nach Herrn *von Knebels* Übersetzung mitgeteilt, und anstatt uns bei dem Texte des *Plinius* aufzuhalten, liefern wir eine Geschichte des Kolorits der alten Maler, verfaßt von Herrn Hofrat *Meyer*. Sie wird hypothetisch genannt, weil sie nicht sowohl auf Denkmäler als auf die Natur des Menschen und den Kunstgang, den derselbe bei freier Entwicklung nehmen muß, gegründet ist. Betrachtungen über Farbenlehre und Farbenbehandlungen der Alten folgen hierauf, welche zeigen, daß diese mit dem Fundament und den bedeutendsten Erscheinungen der Farbenlehre bekannt und auf einem Wege gewesen, welcher, von den Nachfolgern betreten, früher zum Ziele geführt hätte. Ein kurzer Nachtrag enthält einiges über *Seneca*. An dieser Stelle ist es nun Pflicht des Verfassers, dankbar zu bekennen, wie sehr ihm bei Bearbeitung dieser Epochen sowohl als überhaupt des ganzen Werkes die einsichtige Teilnahme eines mehrjährigen Hausfreundes und Studiengenossen, Herrn Dr. *Riemers*, förderlich und behülflich gewesen.

In der *dritten Abteilung* wird von jener traurigen Zwischenzeit gesprochen, in welcher die Welt der Barbarei unterlegen. Hier tritt vorzüglich die Betrachtung ein, daß nach Zerstörung einer großen Vorwelt die Trümmer, welche sich in die neue Zeit hinüberretten, nicht als ein Lebendiges, Eignes, sondern als ein Fremdes, Totes wirken und daß Buchstabe und Wort mehr als Sinn und Geist betrachtet werden. Die drei großen Hauptmassen der Überlieferung, die Werke des *Aristoteles*, des *Plato* und die *Bibel*, treten heraus. Wie die Autorität sich festsetzt, wird dargetan. Doch wie das Genie immer wieder geboren wird, wieder hervordringt und bei einigermaßen günstigen Umständen lebendig wirkt, so erscheint auch sogleich am Rande einer solchen dunklen Zeit *Roger Bacon*, eine der reinsten, liebenswürdigsten Gestalten, von denen uns in der Geschichte der Wissenschaften Kunde geworden. Nur weniges indessen, was sich auf Farbe bezieht, finden wir bei ihm sowie bei einigen Kirchenvätern, und die Naturwissenschaft wird, wie manches andere, durch die Lust am Geheimnis obskuriert.

Dagegen gewährt uns die *vierte Abteilung* einen heitern Blick in das sechzehnte Jahrhundert. Durch alte Literatur und Sprachkunde sehen wir auch die Farbenlehre befördert. Das Büchlein des *Thylesius* von den Farben findet man in der Ursprache abgedruckt. *Portius* erscheint als Herausgeber und Übersetzer des Theophrastischen Aufsatzes. *Scaliger* bemüht sich auf eben diesem Wege um die Farbenbenennungen. *Paracelsus* tritt ein und gibt den ersten Wink zur Einsicht in die chemischen Farben. Durch *Alchimisten* wird nichts gefördert. Nun bietet sich die Betrachtung dar, daß je mehr die Menschen selbsttätig werden und neue Naturverhältnisse entdecken, das Überlieferte an seiner Gültigkeit verliere und seine Autorität nach und nach unscheinbar werde. Die theoretischen und praktischen Bemühungen des *Telesius, Cardanus, Porta* für die Naturlehre werden gerühmt. Der menschliche Geist wird immer freier, unduldsamer, selbst gegen notwendiges und nützliches Lernen, und ein solches Bestreben geht so weit, daß *Baco von Verulam* sich erkühnt, über alles, was bisher auf der Tafel des Wissens verzeichnet gestanden, mit dem Schwamme hinzufahren.

In der *fünften Abteilung* zu Anfang des siebzehnten Jahrhunderts trösten uns jedoch über ein solches schriftstürmendes Beginnen *Galilei* und *Kepler*, zwei wahrhaft aufbauende Männer. Von dieser Zeit an wird auch unser Feld mehr angebaut. *Snellius* entdeckt die Gesetze der Brechung, und *Antonius de Dominis* tut einen großen Schritt zur Erklärung des Regenbogens. *Agnilonius* ist der erste, der das Kapitel von den Farben ausführlich behandelt; da sie *Cartesius* neben den übrigen Naturerscheinungen aus Materialitäten und Rotationen entstehen läßt. *Kircher* liefert ein Werk, die große Kunst des Lichtes und Schattens und deutet schon durch diesen ausgesprochnen Gegensatz auf die rechte Weise, die Farben abzuleiten. *Marcus Marci* dagegen behandelt diese Materie abstrus und ohne Vorteil für die Wissenschaft. Eine neue, schon früher vorbereitete Epoche tritt nunmehr ein. Die Vorstellungsart von der Materialität des Lichtes nimmt überhand. *De la Chambre* und *Vossius* haben schon dunkle Lichter in dem hellen. *Grimaldi* zerrt, quetscht, zerreißt, zersplittert das Licht, um ihm Farben abzugewinnen. *Boyle* läßt es von den verschiedenen Facetten und Rauhigkeiten der Oberfläche widerstrahlen und auf diesem Wege die Farben erscheinen. *Hooke* ist geistreich, aber paradox. Bei *Malebranche* werden die Farben dem Schall verglichen, wie immer auf dem Wege der Schwingungslehre. *Sturm* kompiliert und eklektisiert; aber *Funccius*, durch Betrachtung der atmosphärischen Erscheinungen an der Natur festgehalten, kommt dem Rechten ganz nahe, ohne doch durchzudringen. *Nuguet* ist der erste, der die prismatischen Erscheinungen richtig ableitet. Sein System wird mitgeteilt und seine wahren Einsichten von den falschen und unzulänglichen gesondert. Zum Schluß dieser Abteilung wird die Geschichte des Kolorits seit Wiederherstellung der Kunst bis auf unsere Zeit, gleichfalls von Herrn Hofrat *Meyer*, vorgetragen.

Die *sechste Abteilung* ist dem achtzehnten Jahrhundert gewidmet, und wir treten sogleich in die merkwürdige Epoche von *Newton* bis auf *Dollond*. Die Londoner Sozietät, als eine bedeutende Versammlung von Naturfreunden des Augenblicks, zieht alle unsere Aufmerksamkeit an sich. Mit ihrer Geschichte machen uns bekannt *Sprat, Birch* und die *Transaktionen*. Diesen Hülfsmitteln zufolge wird von den ungewissen Anfängen der Sozietät, von den frühern und spätern Zuständen der Naturwissenschaft in England, von den äußern Vorteilen der Gesellschaft, von den Mängeln, die in ihr selbst, in der Umgebung und in der Zeit liegen, gehandelt. *Hooke* erscheint als geistreicher, unterrichteter, geschäftiger, aber zugleich eigenwilliger, unduldsamer, unordentlicher Sekretär und Experimentator. *Newton* tritt auf. Dokumente seiner Theorie der Farben sind die Lectiones opticae, ein Brief an *Oldenburg*, den Sekretär der Londoner Sozietät; ferner die Optik. Newtons Verhältnis zur Sozietät wird gezeigt. Eigentlich meldet er sich zuerst durch sein katoptrisches Teleskop an. Von der Theorie ist nur beiläufig die Rede, um die Unmöglichkeit der Verbesserung dioptrischer Fernröhre zu zeigen und seiner Vorrichtung einen größern Wert beizulegen. Obgedachter Brief erregt die ersten Gegner Newtons, denen er selbst antwortet. Dieser Brief sowohl als die ersten Kontroversen sind in ihren Hauptpunkten ausgezogen und der Grundfehler Newtons aufgedeckt, daß er die äußern Bedingungen, welche nicht aus dem Licht, sondern an dem Licht die Farben hervorbringen, übereilt beseitigt und dadurch sowohl sich als andere in einen beinah unauflöslichen Irrtum verwickelt. *Mariotte* faßt ein ganz richtiges Aperçu gegen Newton, worauf wenig geachtet wird. *Desauliers*, Experimentator von Metier, experimentiert und argumentiert gegen den schon verstorbenen. Sogleich tritt *Rizzetti* mit mehrerem Aufwand gegen Newton hervor; aber auch ihn treibt Desauliers aus den Schranken, welchem *Gauger* als Schildknappe beiläuft. Newtons Persönlichkeit wird geschildert, und eine ethische Auflösung des Problems versucht: wie ein so außerordentlicher Mann sich in einem solchen Grade irren, seinen Irrtum bis an sein Ende mit Neigung, Fleiß, Hartnäckigkeit, trotz aller äußeren und inneren Warnungen, bearbeiten und befestigen und so viel vorzügliche Menschen mit sich fortreißen können. Die ersten Schüler und Bekenner Newtons werden genannt. Unter den Ausländern sind *s'Gravesande* und *Muschenbroek* bedeutend.

Nun wendet man den Blick zur französischen Akademie
der Wissenschaften. In ihren Verhandlungen wird Mariot-
tes mit Ehren gedacht. *De la Hire* erkennt die Entstehung
des Blauen vollkommen, des Gelben und Roten weniger.
Conradi, ein Deutscher, erkennt den Ursprung des Blauen
ebenfalls. Die Schwingungen des *Malebranche* fördern die
Farbenlehre nicht, so wenig als die fleißigen Arbeiten *Mai-
rans*, der auf Newtons Wege das prismatische Bild mit den
Tonintervallen parallelisieren will. *Polignac*, Gönner und
Liebhaber, beschäftigt sich mit der Sache und tritt der
Newtonischen Lehre bei. Literatoren, Lobredner, Schöngei-
ster, Auszügler und Gemeinmacher, *Fontenelle, Voltaire,
Algarotti* und andere, geben vor der Menge den Ausschlag
für die Newtonische Lehre, wozu die Anglomanie der
Franzosen und übrigen Völker nicht wenig beiträgt.
Indessen gehn die Chemiker und Farbkünstler immer ihren
Weg. Sie verwerfen jene größere Anzahl von Grundfarben
und wollen von dem Unterschiede der Grund- und Haupt-
farben nichts wissen. *Dufay* und *Castel* beharren auf der
einfacheren Ansicht; letzterer widersetzt sich mit Gewalt
der Newtonischen Lehre, wird aber überschrieen und ver-
schrieen. Der farbige Abdruck von Kupferplatten wird geübt. *Le Blond* und *Gauthier* machen sich hierdurch bekannt.
Letzterer, ein heftiger Gegner Newtons, trifft den rechten
Punkt der Kontrovers und führt sie gründlich durch. Gewisse Mängel seines Vortrags, die Ungunst der Akademie
und die öffentliche Meinung widersetzen sich ihm, und
seine Bemühungen bleiben fruchtlos. Nach einem Blicke auf
die deutsche große und tätige Welt wird dasjenige, was in
der deutschen gelehrten Welt vorgegangen, aus den physikalischen Kompendien kürzlich angemerkt, und die Newtonische Theorie erscheint zuletzt als allgemeine Konfession.
Von Zeit zu Zeit regt sich wieder der Menschenverstand.
Tobias Mayer erklärt sich für die drei Grund- und Haupt-
farben, nimmt gewisse Pigmente als ihre Repräsentanten an
und berechnet ihre möglichen unterscheidbaren Mischungen.

Lambert geht auf demselben Wege weiter. Außer diesen begegnet uns noch eine freundliche Erscheinung. *Scherffer* beobachtet die sogenannten Scheinfarben, sammelt und rezensiert die Bemühungen seiner Vorgänger. *Franklin* wird gleichfalls aufmerksam auf diese Farben, die wir unter die physiologischen zählen.

Die zweite Epoche des achtzehnten Jahrhunderts von *Dollond* bis auf unsere Zeit hat einen eigenen Charakter. Sie trennt sich in zwei Hauptmassen. Die erste ist um die Entdeckung der Achromasie, teils theoretisch, teils praktisch, beschäftigt, jene Erfahrung nämlich, daß man die prismatische Farbenerscheinung aufheben und die Brechung beibehalten, die Brechung aufheben und die Farbenerscheinung behalten könne. Die dioptrischen Fernröhre werden gegen das bisherige Vorurteil verbessert, und die Newtonische Lehre periklitiert in ihrem Innersten. Erst leugnet man die Möglichkeit der Entdeckung, weil sie der hergebrachten Theorie unmittelbar widerspreche; dann schließt man sie durch das Wort *Zerstreuung* an die bisherige Lehre, die auch nur aus Worten bestand. *Priestleys* Geschichte der Optik, durch Wiederholung des Alten, durch Akkommodation des Neuen, trägt sehr viel zur Aufrechterhaltung der Lehre bei. *Frisi*, ein geschickter Lobredner, spricht von der Newtonischen Lehre, als wenn sie nicht erschüttert worden wäre. *Klügel*, der Übersetzer Priestleys, durch mancherlei Warnung und Hindeutung aufs Rechte, macht sich bei den Nachkommen Ehre; allein weil er die Sache läßlich nimmt und seiner Natur, auch wohl den Umständen nach, nicht derb auftreten will, so bleiben seine Überzeugungen für die Gegenwart verloren.

Wenden wir uns zur andern Masse. Die Newtonische Lehre, wie früher die Dialektik, hatte die Geister unterdrückt. Zu einer Zeit, da man alle frühere Autorität weggeworfen, hatte sich diese neue Autorität abermals der Schulen bemächtigt. Jetzt aber ward sie durch Entdeckung der Achromasie erschüttert. Einzelne Menschen fingen an, den Na-

turweg einzuschlagen, und es bereitete sich, da jeder aus
einseitigem Standpunkte das Ganze übersehen, sich von
Newton losmachen oder wenigstens mit ihm einen Vergleich
eingehen wollte, eine Art von Anarchie, in welcher sich
jeder selbst konstituierte und so eng oder so weit, als es
gehen mochte, mit seinen Bemühungen zu wirken trachtete.
Westfeld hoffte die Farben durch eine gradative Wärme-
wirkung auf die Netzhaut zu erklären. *Guyot* sprach, bei
Gelegenheit eines physikalischen Spielwerks, die Unhalt-
barkeit der Newtonischen Theorie aus. *Mauclerc* kam auf
die Betrachtung, inwiefern Pigmente einander an Ergiebig-
keit balancieren. *Marat,* der gewahr wurde, daß die prismatische Erscheinung nur eine Randerscheinung sei, ver-
band die paroptischen Fälle mit dem Refraktionsfalle. Weil
er aber bei dem Newtonischen Resultat blieb und zugab,
daß die Farben aus dem Licht hervorgelockt würden, so
hatten seine Bemühungen keine Wirkung. Ein französischer
Ungenannter beschäftigte sich emsig und treulich mit den
farbigen Schatten, gelangte aber nicht zum Wort des Rät-
sels. *Carvalho*, ein Malteserritter, wird gleichfalls zufällig
farbige Schatten gewahr und baut auf wenige Erfahrungen
eine wunderliche Theorie auf. *Darwin* beobachtet die
Scheinfarben mit Aufmerksamkeit und Treue; da er aber
alles durch mehr und mindern Reiz abtun, und die Phänomene zuletzt, wie *Scherffer*, auf die Newtonische Theorie
reduzieren will, so kann er nicht zum Ziel gelangen. *Mengs*
spricht mit zartem Künstlersinn von den harmonischen Farben, welches eben die, nach unserer Lehre, physiologisch ge-
forderten sind. *Gülich*, ein Färbekünstler, sieht ein, was in
seiner Technik durch den chemischen Gegensatz von Acidum
und Alkali zu leisten ist; allein bei dem Mangel an gelehr-
ter und philosophischer Kultur kann er weder den Widerspruch, in dem er sich mit der Newtonischen Lehre befindet, lösen noch mit seinen eigenen theoretischen Ansichten
ins reine kommen. *Delaval* macht auf die dunkle schatten-
hafte Natur der Farbe aufmerksam, vermag aber weder

durch Versuche noch Methode, noch Vortrag, an denen freilich manches auszusetzen ist, keine Wirkung hervorzubringen. *Hoffmann* möchte die malerische Harmonie durch die musikalische deutlich machen und einer durch die andere aufhelfen. Natürlich gelingt es ihm nicht, und bei manchen schönen Verdiensten ist er wie sein Buch verschollen. *Blair* erneuert die Zweifel gegen Achromasie, welche wenigstens nicht durch Verbindung zweier Mittel soll hervorgebracht werden können; er verlangt mehrere dazu. Seine Versuche an verschiedenen, die Farbe sehr erhöhenden Flüssigkeiten sind aller Aufmerksamkeit wert; da er aber zu Erläuterungen derselben die detestable Newtonische Theorie kümmerlich modifiziert anwendet, so wird seine Darstellung höchst verworren, und seine Bemühungen scheinen keine praktischen Folgen gehabt zu haben.

Zuletzt nun glaubte der Verfasser des Werks, nachdem er so viel über andere gesprochen, auch eine Konfession über sich selbst schuldig zu sein; und er gesteht, auf welchem Wege er in dieses Feld gekommen, wie er erst zu einzelnen Wahrnehmungen und nach und nach zu einem vollständigern Wissen gelangt, wie er sich das Anschauen der Versuche selbst zuwege gebracht und gewisse theoretische Überzeugungen darauf gegründet; wie diese Beschäftigung sich zu seinem übrigen Lebensgange, besonders aber zu seinem Anteil an bildender Kunst verhalte, wird dadurch begreiflich. Eine Erklärung über das in den letzten Jahrzehnden für die Farbenlehre Geschehene lehnt er ab, liefert aber zum Ersatz eine Abhandlung über den von *Herscheln* wieder angeregten Punkt, die Wirkung farbiger Beleuchtung betreffend, in welcher Herr Doktor *Seebeck* zu Jena aus seinem unschätzbaren Vorrat chromatischer Erfahrungen das Zuverlässigste und Bewährteste zusammengestellt hat. Sie mag zugleich als ein Beispiel dienen, wie durch Verbindung von Übereindenkenden, in gleichem Sinne Fortarbeitenden das hie und da Skizzen- und Lückenhafte unseres Entwurfs ausgeführt und ergänzt werden könne, um die

Farbenlehre einer gewünschten Vollständigkeit und end-
lichem Abschluß immer näher zu bringen.

Anstatt des letzten supplementaren Teils folgt voritzt eine
Entschuldigung sowie Zusage, denselben baldmöglichst
nachzuliefern: wie denn vorläufig das darin zu Erwartende
angedeutet wird.

Übrigens findet man bei jedem Teile ein Inhaltsverzeichnis
und am Ende des letzten, zu bequemerem Gebrauch eines
so komplizierten Ganzen, Namen- und Sachregister. Gegenwärtige Anzeige kann als Rekapitulation des ganzen Werks
sowohl Freunden als Widersachern zum Leitfaden dienen.

Ein Heft mit sechzehn Kupfertafeln und deren Erklärung
ist dem Ganzen beigegeben.

Entoptische Farben

An Julien

Laß dir von den Spiegeleien
Unsrer Physiker erzählen,
Die am Phänomen sich freuen,
Mehr sich mit Gedanken quälen.

Spiegel hüben, Spiegel drüben,
Doppelstellung, auserlesen;
Und dazwischen ruht im Trüben
Als Kristall das Erdewesen.

Dieses zeigt, wenn jene blicken,
Allerschönste Farbenspiele,
Dämmerlicht, das beide schicken,
Offenbart sich dem Gefühle.

Schwarz wie Kreuze wirst du sehen,
Pfauenaugen kann man finden;

Tag und Abendlicht vergehen,
Bis zusammen beide schwinden.

Und der Name wird ein Zeichen,
Tief ist der Kristall durchdrungen:
Aug' in Auge sieht dergleichen
Wundersame Spiegelungen.

Laß den Makrokosmos gelten,
Seine spenstischen Gestalten!
Da die lieben kleinen Welten
Wirklich Herrlichstes enthalten.

D. Zur Mineralogie, Geologie, Meteorologie

Über den Granit

Der Granit war in den ältsten Zeiten schon eine merkwürdige Steinart und ist es zu den unsrigen noch mehr geworden. Die Alten kannten ihn nicht unter diesem Namen. Sie nannten ihn Syenit, von Syene, einem Orte an den Grenzen von Äthiopien. Die ungeheuren Massen dieses Steines flößten Gedanken zu ungeheuren Werken den Ägyptiern ein. Ihre Könige errichteten der Sonne zu Ehren Spitzsäulen aus ihm, und von seiner rotgespengten Farbe erhielt er in der Folge den Namen des Feurigbunten. Noch sind die Sphinxe, die Memnonsbilder, die ungeheuren Säulen die Bewunderung der Reisenden, und noch am heutigen Tage hebt der ohnmächtige Herr von Rom die Trümmer eines alten Obelisken in die Höhe, die seine allgewaltige Vorfahren aus einem fremden Weltteile ganz herüberbrachten.

Die Neuern gaben dieser Gesteinart den Namen, den sie jetzt trägt, von ihrem körnigten Ansehen, und sie mußte in unsern Tagen erst einige Augenblicke der Erniedrigung dulden, ehe sie sich zu dem Ansehen, in dem sie nun bei allen Naturkundigen steht, emporhob. Die ungeheuren Massen jener Spitzsäulen und die wunderbare Abwechselung ihres Kornes verleiteten einen italienischen Naturforscher zu glauben, daß sie von den Ägyptiern durch Kunst aus einer flüssigen Masse zusammengehäuft seien.

Aber diese Meinung verwehte geschwind, und die Würde dieses Gesteines wurde von vielen trefflich beobachtenden Reisenden endlich befestigt. Jeder Weg in unbekannte Gebirge bestätigte die alte Erfahrung, daß das Höchste und das Tiefste Granit sei, daß diese Steinart, die man nun näher kennen und von andern unterscheiden lernte, die

Grundfeste unserer Erde sei, worauf sich alle übrigen mannichfaltigen Gebirge hinaufgebildet. In den innersten Eingeweiden der Erde ruht sie unerschüttert, ihre hohe Rücken steigen empor, deren Gipfel nie das alles umgebende Wasser erreichten. So viel wissen wir von diesem Gesteine und wenig mehr. Aus bekannten Bestandteilen, auf eine geheimnisreiche Weise zusammengesetzt, erlaubt es ebensowenig seinen Ursprung aus Feuer wie aus Wasser herzuleiten. Höchst mannichfaltig, in der größten Einfalt wechselt seine Mischung ins Unzählige ab. Die Lage und das Verhältnis seiner Teile, seine Dauer, seine Farbe ändert sich mit jedem Gebirge, und die Massen eines jeden Gebirges sind oft von Schritt zu Schritte wieder in sich unterschieden und im ganzen doch wieder immer einander gleich. Und so wird jeder, der den Reiz kennt, den natürliche Geheimnisse für den Menschen haben, sich nicht wundern, daß ich den Kreis der Beobachtungen, den ich sonst betreten, verlassen und mich mit einer recht leidenschaftlichen Neigung in diesen gewandt habe. Ich fürchte den Vorwurf nicht, daß es ein Geist des Widerspruches sein müsse, der mich von Betrachtung und Schilderung des menschlichen Herzens, des jüngsten, mannichfaltigsten, beweglichsten, veränderlichsten, erschütterlichsten Teiles der Schöpfung zu der Beobachtung des ältesten, festesten, tiefsten, unerschütterlichsten Sohnes der Natur geführt hat. Denn man wird mir gerne zugeben, daß alle naürlichen Dinge in einem genauen Zusammenhange stehen, daß der forschende Geist sich nicht gerne von etwas Erreichbarem ausschließen läßt. Ja man gönne mir, der ich durch die Abwechselungen der menschlichen Gesinnungen, durch die schnellen Bewegungen derselben in mir selbst und in andern manches gelitten habe und leide, die erhabene Ruhe, die jene einsame stumme Nähe der großen, leise sprechenden Natur gewährt, und wer davon eine Ahndung hat, folge mir.

Mit diesen Gesinnungen nähere ich mich euch, ihr ältesten würdigsten Denkmäler der Zeit. Auf einem hohen nackten

Gipfel sitzend und eine weite Gegend überschauend, kann ich mir sagen: Hier ruhst du unmittelbar auf einem Grunde, der bis zu den tiefsten Orten der Erde hinreicht, keine neuere Schicht, keine aufgehäufte zusammengeschwemmte Trümmer haben sich zwischen dich und den festen Boden der Urwelt gelegt, du gehst nicht wie in jenen fruchtbaren schönen Tälern über ein anhaltendes Grab, diese Gipfel haben nichts Lebendiges erzeugt und nichts Lebendiges verschlungen, sie sind vor allem Leben und über alles Leben. In diesem Augenblicke, da die innern anziehenden und bewegenden Kräfte der Erde gleichsam unmittelbar auf mich wirken, da die Einflüsse des Himmels mich näher umschweben, werde ich zu höheren Betrachtungen der Natur hinaufgestimmt, und wie der Menschengeist alles belebt, so wird auch ein Gleichnis in mir rege, dessen Erhabenheit ich nicht widerstehen kann. So einsam sage ich zu mir selber, indem ich diesen ganz nackten Gipfel hinabsehe und kaum in der Ferne am Fuße ein geringwachsendes Moos erblicke, so einsam sage ich, wird es dem Menschen zumute, der nur den ältsten, ersten, tiefsten Gefühlen der Wahrheit seine Seele eröffnen will.

Ja, er kann zu sich sagen: Hier auf dem ältesten ewigen Altare, der unmittelbar auf die Tiefe der Schöpfung gebaut ist, bring ich dem Wesen aller Wesen ein Opfer. Ich fühle die ersten festesten Anfänge unsers Daseins; ich überschaue die Welt, ihre schrofferen und gelinderen Täler und ihre fernen fruchtbaren Weiden, meine Seele wird über sich selbst und über alles erhaben und sehnt sich nach dem nähern Himmel. Aber bald ruft die brennende Sonne Durst und Hunger, seine menschlichen Bedürfnisse, zurück. Er sieht sich nach jenen Tälern um, über die sich sein Geist schon hinausschwang, er bemerkt die Bewohner jener fruchtbaren quellreichen Ebnen, die auf dem Schutte und Trümmern von Irrtümern und Meinungen ihre glücklichen Wohnungen aufgeschlagen haben, den Staub ihrer Voreltern aufkratzen und das geringe Bedürfnis ihrer Tage in einem engen Kreise ruhig befriedigen. Vorbereitet durch diese Gedanken, dringt die Seele in die vergangene Jahrhunderte hinauf, sie vergegenwärtigt sich alle Erfahrungen sorgfältiger Beobachter, alle Vermutungen feuriger Geister. Diese Klippe, sage ich zu mir selber, stand schroffer, zackiger, höher in die Wolken, da dieser Gipfel noch als eine meerumfloßne Insel in den alten Wassern dastand; um sie sauste der Geist, der über den Wogen brütete und in ihrem weiten Schoße die höheren Berge aus den Trümmern des Urgebirges und aus ihren Trümmern und den Resten der eigenen Bewohner die späteren und ferneren Berge sich bildeten. Schon fängt das Moos zuerst sich zu erzeugen an, schon bewegen sich seltner die schaligen Bewohner des Meeres, es senkt sich das Wasser, die höhern Berge werden grün, es fängt alles an, von Leben zu wimmeln.

Aber bald setzen sich diesem Leben neue Szenen der Zerstörungen entgegen. In der Ferne heben sich tobende Vulkane in die Höhe; sie scheinen der Welt den Untergang zu drohen, jedoch unerschüttert bleibt die Grundfeste, auf der ich noch sicher ruhe, indes die Bewohner der fernen Ufer und Inseln unter dem untreuen Boden begraben werden. Ich kehre von jeder schweifenden Betrachtung zurück und sehe die Felsen selbst an, deren Gegenwart meine Seele erhebt und sicher macht. Ich sehe ihre Masse von verworrenen Rissen durchschnitten, hier gerade, dort gelehnt in die Höhe stehen, bald scharf übereinandergebaut, bald in unförmlichen Klumpen wie übereinandergeworfen, und fast möchte ich bei dem ersten Anblicke ausrufen: Hier ist nichts in seiner ersten alten Lage, hier ist alles Trümmer, Unordnung und Zerstörung. Eben diese Meinung werden wir finden, wenn wir von dem lebendigen Anschauen dieser Gebirge uns in die Studierstube zurückeziehen und die Bücher unserer Vorfahren aufschlagen. Hier heißt es bald, das Urgebirge sei durchaus ganz, als wenn es aus einem Stücke gegossen wäre, bald, es sei durch Flözklüfte in Lager und Bänke getrennt, die durch eine große Anzahl Gänge nach

allen Richtungen durchschnitten werden, bald, es sei dieses
Gestein keine Schichten, sondern in ganzen Massen, die
ohne das geringste Regelmäßige abwechselnd getrennt seien,
ein anderer Beobachter will dagegen bald starke Schichten,
bald wieder Verwirrung angetroffen haben. Wie vereinigen
wir alle diese Widersprüche und finden einen Leitfaden zu
ferneren Beobachtungen?

Dies ist es, was ich zu tun mir gegenwärtig vorsetze; und
sollte ich auch nicht so glücklich sein, wie ich wünsche und
hoffe, so werden doch meine Bemühungen andern Gelegenheit geben, weiterzugehen; denn bei Beobachtungen sind
selbst die Irrtümer nützlich, indem sie aufmerksam machen
und dem Scharfsichtigen Gelegenheit geben, sich zu üben.
Nur möchte eine Warnung hier nicht überflüssig sein. Mehr
für Ausländer, wenn diese Schrift bis zu ihnen kommen
sollte, als für Deutsche: diese Gesteinart von andern wohl
unterscheiden zu lernen. Noch verwechseln die Italiener
eine Lava mit dem kleinkörnichten Granit und die Franzosen den Gneis, den sie blättrichten Granit oder Granit
der zweiten Ordnung nennen; ja, sogar wir Deutsche, die
wir sonst in dergleichen Dingen so gewissenhaft sind, haben
noch vor kurzem das Toteliegende, eine zusammengebackene
Steinart aus Quarz und Hornsteinarten und meist unter
den Schieferflözen, ferner die graue Wacke des Harzes, ein
jüngeres Gemisch von Quarz und Schieferteilen, mit dem
Granit verwechselt.

[Der Granit als Unterlage
aller geologischen Bildung]

Da wir von denen Gebirgslagen reden wollen, in der Ordnung, wie wir solche auf- und nebeneinander finden, so ist
es natürlich, daß wir von dem Granit den Anfang machen.
Denn es stimmen alle Beobachtungen, deren neuerdings so

viele angestellt worden, darin überein, daß er die tiefste Gebirgsart unseres Erdbodens ist, daß alle übrigen auf und neben ihm gefunden werden, er hingegen auf keiner andern aufliegt, so daß er, wenn er auch nicht den ganzen Kern der Erde ausmacht, doch wenigstens die tiefste Schale ist, die uns bekannt geworden.

Es unterscheidet sich diese merkwürdige Gesteinart dadurch von allen andern, daß sie zwar nicht einfach ist, sondern aus sichtbaren Teilen besteht; jedoch zeigt der erste Anblick, daß diese Teile durch kein drittes Mittel verbunden sind, sondern nur an- und nebeneinander bestehn und sich selbst untereinander festhalten. Wir nennen diese voneinander wohl zu unterscheidenden Teile: Quarz, Feldspat, Glimmer, wozu noch manchmal einige als Schörl hinzukommen.

Wenn wir diese Teile genau betrachten, so kömmt uns vor, als ob sie nicht, wie man es sonst von Teilen denken muß, vor dem Ganzen gewesen seien, sie scheinen nicht zusammengesetzt oder aneinandergebracht, sondern zugleich mit ihrem Ganzen, das sie ausmachen, entstanden. Und obgleich nur der Glimmer öfters in seiner sechsseitigen, tafelartigen Kristallisation erscheint und Quarz und Feldspat, weil es ihnen an Raum gebrach, die ihnen eigenen Gestalten nicht annehmen konnten, so sieht man doch offenbar, daß der Granit durch eine lebendige, bei ihrem Ursprung sehr zusammengedrängte Kristallisation entstanden ist. – Es sei uns erlaubt, auf die Entstehung desselbigen und auf die Materie, woraus er entstanden, einige Schlüsse zu machen.

Da dem Menschen nur solche Wirkungen in die Augen fallen, welche durch große Bewegungen und Gewaltsamkeit der Kräfte entstehen, so ist er jederzeit geneigt, zu glauben, daß die Natur heftige Mittel gebraucht, um große Dinge hervorzubringen, ob er sich gleich täglich an derselben eines anderen belehren könnte. So haben uns die Poeten ein streitendes, uneinig tobendes Chaos vorgebildet.

Man hat von dem Körper der Sonne ungeheure Massen abschöpfen, ins Unendliche schleudern und so unser Sonnensystem erschaffen lassen.

Mein Geist hat keine Flügel, um sich in die Uranfänge emporzuschwingen. Ich stehe auf dem Granit fest und frage ihn, ob er uns einigen Anlaß geben wolle, zu denken, wie die Masse, woraus er entstanden, beschaffen gewesen.

[Der Dynamismus in der Geologie]

Alles Geologische liegt zwischen einem ältesten und jüngsten; zwischen dem Granite, den wir als erstes Vorhandenes kennen, und den letzten aufgeschwemmten Gebirgen.

Die Hauptschwierigkeit der Geologie beruht auf der Ansicht; darauf nämlich, daß man das Atomistische und Mechanische, welches in gewissen Momenten freilich sich wirksam erweist, solange als möglich zurückdrängt, dem Dynamischen dagegen, einem gesetzmäßig bedingten Entstehen, einem Entwickeln und Umgestalten, sein Recht gibt.

Wenn man, durch die atomistische Betrachtung, ein bereits Gewordenes hin und her treiben, ablagern und erstarren sieht, so führt die dynamische dagegen in den Moment des Entstehens, das lebendige Spiel der Elemente und ihrer Anziehungen ein. In ihr kann sehr vieles noch aus ruhiger Vollstreckung innerer Gesetze hergeleitet werden, was bei jener nur durch einen Aufwand vieler Fluten und äußerer Gewalten begreiflich zu machen ist.

Ebenso lehrt uns die dynamische Ansicht partielles Entstehen ohne Schwierigkeit erklären, was bei dem mechanischen und Flutensysteme kaum denkbar ist; sie hält nämlich die ganze Materie für lebens- und verwandlungsfähig, je nachdem es die Bedingungen herbeiführen; sie leugnet ein Kosmisches nicht; sie setzt ein Spiel der Elemente durch die ganze Atmosphäre, mit Anziehungskräften zu dem Festen, wie wir sie jeden Tag, nur modifiziert, gewahr werden; sie sieht ein, daß eine Wechselwirkung zwischen dem Vorhandenen und Entstehenden dasei, durch welche jenes auf dieses wie dieses auf jenes einwirken könne; sie läßt endlich im bereits Gebildeten noch eine innere Bildung, d. h. eine Sammlung und Anziehung des Ähnlichen und Entsprechenden gelten.

Das unterste, zugrunde liegende, welches wir auf der Erde gefunden, ist das Granitische. Sein auszeichnender Begriff ist, kein Continens und Contentum, sondern ein vollkommenes Ineinandersein, eine vollkommene Dreieinigkeit seiner Teile zu haben. Sie stehen in ihm gleich, und keiner hat ein entschiedenes Übergewicht über den anderen.

Gibt das Granitische diesen Charakter auf, so geschieht es dadurch, daß einer seiner Teile ein Übergewicht über die anderen bekommt, seine Weise zu sein zur herrschenden macht und die übrigen zwingt, nach dieser Weise sich zu gestalten. Der Granit, wo er seinen Charakter aufgibt, hat daher nicht eine, sondern mehrfache Verwandlungsarten.

Indem der Granit seinen Charakter aufgibt, tritt also Vielfältigkeit, mehr oder minder stetig, ein. Er hat aufgehört zu herrschen; nun ist eine Anarchie, in welcher jedes zur Herrschaft strebt. In diesem Momente erscheint die Metallformation.

Dieses Aufgeben seines Charakters im Granite, diese Metamorphose, kann man als ein Aussichschreiten, ein Überschreiten ansehen. Seine Vielfältigkeit zu bezeichnen, denke man es unter dem Bilde einer Kugel, welche so, wie man aus ihrem Mittelpunkte tritt, Radien nach allen Enden zuläßt.

Sehen wir in ihm, daß die Elemente, welche den Granit erzeugen, unter Umständen zu einem anderen, als er selber ist, können determiniert werden, so ist eine rückschreitende Determination, ein Wiederbestimmtwerden des anderen zum Granite gleichfalls nicht völlig undenkbar.

Das erste Überschreiten des Granites geschieht in denjenigen Zustand, in welchem hauptsächlich Metallbildung eintritt. Wiewohl Ton und Kiesel in ihm vorherrschend ist, tritt doch auch bereits mannichfach gesäuerter Kalk in ihm ein.

Aus diesem Überschreiten geschieht ein zweites. In diesem scheint eine schwankendere Bildung als in dem ersten statt-zuhaben. Was eben erst fixiert worden, wird durch neu ein-tretende Ursachen aufgehoben, verzehrt, gestört, neu her-gestellt. Man sucht sich meist mechanisch zu erklären, aber es gehört noch dem Dynamischen an; es ist keine Zerreißung und Ansetzung von außen, sondern ein inneres Aufgelöst- und Neugebundenwerden.

Doch treten mit und in ihm Erscheinungen ein, bei welchen die Reibung und Spülung der Fluten nicht zu verneinen steht, nur seltener, als man glaubt, und manches, was auf den ersten Blick von Flutungen vorzurücken scheint, wird bei genauer Untersuchung besser von Verwitterung her-geleitet.

Bei dem ersten Überschreiten des Granites, also dem ersten erscheinenden Vielfältigen, tritt Kristallisation, also das erste gelungene Individualisieren der Natur ein. Bei diesem letzten zeigen sich organische Gebilde sowohl großer Far-renkräuter als der Korallen.

Dicht am Granite kommt die Grauwacke vor, ein Name für viele Bildungen. Sie trägt große Metallager in sich.

Dicht am Granite liegt auch der Porphyr. Dieser hat alle Bestandteile des Granites, aber nicht in gleicher Herrschaft. Man unterscheidet in ihm das Continens von dem Contento deutlich.

Verschiedene Bekenntnisse

Wo der Mensch im Leben hergekommen, die Seite, von welcher er in ein Fach hereingekommen, läßt ihm einen bleibenden Eindruck, eine gewisse Richtung seines Ganges für die Folge, welches natürlich und notwendig ist.

Ich aber habe mich der Geognosie befreundet, veranlaßt durch den Flözbergbau. Die Konsequenz dieser übereinandergeschichteten Massen zu studieren verwandte ich mehrere Jahre meines Lebens. Diesen Ansichten war die Wernerische Lehre günstig, und ich hielt mich zu derselben, wenn ich schon recht gut zu fühlen glaubte, daß sie manche Probleme unaufgelöst liegenließ.

Der Ilmenauer Bergbau veranlaßte nähere Beobachtung der sämtlichen thüringischen Flöze; vom Totliegenden bis zum obersten Flözkalke, hinabwärts bis zum Granit.

Diese Art des Anschauens begleitete mich auf Reisen; ich bestieg die Schweizer und Savoyer hohen Gebirge, erstere wiederholt; Tirol und Graubünden blieben mir nicht fremd, und ich ließ mir gefallen, daß diese mächtigen Massen sich wohl dürften aus einem Lichtnebel einer Kometen-Atmosphäre kristallisiert haben. Doch enthielt ich mich von eigentlich allgemeineren geologischen Betrachtungen, bestieg den Vesuv und Ätna, versäumte aber nicht, die ungeheure gewaltsame Ausdehnung der Erdbrände, in Gefolg so grenzenloser Kohlenlager, zu beachten, und war geneigt, beide mehr oder weniger als Hauptschweren der Erdoberfläche zu betrachten.

Ich legte doch hierauf keinen Wert, kehrte zu den thüringischen Flözen zurück und habe nun das Vergnügen, daß im vergangenen Oktober unser Salinendirektor *Glenck* in der Tiefe eines Bohrlochs von 1170 Fuß Steinsalz, und zwar in ganz reiner Gestalt dem Bruchstücke nach, teils körnig, teils blättrig, angetroffen.

Die Sicherheit, womit dieser treffliche Mann zu Werke ging, in Überzeugung, daß die Flözlagen des nördlichen

Deutschland vollkommen jenen des südlichen gleich seien, bestätigte meinen alten Glauben an die Konsequenz der Flözbildung und vermehrte den Unglauben in betreff des Hebens und Drängens, Aufwälzens und Quetschens (Refoulement), Schleuderns und Schmeißens, welches mir nach meinem obigen Bekenntnisse durchaus widerwärtig von jeher erscheinen mußte.

Nun aber lese ich in den neusten französischen Tagesblättern, daß dieses Heben und Schieben nicht auf einmal, sondern in vier Epochen geschehen. Voraus wird gesetzt, daß unter dem alten Meere alles ruhig und ordentlich zugegangen, daß aber zuerst der Jurakalk und die ältesten Versteinerungen in die Höhe gehoben worden, nach einiger Zeit denn das sächsisch-böhmische Erzgebirg, die Pyrenäen und Apenninen sich erhoben haben, sodann aber zum dritten und letzten Mal die höchsten Berge Savoyens und also der Montblanc hervorgetreten seien. Dieses von Herrn *Elie de Beaumont* vorgetragene System wird am 28. Oktober 1829 der französischen Akademie von der Untersuchungskommission zu beifälliger Aufnahme und Förderung bestens empfohlen. Ich aber leugne nicht, daß es mir gerade vorkommt, als wenn irgendein christlicher Bischof einige Wedams für kanonische Bücher erklären wollte.

Da ich hier nur Konfessionen niederschreibe, so ist nur von mir und meiner Denkweise die Rede. Es ist nicht das erste Mal in meinem Leben, daß ich das, was andern denkbar ist, unmöglich in meine Denk- und Fassungskraft aufzunehmen vermag.

Wenn ich aber zu meinem Anfang zurückkehre und nun ihr Werk betrachte, so seh ich, daß sie von der allgemeinsten Seite in dieses Geschäft hereingegangen sind; Astronomie, physische Geographie, Physik, Chemie, und was sonst noch allgemein ist, waltet über das Ganze und dient zu Unterstützung jedes ihrer Schritte. Ich hatte schon Kenntnis von der ersten Ausgabe und beschäftigte mich dankbar mit der gegenwärtigen, ungewiß, was ich daraus mir aneignen und in meine gegen diese ungeheuren Allgemeinheiten beinahe abgeschlossenen Richtungen werde benutzen können. Auf alle Fälle sind einige Kapitel mir schon höchst belehrend gewesen, da ihre ausgebreiteten Studien sich über das Neuste der Entdeckungen erstrecken, denen ich in meiner Lage nicht folgen kann.

Die Verlegenheit kann vielleicht nicht größer gedacht werden als die, in der sich gegenwärtig ein fünfzigjähriger Schüler und treuer Anhänger der sowohl gegründet scheinenden als über die ganze Welt verbreiteten Wernerischen Lehre finden muß, wenn er, aus seiner ruhigen Überzeugung aufgeschreckt, von allen Seiten das Gegenteil derselben zu vernehmen hat.

Der Granit war ihm bisher die feste unerschütterte Basis, auf welcher die ganze bekannte Erdoberfläche ihren Ruhestand nahm; er suchte sich die Einlagerungen und Ausweichungen dieses wichtigen Gesteins deutlich zu machen; er schritt über Schiefer und Urkalk, unterwegs auch wohl Porphyr antreffend, zum roten Sandstein und musterte von da manches Flöz zeitgemäß, wie es die Erscheinungen andeuten wollten. Und so wandelte er auf dem ehemals wasserbedeckten, nach und nach entwässerten Erdboden in folgerechter Beruhigung. Traf er auf die Gewalt der Vulkane, so erschienen ihm solche nur als noch immer fortdauernde, aber oberflächliche Spätlingswirkung der Natur. Nun aber scheint alles ganz anders herzugehen; er vernimmt: Schweden und Norwegen möchten sich wohl gelegentlich aus dem Meere eine gute Strecke emporgehoben haben; die ungarischen Bergwerke sollten ihre Schätze von unten auf einströmenden Wirkungen verdanken, und der Porphyr Tirols solle den Alpenkalk durchbrochen und den *Dolomit* mit sich in die Höhe genommen haben; Wirkungen freilich der tiefsten Vorzeit, die kein Auge jemals in Bewegung gesehen, noch weniger irgendein Ohr den Tumult, den sie erregten, vernommen hat.

Was sieht denn hier also ein Mitglied der alten Schule? Übertragungen von einem Phänomen zum andern, sprungweis angewendete Induktionen und Analogien, Assertionen, die man auf Treu und Glauben annehmen soll.

Wiederholt viele Jahre schau' ich mir die Felsen des Harzes, des Thüringer Waldes, Fichtelgebirges, Böhmens, der Schweiz und Savoyens an, eh ich auszusprechen wagte, unser Ur- oder Grundgebirg habe sich aus der ersten großen chaotischen Infusion kristallinisch gebildet und seien also alle jene Zacken und Hörner, alle Bergrücken und die zwischen ihnen leer gebliebenen Täler und Schluchten nicht zu bewundern oder sonst woher abzuleiten als aus jener ersten großen Naturwirkung. Ebenso betrachtete ich ferner das Übergangsgebirg und konnte durchaus das Bestreben selbst der größten Massen zu gewissen Gestaltungen nicht mehr zweifelhaft finden. Die dem Ursprung gleichzeitigen Gänge und die Verruckungen derselben klärten sich auf; die Übergänge, Anlagerungen, und was sonst vorkommen konnte, ward sorgfältig und wiederholt beobachtet, bis zuletzt die Flöze, sogar mit ihrem Inhalt von Kohlenversteinerungen, sich naturgemäß rationell anschlossen, wobei man freilich nicht übereilt verfahren durfte.

Alles, was ich hier ausspreche, hab ich wiederholt und anhaltend geschaut; ich habe, damit ja die Bilder im Gedächtnis sich nicht auslöschen, die genausten Zeichnungen veranstaltet, und so hab ich, bezüglich auf den Teil der Erde, den ich beobachtet, immer Regelmäßigkeit und Folge, und zwar übereinstimmend an mehreren Orten und Enden, gefunden.

Nach diesem Lebens- und Untersuchungsgange, wo nur Beständiges zu meinem Anschauen gekommen, da denn selbst der problematische Basalt als geregelt und in der Folge notwendig erscheinen mußte, kann ich denn meine Sinnesweise nicht ändern, zulieb einer Lehre, die von einer entgegengesetzten Anschauung ausgeht, wo von gar nichts Festem und Regelmäßigem mehr die Rede ist, sondern von zufälligen, unzusammenhängenden Ereignissen. Nach meinem Anschauen baute sich die Erde aus sich selbst aus; hier erscheint sie überall geborsten und diese Klüfte aus unbekannten Tiefen von unten herauf ausgefüllt.

Durch dieses Bekenntnis gedenk ich keineswegs mich als Widersacher der neuern Lehre zu zeigen, sondern auch hier die Rechte meines gegenständlichen Denkens zu behaupten, wobei ich denn wohl zugeben will, daß wenn ich von jeher, wie die Neueren, die mit so großer Übereinstimmung ihre These behaupten, auch aus Auvergne oder wohl gar von den Anden meine Anschauung hätte gewinnen und das, was mir jetzt als Ausnahme in der Natur vorkommt, mir als Regel hätte eindrücken können, ich wohl auch in völligem Einklang mit der jetzt gangbaren Lehre mich befunden hätte.

Gar manches wäre noch zu sagen, allein ich schließe, indem ich die Meinung eines Wohlwollenden oder vielmehr die Art, sich auszudrücken, mir zu eigen gemacht; er hat mich über mich selbst mehr aufgeklärt, den Grund und die Folge meines Daseins mich besser fühlen lassen, als ich ohnedies kaum je erreicht hätte.

Unbeschadet des Glaubens an eine fortschreitende Kultur, ließ sich, wie in der Weltgeschichte, so in der Geschichte der Wissenschaften, gar wohl bemerken, daß der menschliche Geist sich in einem gewissen Kreise von Denk- und Vorstellungsarten herumbewege. Man mag sich noch so sehr bemühen, man kommt nach vielen Umwegen immer in demselben Kreise auf einen gewissen Punkt zurück.

Pater *Kircher*, um gewisse geologische Phänomene zu erklären, legt mitten im Erdball ein Pyrophylacium an und daneben herum manche Hydrophylacien. Da ist denn alles fertig und bei der Hand. Die kalten Quellen entspringen fern von der Feuerglut; die lauen schon etwas näher; die heißen ganz nahe, und diese müßten einen unendlichen Grad von Hitze annehmen, daß sie noch siedend bleiben,

nachdem sie einige Tausend Fuß sich durch das festeste
Grundgestein durchgeschlungen haben. Braucht man einen
Vulkan, so läßt man die Glut selbst durch die geborstene
Erde durchbrechen, und alles geht seinen natürlichen Gang.
Dieser älteren anfänglichen Vorstellung ist die neuere ganz
gleich. Man nimmt eine Feuerglut an unter unserm Ur- und
Grundgebirge, die hie und da sich andeutet, ja hervorbricht
und überall hervorbrechen würde, wenn die Urgebirgsmas-
sen nicht so schwer wären, daß sie nicht gehoben werden
können. Und so sucht man überall problematische Data dahin zu deuten, daß dieses ein oder das andere Mal geschehen sei.

Kirchers Pyrophylacium ist in allen Ehren und Würden
wiederhergestellt; das Hydrophylacium ist auch gleich wieder bei der Hand: die lauen und heißen Quellen sind oben
schon erklärt, und diese Erklärung des Jesuiten im 17. Jahrhundert ist so faßlich, daß in der ersten Hälfte des 18. der
Verfasser der »Amusements des eaux de Spa«, zu Verstän-
digung und Unterhaltung der dortigen Kurgäste, sie zwischen Liebes- und Spielabenteuern und andern romanhaf-
ten Ereignissen mit der größten Gemütsruhe und Sicherheit
vorträgt.

[Hypothese über die Erdbildung]

Damit eine Wissenschaft aus der Stelle rucke, die Erweite-
rungen vollkommener werden, sind Hypothesen so gut als
Erfahrungen und Beobachtungen nötig. Was der Beobachter
treu und sorgfältig gesammelt hat, was ein Vergleich in
dem Geist allenfalls geordnet hat, vereiniget der Philosoph
unter einem Gesichtspunkt, verbindet es zu einem Ganzen
und macht es dadurch übersehbar und genießbar. Sei auch
eine solche Theorie, eine solche Hypothese nur eine Dichtung, so gewährt sie schon Nutzen genug; sie lehrt uns, ein-

zelne Dinge in Verbindung, entfernte Dinge in einer Nachbarschaft zu sehen, und es werden die Lücken einer Erkenntnis nicht eher sichtbar als eben dadurch. Es finden sich gewisse Verhältnisse, die sich aus ihnen nicht erklären lassen. Eben dadurch wird man aufmerksam gemacht, gehet diesen Punkten nach, die eben deswegen die interessantesten sind, weil sie auf ganz neue Seiten führen, und was mehr ist als alles, eine Hypothese erhebt die Seele und gibt ihr die Elastizität wieder, welche ihr einzelne zerstückte Erfahrungen gleichsam rauben. Sie sind in der Naturlehre, was in der Moral der Glaube an einen Gott, in allem die Unsterblichkeit der Seele ist. Diese erhabenen Empfindungen verbinden in sich alles, was übrigens gut in dem Menschen ist, heben ihn über sich selbst weg und führen ihn weiter, als er ohne sie gekommen wäre.

Man hat also unrecht, sich über die Menge der Theorien und Hypothesen zu beklagen; es ist vielmehr besser, je mehr ihrer gemacht werden. Es sind Stufen, auf denen man das Publikum nur kurze Zeit muß ruhen lassen, um es alsdenn immer höher und weiter hinauf zu führen. In diesem Sinne halte ich es gar nicht für überflüssig, noch eine Theorie von der Entstehung der Erde zu wagen, die zwar an sich nicht neu ist, wohl aber manches in eine neue Verbindung stellt, und ich bin überzeugt, daß man die ganze Lehre, wie ich sie vorstelle, in vielen Schriftstellern zerstreut antreffen werde, und ich wünschte, daß irgendein junger Mann, der sich auf die Studien dieser Wissenschaft legte, bei seiner Lektüre achthaben und durch Zitata einem eglichen das Seinige wiedergeben wollte.

Noch führe ich eine Stelle an, in welcher einer unserer ersten Naturkündiger sehr übereinstimmend von demjenigen, was ich oben angeführt habe, denkt und spricht. Ich habe bei der Theorie der Elektrizität der Lehre von zwei Materien einen Vorzug verstattet, nicht um Partei zu nehmen, sondern bloß in der philosophischen Absicht, den Leser auf die Theorie aufmerksam zu machen. Ich wünsche sehr, hier-

bei nicht mißverstanden zu werden. Ich sehe solche Hypothesen in der Physik für nichts weiter an als bequeme Bilder, sich die Vorstellung des Ganzen zu erleichtern. Die
Vorstellungsart, die die größte Erleichterung gewährt, ist
die beste, soweit sie auch von der Wahrheit selbst, der wir
uns dadurch zu nähern suchen, entfernt sein mag. Kenner
werden nunmehr entscheiden, ob die meinige solche Vor-
züge verbindet.

Vergleichsvorschläge, die Vulkanier und Neptunier über die Entstehung des Basalts zu vereinigen

Die Ähnlichkeit der Basalte und Laven sowohl in ihren
Bestandteilen als ihrem äußern Ansehn, die Nähe beider
Steinarten in den Gebirgen, die Übergänge beider inein-
ander haben den Gedanken erregt und befestigt, daß die
Basalte vulkanisch seien. Bei näherer Untersuchung fanden
sich Schwierigkeiten; man konnte die Krater nicht entdek-
ken, woraus isolierte Basaltfelsen, große Basaltstrecken im
flüssigen Zustande hervorgequollen sein sollten, man fand
eine große Verwandtschaft des Basalts mit andern unstrei-
tigen Wasserprodukten, man fand, daß sie sich bald der
Grundgebirgs-, bald der Flözgebirgsart näherten, und wie
man vor einiger Zeit zu viel dem Feuer zuschrieb, wollte
man nun auch wieder dem Wasser alles vindizieren. Die
nahe Verwandtschaft der Basalte und Vulkane ist unleug-
bar, und die Neptunier, dadurch, daß sie die Laven für
geschmolzne Basalte anerkennen wollen, erkennen sie dadurch nunmehr auch an. Waren also die Basalte nicht vulkanisch, so waren auch die Laven basaltisch, und wir schlagen auf diesem Punkte beiden Teilen die Vereinigung vor.
Hier ist unsre Hypothese. Das große, die Erde überdek-
kende Meer hatte aus seiner Masse schon die sogenannten
Grundgebirge abgesetzt, als es in einen siedenden Zustand

geriet, indem gewisse Teile der darin enthaltenen Materien aufeinander freier und kräftiger als vorher wirkten; in dieser heißen Epoche setzten sich die Basalte nieder; und da sie im allgemeinen vorüber war, hatte noch so viel erhitzbare Materie zugleich niedergeschlagen, daß in der Nähe des Meeres noch bis auf den heutigen Tag Vulkane fortbrennen können.

Basalte waren also Ausgeburten eines allgemeinen vulkanischen Meeres; hier waren keine Krater nötig; hier kein Ausfluß, sondern ein großer, heißer, ausgebrannter Niederschlag. Die basaltische, noch nicht in den Mittelzustand versetzte Materie wirkte unter dem Wasser unaufhörlich fort; erzeugte Krusten; die Kräfte wirkten in verschlossenen Höhlen; sie häuften Decke auf Decke, zerrissen sie wieder, Schmelzungen geschahen im Innern und Ausdehnungen; so stiegen die vulkanischen Inseln und Wogenberge in die Höhe, so füllten sich ungeheure Meerbusen aus, so entstanden ganze vulkanische Uferreihen.

Hier liegt also die Verwandtschaft der Basalte und Vulkane.

Es konnten auf diese Weise:

1. Basalte existieren, wo nie nachher weder in der Tiefe des alten Meeres noch in der folgenden Zeit eine vulkanische Wirkung sich geäußert.

2. Können zunächst an den Basalten vulkanische Wirkungen sich geäußert haben und solche wieder geschmolzen haben.

3. Können Vulkane entstanden sein, wo vorher nie sich Basalte gebildet haben, wo nur die zum Erhitzen fähige Materie sich in dem Meer niedergesetzt.

4. Können sowohl in dem zweiten als dritten Fall basaltähnliche Laven entstehen.

Man sieht leicht, daß diese Hypothese sich der einen wie der andern Meinung nähert, und wir übergeben diese Gedanken nicht als Endurteil, sondern als Vergleichsvorschläge beiden Parteien zur geneigten Beherzigung und wünschen

nur, daß wir, wie es Friedenstiftern zu gehen pflegt, uns
den Unwillen beider Teile nicht zuziehen mögen.
NB. Man braucht nicht ungeheure Revolutionen, wodurch
die Kraters weggeschafft worden, so daß bloß die basal-
tischen Kerne stehengeblieben, anzunehmen, sondern die
Basalte werden dadurch, wie es die Neptunier begehren, zu
einem großen, mit dem Grundgebirge und dem Flözgebirge,
nach Verschiedenheit der Umstände, verwandte Gebirgsart.
Man könnte auf diese Weise die Schwefelkiese zu Erklärung der Erhitzung entbehren.

[Vulkanier und Neptunier]

»Faust« II, 4, Hochgebirg

Mephistopheles.
  Das heiß ich endlich vorgeschritten!
  Nun aber sag, was fällt dir ein?
  Steigst ab in solcher Greuel Mitten,
  Im gräßlich gähnenden Gestein?
  Ich kenn es wohl, doch nicht an dieser Stelle,
  Denn eigentlich war das der Grund der Hölle.
Faust.
  Es fehlt dir nie an närrischen Legenden,
  Fängst wieder an, dergleichen auszuspenden.
Mephistopheles *(ernsthaft)*.
  Als Gott der Herr – ich weiß auch wohl, warum –
  Uns aus der Luft in tiefste Tiefen bannte,
  Da, wo zentralisch glühend um und um
  Ein ewig Feuer flammend sich durchbrannte,
  Wir fanden uns bei allzugroßer Hellung
  In sehr gedrängter, unbequemer Stellung.
  Die Teufel fingen sämtlich an zu husten,
  Von oben und von unten auszupusten;

Die Hölle schwoll von Schwefelstank und -säure,
Das gab ein Gas! Das ging ins Ungeheure,
So daß gar bald der Länder flache Kruste,
So dick sie war, zerkrachend bersten mußte.
Nun haben wir's an einem andern Zipfel,
Was ehmals Grund war, ist nun Gipfel.
Sie gründen auch hierauf die rechten Lehren
Das Unterste ins Oberste zu kehren.
Denn wir entrannen knechtisch-heißer Gruft
Ins Übermaß der Herrschaft freier Luft.
Ein offenbar Geheimnis wohl verwahrt
Und wird nur spät den Völkern offenbart.

(Ephes. 6, 12.)

Faust.

Gebirgsmasse bleibt mir edel-stumm,
Ich frage nicht woher? und nicht warum?
Als die Natur sich in sich selbst gegründet,
Da hat sie rein den Erdball abgeründet,
Der Gipfel sich, der Schluchten sich erfreut
Und Fels an Fels und Berg an Berg gereiht;
Die Hügel dann bequem hinabgebildet,
Mit sanftem Zug sie in das Tal gemildet.
Da grünt's und wächst's, und um sich zu erfreuen,
Bedarf sie nicht der tollen Strudeleien.

Mephistopheles.

Das sprecht Ihr so! Das scheint Euch sonnenklar;
Doch weiß es anders, der zugegen war.
Ich war dabei, als noch da drunten, siedend,
Der Abgrund schwoll und strömend Flammen trug;
Als Molochs Hammer, Fels an Felsen schmiedend,
Gebirgestrümmer in die Ferne schlug.
Noch starrt das Land von fremden Zentnermassen;
Wer gibt Erklärung solcher Schleudermacht?
Der Philosoph, er weiß es nicht zu fassen,
Da liegt der Fels, man muß ihn liegen lassen,
Zuschanden haben wir uns schon gedacht. –

    Das treu-gemeine Volk allein begreift
    Und läßt sich im Begriff nicht stören;
    Ihm ist die Weisheit längst gereift:
    Ein Wunder ist's, der Satan kommt zu Ehren.
    Mein Wandrer hinkt an seiner Glaubenskrücke,
    Zum Teufelsstein, zur Teufelsbrücke.

F a u s t.
    Es ist doch auch bemerkenswert zu achten,
    Zu sehn, wie Teufel die Natur betrachten.

M e p h i s t o p h e l e s.
    Was geht mich's an! Natur sei, wie sie sei!
    's ist Ehrenpunkt! – Der Teufel war dabei.
    Wir sind die Leute, Großes zu erreichen;
    Tumult, Gewalt und Unsinn! sieh das Zeichen!
    [. . .]

Atmosphäre

»Die Welt sie ist so groß und breit,
Der Himmel auch so hehr und weit,
Ich muß das alles mit Augen fassen,
Will sich aber nicht recht denken lassen.«

Dich im Unendlichen zu finden,
Mußt unterscheiden und dann verbinden;
Drum danket mein beflügelt Lied
Dem Manne, der Wolken unterschied.

Howards Ehrengedächtnis

Wenn Gottheit *Camarupa*, hoch und hehr,
Durch Lüfte schwankend wandelt leicht und schwer,
Des Schleiers Falten sammelt, sie zerstreut,
Am Wechsel der Gestalten sich erfreut,

Jetzt starr sich hält, dann schwindet wie ein Traum,
Da staunen wir und traun dem Auge kaum.

Nun regt sich kühn des eignen Bildens Kraft,
Die Unbestimmtes zu Bestimmtem schafft;
Da droht ein Leu, dort wogt ein Elefant,
Kameles Hals, zum Drachen umgewandt;
Ein Heer zieht an, doch triumphiert es nicht,
Da es die Macht am steilen Felsen bricht;
Der treuste Wolkenbote selbst zerstiebt,
Eh er die Fern' erreicht, wohin man liebt.

Er aber, *Howard*, gibt mit reinem Sinn
Uns neuer Lehre herrlichsten Gewinn;
Was sich nicht halten, nicht erreichen läßt,
Er faßt es an, er hält zuerst es fest;
Bestimmt das Unbestimmte, schränkt es ein,
Benennt es treffend! – Sei die Ehre dein! –
Wie Streife steigt, sich ballt, zerflattert, fällt,
Erinnre dankbar deiner sich die Welt.

Stratus.
    Wenn von dem stillen Wasserspiegel-Plan
    Ein Nebel hebt den flachen Teppich an,
    Der Mond, dem Wallen des Erscheins vereint,
    Als ein Gespenst Gespenster bildend scheint,
    Dann sind wir alle, das gestehn wir nur,
    Erquickt', erfreute Kinder, o Natur!

    Dann hebt sich's wohl am Berge, sammlend breit
    An Streife Streifen, so umdüstert's weit
    Die Mittelhöhe, beidem gleich geneigt,
    Ob's fallend wässert oder luftig steigt.

Cumulus.
    Und wenn darauf zu höhrer Atmosphäre
    Der tüchtige Gehalt berufen wäre,

Steht Wolke hoch, zum herrlichsten geballt,
Verkündet, festgebildet, Machtgewalt,
Und was ihr fürchtet und auch wohl erlebt,
Wie's oben drohet, so es unten bebt.

C i r r u s.

Doch immer höher steigt der edle Drang!
Erlösung ist ein himmlisch leichter Zwang.
Ein Aufgehäuftes, flockig löst sich's auf,
Wie Schäflein tripplend, leichtgekämmt zu Hauf,
So fließt zuletzt, was unten leicht entstand,
Dem *Vater* oben still in Schoß und Hand.

N i m b u s.

Nun laßt auch niederwärts, durch Erdgewalt
Herabgezogen, was sich hoch geballt,
In Donnerwettern wütend sich ergehn,
Heerscharen gleich entrollen und verwehn! –
Der Erde tätig-leidendes Geschick! –
Doch mit dem Bilde hebet euren Blick:
Die Rede geht herab, denn sie beschreibt;
Der Geist will aufwärts, wo er ewig bleibt.

Wohl zu merken

Und wenn wir unterschieden haben,
Dann müssen wir lebendige Gaben
Dem Abgesonderten wieder verleihn
Und uns eines Folge-Lebens erfreun.

So wenn der Maler, der Poet,
Mit Howards Sondrung wohl vertraut,
Des Morgens früh, am Abend spät
Die Atmosphäre prüfend schaut,

Da läßt er den Charakter gelten;
Doch ihm erteilen luftige Welten
Das Übergängliche, das Milde,
Daß er es fasse, fühle, bilde.

Luke Howard an Goethe

Wie sehr mich die Howardsche Wolkenbestimmung angezogen, wie sehr mir die Formung des Formlosen, ein gesetz-
licher Gestaltenwechsel des Unbegrenzten erwünscht sein
mußte, folgt aus meinem ganzen Bestreben in Wissenschaft
und Kunst; ich suchte mich von dieser Lehre zu durchdringen, befleißigte mich einer Anwendung derselben zu Hause
wie auf Reisen, in jeder Jahreszeit und auf bedeutend verschiedenen Barometer-Höhen; da fand ich denn durch jene
sondernde Terminologie immer Fördernis, wenn ich sie
unter mannichfachen Bedingungen im Übergange und Verschmelzen studierte. Ich entwarf manches Bild nach der
Natur und suchte das Bewegliche, dem Begriff gemäß, auf
Blättern zu fixieren; berief Künstler dazu und bin vielleicht bald imstande, eine Reihe von charakteristisch befrie-
digenden Abbildungen zu liefern, wovon bis jetzt ein
durchgängiger Mangel bedauert wird.

Indes bei wachsender Überzeugung, daß alles, was durch
Menschen geschieht, in ethischem Sinne betrachtet werden
müsse, der sittliche Wert jedoch nur aus dem Lebensgange
zu beurteilen sei, ersuchte ich einen stets tätigen gefälligen
Freund, Herrn *Hüttner* in London, mir, wo möglich, und
wären es auch nur die einfachsten Linien, von Howards
Lebenswege zu verschaffen, damit ich erkennte, wie ein solcher Geist sich ausgebildet, welche Gelegenheit, welche Umstände ihn auf Pfade geführt, die Natur natürlich anzuschauen, sich ihr zu ergeben, ihre Gesetze zu erkennen und
ihr solche naturmenschlich wieder vorzuschreiben.

Meine Strophen zu Howards Ehren waren in England übersetzt und empfahlen sich besonders durch eine aufklärende rhythmische Einleitung; sie wurden durch den Druck bekannt, und also durfte ich hoffen, daß irgendein Wohlwollender meinen Wünschen begegnen werde.

Dieses ist denn auch über mein Erwarten geschehen, indem ich einen eigenhändigen Brief von Luke Howard erhalte, welcher eine ausführliche Familien-, Lebens-, Bildungs- und Gesinnungsgeschichte, mit der größten Klarheit, Reinheit und Offenheit geschrieben, freundlichst begleitet und mir davon öffentlichen Gebrauch zu machen vergönnt. Es gibt vielleicht kein schöneres Beispiel, welchen Geistern die Natur sich gern offenbart, mit welchen Gemütern sie innige Gemeinschaft fortdauernd zu unterhalten geneigt ist.

Gleich beim Empfang dieses liebenswürdigen Dokumentes ward ich unwiderstehlich angezogen und verschaffte mir durch Übersetzung den schönsten Genuß, den ich nun durch nachfolgende Mitteilung auch andern bereiten möchte.

Der gerühmte Schriftsteller, den ich so zum erstenmal und ohne weitere Zeremonien anspreche, verlangt, wie ich von seinem Freund in London vernehme, zur Mitteilung an das deutsche Publikum einige Nachricht über denjenigen, welcher den Versuch schrieb über die *Wolkenbildung.* Da niemand wahrscheinlich so gut vorbereitet ist, dasjenige mitzuteilen, welches gegenwärtig zu diesem Zwecke dienlich sein möchte, als ich selbst, und verschiedene Ursachen sich finden, jetzt, wo man es verlangt hat, damit nicht zurückzuhalten, so füge ich einen Aufsatz bei, welchen ich mir die Freiheit nahm, auf die natürlichste Weise, wie mir scheint, zu schreiben, nämlich in der ersten Person. Da mich jedoch drängende Geschäfte und die Notwendigkeit, Gegenwärtiges morgen abzusenden, bestürmen, so habe ich der Hand eines nahen Freundes überlassen, die reine Abschrift meines Manuskriptes zu fertigen.

Tottenham Green, bei London, den 21. des 2. Monats 1822.

In London ward ich geboren den 28. des 11. Monats (November) 1772 von achtbaren Voreltern; damit meine ich zuerst und vorzüglich, daß mein Vater, Robert Howard, mein Großvater desselbigen Namens, und, wie ich auch nur irgend habe erfahren können, mein Urgroßvater Personen von Rechtlichkeit und ehrwürdig in ihrem Stande waren, als Handelsleute nämlich und Manufakturisten. Sie waren verheiratet an Personen, welche an gleiche Hochachtung Anspruch machten; sodann aber soll mein Ururgroßvater, Gravely Howard, nach einer Familien-Überlieferung, sein Vermögen zugrunde gerichtet oder auf irgendeine Weise seine Güter, in Berkshire gelegen, verloren haben, indem er sich an die Sache Jakobs des Zweiten hielt und ihm nach Irland folgte.

Sein Sohn, Stanley Howard, ward ein Quäker und ließ sich in England nieder, indem er sich an die Gesellschaft anschloß, die man nun gewöhnlich mit dem Namen der Freunde bezeichnet. Dadurch erhielten die Beschäftigungen seiner Abkömmlinge eine neue Richtung, wenn sie anders bei seinem Bekenntnisse bleiben wollten; denn die Gesetze der Freunde schließen die Glieder der Gesellschaft vom Kriegs- und Kirchenstande aus und also fast gänzlich von Staatsstellen und Ehren; aber meines Erachtens entschädigen sie dieselben, indem sie ihnen mehr Muße und Anlaß geben, solche freiwillige Geschäfte zu übernehmen, wodurch in diesem Lande vernünftiger Freiheit ein Mann, der das Gemüt dazu hat, im allgemeinen, nach Maßgabe seiner Kräfte, dem Vaterlande und der Menschheit hinreichende Dienste leisten kann.

Ich war sieben Jahre in einer großen lateinischen Schule zu Burfort, nahe bei Oxford, unter einem Freund, einem trefflichen Mann und guten Klassiker, der aber, von der alten Schule, die Art hatte, diejenigen zu spornen, die nicht geschwind genug lernen konnten, und diejenigen, die es vermochten, zu sehr ihrem eigenen Schritt zu überlassen. Für mich hatte dies die Folge, daß ich immer noch mehr Latein lernte, als ich die Zeit her auch bei vernachlässigten Studien habe verlernen können; in der Mathematik aber war ich so vernachlässigt, daß ich in Mitte so mannichfaltiger Beschäftigungen zeither den Weg dahin niemals habe finden können.

Meine Ansprüche auf einen Mann von *Wissenschaft* sind daher nur gering; weil ich aber mit Beobachtungsfähigkeit geboren war, so fing ich an, davon Gebrauch zu machen, so gut ich ohne Führer vermochte: denn Wissenschaft war damals noch nicht, wie gegenwärtig, ein Teil von jedes Kinds Vergnügen und Erholung, dessen Eltern ihm Bücher und Spielsachen zu verschaffen imstande waren.

Hiernach also zogen die vielen *Nordlichter* jener Jahre meine Aufmerksamkeit auf sich; ich hielt merkwürdige seltene *Wolkenbildung* in der Einbildungskraft fest, machte Versuche über das *Gefrieren des Wassers*, welche sich mit dem Zerspringen meines Glasgefäßes endigten; ferner erinnere ich mich genau des merkwürdigen *Höherauchs* von 1783 sowie auch ganz deutlich der vorüberziehenden Erscheinungen des glänzenden *Meteors* im achten Monat gedachten Jahres.

Ich verließ die Schule, und nach wenig Monaten ging ich in den mühsamen Lehrdienst eines Apothekers in einem Städtchen bei Manchester. Pharmazie war hier ein Teil meiner Hauptbeschäftigung; in den kurzen Zwischenstunden aber bemühte ich mich um französische Sprache, Chemie, Botanik usw. Die Werke Lavoisiers und seiner Mitarbeiter wirkten auf viele von uns wie die aufgehende Sonne nach morgendlichem Mondschein; aber Chemie hat sich jetzt mit der Mathematik verlobt und beweist sich nun etwas spröder gegen ihre vorigen Verehrer.

Nach London in meinem 22. Jahre zurückgekehrt, fuhr ich auf derselbigen Linie des von mir einmal gewählten Geschäftes fort. Aber hier begegnete mir ein Unfall, welcher mir beinahe verderblich gewesen wäre: ich fiel von der Leiter auf eine Flasche, die ich in meiner linken Hand hielt, gefüllt mit einer Auflösung von Arsenik; die Arterie des Arms war getroffen durch einen tiefen und weiten Einschnitt in die Hand unter dem Gelenk, und das Gift drang ungehindert in die Wunde. Ich gedenke dieses Umstandes, weil ich nicht gewiß bin, noch manchmal davon zu leiden: denn es folgten mehrere Tage starke Blutflüsse periodisch zu gewisser Zeit des Nachmittags, da denn die Wundärzte sich nicht anders zu helfen wußten, als die Arterie zu unterbinden, worauf denn die Heilung eintrat und eine Genesung nach einigen Jahren allmählich erfolgte.

In der Zwischenzeit meines untätigen Lebens, wozu ich nun genötigt war, ward ich zwischen andern Untersuchungen aufmerksam auf die Eigenschaften des *Blumenstaubs*, wenn man ihn auf Wasser und Weingeist unter dem Mikroskop betrachtet. Über welchen Gegenstand im Jahre 1800 ein Aufsatz von mir vor der Linnéischen Sozietät gelesen ward.

Im Jahre 1798 trat ich in Geschäftsverbindung mit meinem immer innigsten Freund *William Allen*; einem Manne, dessen Name überall geehrt wird, wo Wissenschaft und Bildung Aufnahme gefunden haben und Gelegenheit gaben, zwischen Menschen von verschiedenen Nationen Verkehr zu eröffnen. Mein eigentliches Geschäft in dieser Verbindung war, ein damals neu eingerichtetes Laboratorium in Plaistew, wenig Meilen von London, zu besorgen; da ich denn, meiner Pflicht nach, von einem Werk zum andern gehend, oft unter freiem Himmel zu sein genötigt, die sonst gewohnten Beobachtungen wieder aufnahm und über die Ansichten der Atmosphäre und meteorologische Register zu schreiben anfing.

Mein Freund Allen und ich gehörten zu einer auserlesenen philosophischen Gesellschaft, welche vierzehntägig im Winter in London zusammenkam; jedes Mitglied war verpflichtet, der Reihe nach einen Versuch zur Prüfung vorzulegen oder eine Buße zu bezahlen. Dieser Verpflichtung gemäß fand ich mich veranlaßt, der Gesellschaft, unter andern, weniger originellen Papieren, den Versuch über die *Wolken* vorzulegen. Man hielt ihn öffentlicher Mitteilung wert, und er ward in Tillochs philosophischem Magazin abgedruckt, dessen Herausgeber zu unsern Mitgliedern gehörte. Umstände haben längst diese kleine Brüderschaft aufgelöst, die, solange sie bestand, sich die »Askesian Society« nannte, »von ἄσκησις, exercitatio«, und ich glaube, daß manche, die sich dazu mit Eifer hielten, jenen Exerzitien gar manchen Vorteil im wissenschaftlichen Charakter schuldig geworden.

Hier hat nun mein ehrwürdiger und allzu parteiischer Freund die Übersicht des im Betracht der Wissenschaft tätigsten und bemerkenswertesten Teils meines Lebens; und da er nun gesehen, wie die *Perle*, die er schätzt, aus der Muschel genommen worden, und nun auch die Schale gefischt hat, um sie als Perlmutter in seinem Kabinett aufzustellen, so möchte er vielleicht unangenehm überrascht sein, wenn es doch nur zuletzt eine Austerschale wäre.

Mein vorgemeldeter trefflicher Freund Allen und ich, nachdem wir sieben Jahre zusammengearbeitet hatten, trennten uns mit wechselseitiger Zufriedenheit; er behielt sein Interesse in London in den dortigen Einrichtungen, und ich wählte zu Teilnehmern zwei Männer, deren ungemeines Verdienst an ihren verschiedenen Stellen als Aufseher bei dem ersten Unternehmen ihnen das Recht gab, als Prinzipale zu erscheinen. Unter ihrer unmittelbaren Sorge nun, durch die Kraft ihres Fleißes und Geschicklichkeit, gewann das Laboratorium einen festen Charakter und ist bis auf den heutigen Tag vorwärtsgegangen, nur mit verändertem Lokale, das nunmehr in Stratfort, Grafschaft Essex, gelegen. Es beschäftigt über dreißig Arbeiter und liefert in großen Quantitäten verschiedene chemische Produkte, deren der Apotheker und mancher andere Künstler bedarf.

Nun möcht es aber wunderlich scheinen, daß ich bei so guter Gelegenheit nichts als Chemiker herausgegeben. Die Antwort auf eine solche Frage möchte kurz und entscheidend sein: C'est notre métier! Wir leben von Ausübung der Chemie als einer Kunst, nicht um sie als Wissenschaft dem Publikum mitzuteilen. Der glückliche Erfolg unserer Arbeiten, bei der kräftigen Mitbewerbung, welcher der geistreiche Mann hier nicht entgehen kann, hängt davon ab, daß wir, solange es nur tunlich ist, ausschließlich die neuen Vorteile und Handgriffe benutzen, die uns im Praktischen bekannt werden. In solcher Lage und da wir Söhne haben, die in unsern Stellen dereinst folgen sollen, lehnen wir ab, unsere Behandlungsweise irgend jemand mitzuteilen; dadurch erhalten und fördern wir eine Anstalt, die in der Tat nützlich und bedeutend für ein Land ist, das zum größten Teil von ihrem Dasein nichts weiß. Dabei darf man wohl behaupten, daß selbst die Fortschritte der chemischen Wissenschaft mehr gefördert als zurückgehalten worden durch ein solches Betragen, indem wir immerfort imstande sind, dem experimentierenden Chemiker ein oder das andere Material im vollkommenen Zustand zu überliefern.

Gleiche Ursachen, mit einem unveränderten Gefallen an dem Gegenstande, haben meinen Zusammenhang mit der Wissenschaft auf den einzigen Zweig der Meteorologie begrenzt. Ich habe neuerlich die Resultate von zehnjährigen Beobachtungen geordnet in einem Werk, zwei Bände, 8°, betitelt: »Das Klima von London«. Ich sende es nach Weimar und wünsche demselben bei seiner Ankunft eine freundliche Aufnahme. Darin bin ich so frei mit den Jahrszeiten umgegangen als früher mit den Wolken, und ich darf mir schmeicheln, daß auch hier eine zunehmende Aufmerksamkeit auf den Gegenstand das Resultat geworden. Es hat eine freundliche Aufnahme gefunden, und seit seiner Erscheinung bin ich als Mitglied der Königl. Sozietät, wohin ich noch andere Aufsätze gesendet habe, vorgeschlagen und aufgenommen worden.

Sollte man hier aber noch zu fragen bewogen sein, wie ich, ohne ein Geschäft, das meine ganz besondere Aufmerksamkeit erfordere und wenig zur Wissenschaft beitrage, wie ich es einrichte, meine Zeit zuzubringen, so könnt' ich wohl verschiedene Ursachen meiner Untätigkeit anführen, noch außer einer schwachen Gesundheit, wovon schon die Rede war.

Ich bin nämlich ein Mann von häuslichen Gewohnheiten, glücklich in meiner Familie und mit wenigen Freunden, die ich nur mit Widerstreben für andere Zirkel verlasse. Und hier scheint mir der Ort, zu gedenken, daß ich 1796 in den verehlichten Stand trat mit Mariabella, Tochter von Johann Eliot von London, einem Ehrenmann, Mitglied der Gesellschaft der Freunde; wir haben fünf lebende Kinder, drei Söhne und zwei Töchter, wovon das älteste nahe einundzwanzig Jahre zählt; sie sind alle bis daher zu Hause erzogen und in der Nachbarschaft, daß die Periode ihres Heranwachsens uns eine Quelle von Vergnügen und wechselseitigem Lieberwerden sein mußte, welches meinen eigenen guten Eltern fehlte, da ihre Kinder so weit umher verteilt waren; und dennoch bin ich sehr viel im Leben der Sorge und dem Schutz eines trefflichen Vaters schuldig geworden.

Da nun aber der Mann so deutlich vor *dir* steht, so darf ich wohl auch mit *einem* Mal die wahre Ursache aussprechen, warum er vergleichungsweise unfruchtbar für die Wissenschaft ist, zugleich aber die Quelle seiner größten Schmerzen und höchsten Vergnügungen aufdecken. – Mit *einem* Wort nun: er ist ein *Christ*, und der praktische Sinn, in welchem er seine Religion erfaßt, vergönnt ihm in der Tat nur wenig Zeit für ihn selbst.

Ich bitte, mein Freund, nicht zu stutzen, als wenn etwas Enthusiastisches folgen sollte; ich versuche vielmehr, mich deutlich zu machen. Christentum ist bei mir nicht eine Anzahl Begriffe, worüber man spekulieren könnte, oder eine Reihe von Zeremonien, womit man sein Gewissen beschwichtigt, wenn man auch sonst an Handlungen nichts Gutes aufzuweisen hätte; es ist kein System durch Gewalt vorgeschrieben, durch menschliche Gesetze bekräftigt, zu

dessen Bekenntnis man andere durch Zwang nötigen oder
sie durch Kunst anlocken könnte, es ist vielmehr der gerade, reine Weg zum Frieden der Seele, zur Glückseligkeit,
vorgezeichnet in der Schrift, besonders im Neuen Testa-
ment, es ist die Methode, wodurch der Mensch, welcher
durch Sündigen ein Feind Gottes geworden ist, nach red-
lichem Bereuen ihm wieder versöhnt wird durch Jesus
Christ, dessen Opfer und Vermittelung; sodann aber, sol-
cherweise durch ihn erlöst, an ihn glaubend, fähig wird,
dem inwohnenden Bösen zu widerstehen, aufgelegt zu guten Werken, durch geheime Hülfe und Einfluß des Heiligen
Gottes-Geistes.

Betracht ich nun meine Religion in diesem Lichte und fühle
nach dieser Weise, daß sie Gesetz meines Lebens und meiner Neigungen geworden, so kann ich mich nicht entschlie-
ßen, um mein selbst willen zu leben, da die Freuden jenes
Lebenslaufes zehnfach größer sind als alles, was mir sonst
angeboten werden könnte.

Auszubreiten daher gute Grundsätze, Moralität zu befördern und sorgfältige Erziehung der Jugend, auf Erhaltung
der Ordnung und Disziplin in der Gesellschaft der Freunde,
zu Beilegung aller Streitigkeiten mitzuwirken, zu Auf-
erbauung der Bedrängten an Leib und Seele beizutragen,
dies ist die Natur des Bestrebens und der Vereine, welchen
ich nun herkömmlich angehöre.

Da ich nun auch einige Leichtigkeit der Feder erworben
habe, bin ich zufrieden, sie oft in solchen Diensten zu benutzen, woher weder Ruhm noch Vorteil entspringen kann
und wobei wahrscheinlich die auf diese Weise entstandenen
Hefte nach wenigen Jahren keinem gewissen Autor mehr
zuzuschreiben sind.

Bin ich deshalb ein Tor nach Goethes Schätzung? Ich glaube
nicht. Denn so gewiß als die gegenwärtige Welt wirklich
ist, so gewiß wird nach diesem auch eine sein, wo jeder gerichtet werden wird nach den Taten, die er hier getan hat.
Auf dieser Zukunft beruhen meine Hoffnungen, und dar-

aus fließt die mäßige Schätzung des Gegenwärtigen, versichert, daß wenn ich bis ans Ende verharre, ich meinen Lohn empfangen werde.

Da ich nun recht gut weiß, daß die Welt in jedem andern Charakter mich wohl entbehren kann, so bin ich zufrieden, darin meistenteils als *Christ* beschäftigt zu sein. Die Wissenschaft wird ohnehin vorwärtsgehen, denn es finden sich viele Arbeiter; die nützlichen Künste werden sich der Vollkommenheit nähern (die schädlichen, denk ich, sind schon ganz daran, ihren Meridian zu verlassen); das Menschengeschlecht wird zunehmen, die Erde bevölkert werden, wie sich es gegenwärtig nicht wohl von ihr behaupten läßt, und indessen Geschlechter vorwärtsgehen, wird der Verstand der Menschen erleuchteter werden, und der so die Welt regiert, wird nicht zugeben, daß ihre Herzen verdorben bleiben. Nein! die christliche Religion, in aufrichtiger Ausübung, wird sich über die Nationen verbreiten und der Zustand der Menschen überhaupt werden. Teilweise ist dies schon auf einen unberechenbaren Grad geschehen, sowohl im sittlichen als bürgerlichen Sinne; Kriege werden aufhören, mit anderm erniedrigendem Aberglauben und verderblichen Praktiken, die Gesellschaft wird eine neue Gestalt gewinnen, allgemeines Übereinstimmen und wechselseitiges gutes Bedienen, zwischen Nationen und Individuen, wird an die Stelle treten der gegenwärtigen Selbstheit und Mißstimmung. Mag's doch sein, daß zwischen alles dieses irgendeine Periode von Gegenwirkung und Verfolgung der Guten eintrete, zuletzt wird immer über diese geprüfte und glückliche Gesellschaft der Sohn Gottes, welcher sein Leben hingab, als das Mittel, die Welt zu bilden, in Frieden regieren, bis das Ende kommt. Dann wird ein geringer Glaube, welcher in diesem Leben zur Tugend reifte, die stolzesten Denkmale der Gewalt menschlichen Verstandes überwiegend gefunden werden. O welch ein edles Gedicht könnte sich aus einem solchen Gegenstand entwickeln! Doch ich träume! Unser eigener Milton, so hoch er sich erhob, hatte keine Schwingen, dorthin zu reichen. Und sehr weislich wendete er »die Gedanken, die sich freiwillig in harmonischen Maßen bewegten«, mehr die äußerlichen Umstände zu imaginieren, als daß er versucht hätte, die Substanz göttlicher Dinge zu entwickeln. Denn diese begreift nach allem doch am besten, wer mit demütigem Herzen und Gebet zu Gott um sein Licht in dieser Angelegenheit die klare, kräftige Prose des Alten und Neuen Testaments in sich aufnimmt.

Hiernach wird es meinen Freund nicht wundern, daß ich mich für die allgemeine Verbreitung der Heiligen Schriften erkläre und wirklich sehr viele Zeit abwechselnd den Geschäften der britischen und ausländischen Bibelsozietät zuwende, von deren Kommittierten in London ich ein Mitglied bin, wie auch mein Vater war, vom Ursprung dieses Unternehmens bis zu seinem Tode.

Schließlich, sollte ein Mann wie dieser, und so beschäftigt, ferner den Anteil von Goethe sich erhalten können, so werden Briefe freundlich aufgenommen und jede schuldige Genugtuung seinen Fragen und Wünschen erfolgen.

Versuch einer Witterungslehre

1825

Einleitendes und Allgemeines

Das Wahre, mit dem Göttlichen identisch, läßt sich niemals von uns direkt erkennen, wir schauen es nur im Abglanz, im Beispiel, Symbol, in einzelnen und verwandten Erscheinungen; wir werden es gewahr als unbegreifliches Leben und können dem Wunsch nicht entsagen, es dennoch zu begreifen.

Dieses gilt von allen Phänomenen der faßlichen Welt, wir

aber wollen diesmal nur von der schwer zu fassenden Witterungslehre sprechen.

Die Witterung offenbart sich uns, insofern wir handelnde, wirkende Menschen sind, vorzüglich durch Wärme und Kälte, durch Feuchte und Trockne, durch Maß und Übermaß solcher Zustände, und das alles empfinden wir unmittelbar, ohne weiteres Nachdenken und Untersuchen.

Nun hat man manches Instrument ersonnen, um eben jene uns täglich anfechtenden Wirkungen dem Grade nach zu versinnlichen; das Thermometer beschäftiget jedermann, und wenn er schmachtet oder friert, so scheint er in gewissem Sinne beruhigt, wenn er nur sein Leiden nach Réaumur oder Fahrenheit dem Grade nach aussprechen kann.

Nach dem Hygrometer wird weniger gesehen. Nässe und Dürre nehmen wir täglich und monatlich auf, wie sie eintreten. Aber der Wind beschäftiget jedermann; die vielen aufgesteckten Fahnen lassen einen jeden wissen, woher er komme und wohin er gehe, jedoch was es eigentlich im ganzen heißen solle, bleibt hier, wie bei den übrigen Erscheinungen, ungewiß.

Merkwürdig ist es aber, daß gerade die wichtigste Bestimmung der atmosphärischen Zustände von dem Tagesmenschen am allerwenigsten bemerkt wird; denn es gehört eine kränkliche Natur dazu, um gewahr zu werden, es gehört schon eine höhere Bildung dazu, um zu beobachten diejenige atmosphärische Veränderung, die uns das Barometer anzeigt.

Diejenige Eigenschaft der Atmosphäre daher, die uns so lange verborgen blieb, da sie bald schwerer, bald leichter, in einer Folgezeit an demselbigen Ort oder zu gleicher Zeit an verschiedenen Orten, und zwar in verschiedenen Höhen sich manifestiert, ist es, die wir denn doch in neuerer Zeit immer an der Spitze aller Witterungsbeobachtungen sehen und der auch wir einen besondern Vorzug einräumen.

Hier ist nun vor allen Dingen der Hauptpunkt zu beachten: daß alles, was ist oder erscheint, dauert oder vorübergeht, nicht ganz isoliert, nicht ganz nackt gedacht werden dürfe; eines wird immer noch von einem anderen durchdrungen, begleitet, umkleidet, umhüllt; es verursacht und erleidet Einwirkungen, und wenn so viele Wesen durcheinander arbeiten, wo soll am Ende die Einsicht, die Entscheidung herkommen, was das Herrschende, was das Dienende sei, was voranzugehen bestimmt, was zu folgen genötigt werde? Dieses ist's, was die große Schwierigkeit alles theoretischen Behauptens mit sich führt, hier liegt die Gefahr: Ursache und Wirkung, Krankheit und Symptom, Tat und Charakter zu verwechseln.

Da bleibt nun für den ernst Betrachtenden nichts übrig, als daß er sich entschließe, irgendwo den Mittelpunkt hinzusetzen und alsdann zu sehen und zu suchen, wie er das übrige peripherisch behandle. Ein solches haben auch wir gewagt, wie sich aus dem Folgenden weiter zeigen wird.

Eigentlich ist es denn die Atmosphäre, in der und mit der wir uns gegenwärtig beschäftigen. Wir leben darin als Bewohner der Meeresufer, wir steigen nach und nach hinauf bis auf die höchsten Gebirge, wo es zu leben schwer wird; allein mit Gedanken steigen wir weiter, wir wagten den Mond, die Mitplaneten und ihre Monde, zuletzt die gegeneinander unbeweglichen Gestirne als mitwirkend zu betrachten, und der Mensch, der alles notwendig auf sich bezieht, unterläßt nicht, sich mit dem Wahne zu schmeicheln, daß wirklich das All, dessen Teil er freilich ausmacht, auch einen besondern merklichen Einfluß auf ihn ausübe.

Daher wenn er auch die astrologischen Grillen: als regiere der gestirnte Himmel die Schicksale der Menschen, verständig aufgab, so wollte er doch die Überzeugung nicht fahrenlassen, daß, wo nicht die Fixsterne, doch die Planeten, wo nicht die Planeten, doch der Mond die Witterung bedinge, bestimme und auf dieselbe einen regelmäßigen Einfluß ausübe.

Alle dergleichen Einwirkungen aber lehnen wir ab; die Witterungserscheinungen auf der Erde halten wir weder für

kosmisch noch planetarisch, sondern wir müssen sie nach
unseren Prämissen für rein tellurisch erklären.

Sogenannte Oszillation

Außer der bisher behandelten, weder an Jahres- noch Ta-
geszeit gebundenen Bewegung des Merkurs in der Glasröhre
ist uns in der neueren Zeit durch mannichfache Beobachtungen eine andere Bewegung des Quecksilbers in der Röhre
bekannt geworden, welche ihre Bestimmung in vierundzwanzig Stunden durchläuft.
Die verschiedenen in Europa angestellten Beobachtungen
zeigen diese Bewegung nicht unmittelbar, wir übergehen sie
jetzt und halten uns an Beobachtungen, die unter dem
Äquator auf dem Meere angestellt worden, wo das Phänomen aufs deutlichste hervorzutreten scheint.
Wir legen eine Stelle aus *Simonows* Beschreibung einer Ent-
deckungsreise, Wien 1824, zum Grunde, welche folgendermaßen lautet:
S. 33. »Die Erscheinungen, die sich nach diesen Beobachtungen auf dem Barometer zeigten und die bisher selten untersucht wurden, bestehen darin, daß das Quecksilber an
jedem Tage allmählich bis zum höchsten Grade des Barometers steigt und von diesem wieder langsam zu fallen anfängt. Dieses Steigen und Fallen des Quecksilbers im Barometer geschieht zweimal in vierundzwanzig Stunden. Nämlich um 9 Uhr in der Früh und abends um dieselbe Stunde
(steht es am höchsten), Nachmitternacht und Nachmittag
auf dem niedrigsten Punkte.«
(»Voyage d'Alexandre de Humboldt«, Tom. III, p. 2, 3:
»les oscillations du Mercure dans le baromètre indiquent
l'heure presque comme une horloge«; p. 310: »Les deux
minima barométriques coincident presque avec les époques
les plus chaudes et les plus froides du jour et de la nuit.«)
Auch hier gedenken wir uns, nach gewohnter Art, an das

Gewisseste zu halten, um nach und nach dem Ungewissen desto eher beizukommen.

Ganz deutlich ist in vorstehendem ausgesprochen, daß um Nachmittag und Nachmitternacht das Barometer auf dem niedrigsten Punkte stehe; daß um 9 Uhr früh und abends um dieselbe Stunde es am höchsten stehe, mußten wir durch eine Parenthese aussprechen, das es uns nur zufällig ausgelassen scheint.

Hierauf nun fußend, lehnen wir alle äußern Einflüsse abermals ab und sagen: Diese Erscheinung ist tellurisch. Wir stellen uns vor, daß innerhalb der Erde eine rotierende Bewegung sei, welche den ungeheuren Ball in vierundzwanzig Stunden um sich selbst herum nötigt und die man sich als lebendige Schraube ohne Ende versinnlichen mag.

Aber dieses ist nicht genug; diese Bewegung hat ein gewisses Pulsieren, ein Zu- und Abnehmen, ohne welches keine Lebendigkeit zu denken wäre, es ist gleichfalls ein regelmäßiges Ausdehnen und Zusammenziehen, das sich in vierundzwanzig Stunden wiederholt, am schwächsten Nachmittag und Nachmitternacht wirkt und morgens 9 Uhr und abends um dieselbe Stunde die höchste Stufe erreicht.

Wiederaufnahme

Hiernach werden also zwei Grundbewegungen des lebendigen Erdkörpers angenommen und sämtliche barometrische Erscheinungen als symbolische Äußerung derselben betrachtet.

Zuerst deutet uns die sogenannte Oszillation auf eine gesetzmäßige Bewegung um die Axe, wodurch die Umdrehung der Erde hervorgebracht wird, woraus denn Tag und Nacht erfolgt. Dieses Bewegende senkt sich in vierundzwanzig Stunden zweimal und erhebt sich zweimal, wie solches aus mannichfaltigen bisherigen Beobachtungen hervorgeht; wir versinnlichen sie uns als lebendige Spirale, als belebte Schraube ohne Ende; sie bewirkt als anziehend und nachlassend das tägliche Steigen und Fallen des Barometers unter der Linie; dort, wo die größte Erdmasse sich umrollt, muß sie am bemerklichsten sein, gegen die Pole sich vermindern, ja Null werden, wie auch schon von Beobachtern ausgesprochen ist. Diese Rotation hat auf die Atmosphäre entschiedenen Einfluß, Klarheit und Regen erscheinen tagtäglich abwechselnd, wie die Beobachtungen unter dem Äquator deutlich beweisen.

Die zweite allgemein bekannte Bewegung, die wir einer vermehrten oder verminderten Schwerkraft gleichfalls zuschreiben und sie einem Ein- und Ausatmen vom Mittelpunkte gegen die Peripherie vergleichen, diese darzutun haben wir das Steigen und Fallen des Barometers als Symptom betrachtet.

Bändigen und Entlassen der Elemente

Indem wir nun vorstehendes unablässig durchzudenken, anzuwenden und zu prüfen bemüht sind, werden wir durch manches eintretende Ereignis immer weitergeführt; man lasse uns daher in Betracht des Gesagten und Ausgeführten noch folgendes vortragen.

Es ist offenbar, daß das, was wir Elemente nennen, seinen eigenen wilden wüsten Gang zu nehmen immerhin den Trieb hat. Insofern sich nun der Mensch den Besitz der Erde ergriffen hat und ihn zu erhalten verpflichtet ist, muß er sich zum Widerstand bereiten und wachsam erhalten. Aber einzelne Vorsichtsmaßregeln sind keineswegs so wirksam, als wenn man dem Regellosen das Gesetz entgegenzustellen vermöchte, und hier hat uns die Natur aufs herrlichste vorgearbeitet, und zwar indem sie ein gestaltetes Leben dem Gestaltlosen entgegensetzt.

Die Elemente daher sind als kolossale Gegner zu betrachten, mit denen wir ewig zu kämpfen haben und sie nur durch die höchste Kraft des Geistes, durch Mut und List, im einzelnen Fall bewältigen.

Die Elemente sind die Willkür selbst zu nennen; die Erde möchte sich des Wassers immerfort bemächtigen und es zur Solideszenz zwingen, als Erde, Fels oder Eis in ihren Umfang nötigen. Ebenso unruhig möchte das Wasser die Erde, die es ungern verließ, wieder in seinen Abgrund reißen. Die Luft, die uns freundlich umhüllen und beleben sollte, rast auf einmal als Sturm daher, uns niederzuschmettern und zu ersticken. Das Feuer ergreift unaufhaltsam, was von Brennbarem, Schmelzbarem zu erreichen ist. Diese Betrachtungen schlagen uns nieder, indem wir solche so oft bei großem unersetzlichem Unheil anzustellen haben. Herz und Geist erhebend ist dagegen, wenn man zu schauen kommt, was der Mensch seinerseits getan hat, sich zu waffnen, zu wehren, ja seinen Feind als Sklaven zu benutzen.

Das Höchste jedoch, was in solchen Fällen dem Gedanken gelingt, ist: gewahr zu werden, was die Natur in sich selbst als Gesetz und Regel trägt, jenem ungezügelten, gesetzlosen Wesen zu imponieren. Wieviel ist nicht davon zu unserer Kenntnis gekommen! Hier dürfen wir nur des Nächsten gedenken.

Die erhöhte Anziehungskraft der Erde, von der wir durch das Steigen des Barometers in Kenntnis gesetzt sind, ist die Gewalt, die den Zustand der Atmosphäre regelt und den Elementen ein Ziel setzt; sie widersteht der übermäßigen Wasserbildung, den gewaltsamsten Luftbewegungen; ja die Elektrizität scheint dadurch in der eigentlichsten Indifferenz gehalten zu werden.

Niederer Barometerstand hingegen entläßt die Elemente, und hier ist vor allen Dingen zu bemerken, daß die untere Region der Kontinental-Atmosphäre Neigung habe, von Westen nach Osten zu strömen; Feuchtigkeit, Regengüsse, Wellen, Wogen, alles zieht milder oder stürmischer ostwärts, und wo diese Phänomene unterwegs auch entspringen mögen, so werden sie schon mit der Tendenz nach Osten zu dringen geboren.

Hiebei deuten wir noch auf einen wichtigen, bedenklichen Punkt: Wenn nämlich das Barometer lange tief gestanden hat und die Elemente des Gehorsams ganz entwöhnt sind, so kehren sie nicht alsobald bei erhöhter Barometerbewegung in ihre Grenzen zurück; sie verfolgen vielmehr noch einige Zeit das vorige Gleis, und erst nach und nach, wenn der obere Himmel schon längst zu ruhiger Entschiedenheit gekommen, gibt sich das in den untern Räumen Aufgeregte in das erwünschte Gleichgewicht. Leider werden wir auch von dieser letzten Periode zunächst betroffen und haben besonders als Meeranwohner und Schiffahrende großen Schaden davon. Der Schluß des Jahres 1824, der Anfang des gegenwärtigen gibt davon die traurigste Kunde; West und Südwest erregen, begleiten die traurigsten Meeres- und Küstenereignisse.

Ist man nun einmal auf dem Wege, seine Gedanken ins Allgemeine zu richten, so findet sich kaum eine Grenze; gar geneigt wären wir daher, das Erdbeben als entbundene tellurische Elektrizität, die Vulkane als erregtes Elementarfeuer anzusehen und solche mit den barometrischen Erscheinungen im Verhältnis zu denken. Hiemit aber trifft die Erfahrung nicht überein, diese Bewegungen und Ereignisse scheinen besondern Lokalitäten, mit mehr oder minderer Wirkung in die Ferne, ganz eigens anzugehören.

Analogie

Hat man sich vermessen, wie man wohl gelegentlich verführt wird, ein größeres oder kleineres wissenschaftliches Gebäude aufzuführen, so tut man wohl, zu Prüfung desselben sich nach Analogien umzusehen; befolg ich aber diesen Rat im gegenwärtigen Falle, so finde ich, daß die vorstehende Ausführung derjenigen ähnelt, welche ich bei dem Vortrag der Farbenlehre gebrauchte.

In der Chromatik nämlich setze ich Licht und Finsternis

einander gegenüber; diese würden zueinander in Ewigkeit keinen Bezug haben, stellte sich nicht die Materie zwischen beide; diese sei nun undurchsichtig, durchsichtig oder gar belebt, so wird Helles und Dunkles an ihr sich manifestieren und die Farbe sogleich in tausend Bedingungen an ihr entstehen.

Ebenso haben wir nun *Anziehungskraft* und deren Erscheinung, *Schwere*, an der einen Seite, dagegen an der andern *Erwärmungskraft* und deren Erscheinen, *Ausdehnung*, als unabhängig gegeneinander übergestellt; zwischen beide hinein setzten wir die *Atmosphäre*, den von eigentlich sogenannten Körperlichkeiten leeren Raum, und wir sehen, je nachdem obgenannte beide Kräfte auf die feine Luftmaterialität wirken, das, was wir Witterung nennen, entstehen und so das Element, *in* dem und *von* dem wir leben, aufs mannichfaltigste und zugleich gesetzlichste bestimmt.

Anerkennung des Gesetzlichen

Bei dieser, wie man sieht, höchst komplizierten Sache glauben wir daher ganz richtig zu verfahren, daß wir uns erst am Gewissesten halten; dies ist nun dasjenige, was in der Erscheinung in gleichmäßigem Bezug sich öfters wiederholt und auf eine ewige Regel hindeutet. Dabei dürfen wir uns nur nicht irre machen lassen, daß das, was wir als zusammenwirkend, als übereinstimmend betrachtet haben, auch zuzeiten abzuweichen und sich zu widersprechen scheint. Besonders ist solches nötig in Fällen wie dieser, wo man, bei vielfältiger Verwickelung, Ursache und Wirkung so leicht verwechselt, wo man Korrelate als wechselseitig bestimmend und bedingend ansieht. Wir nehmen zwar ein Witterungs-Grundgesetz an, achten aber desto genauer auf die unendlichen physischen, geologischen, topographischen Verschiedenheiten, um uns die Abweichungen der Erscheinung, wo möglich, deuten zu können. Hält man fest **an**

der Regel, so findet man sich auch immer in der Erfahrung
zu derselben zurückgeführt; wer das Gesetz verkennt, ver-
zweifelt an der Erfahrung, denn im allerhöchsten Sinne ist
jede Ausnahme schon in der Regel begriffen.

Selbstprüfung

Während man mit dem Wagestück, wie vorstehender Aufsatz, beschäftigt ist, kann man nicht unterlassen, sich auf
mancherlei Weise selbst zu prüfen, und es geschieht dies am
allerbesten und sichersten, wenn man in die Geschichte zu-
rücksieht.
Alle Forscher, wenn man auch nur bei denjenigen stehenbleibt, welche nach der Wiederherstellung der Wissenschaften gearbeitet haben, fanden sich genötigt, mit demjenigen,
was die Erfahrung ihnen dargebracht, so gut als möglich zu
gebaren. Die Summe des wahrhaft Bekannten ließ in ihrer
Breite gar manche Lücken, welche denn, weil jeder zum
Ganzen strebt, bald mit Verstand, bald mit Einbildungskraft auszufüllen dieser und jener bemüht war. Wie die
Erfahrung wuchs, wurde das, was die Einbildungskraft ge-
fabelt, was der Verstand voreilig geschlossen hatte, sogleich
beseitigt; ein reines Faktum setzte sich an die Stelle, und
die Erscheinungen zeigten sich nach und nach immer mehr
wirklich und zu gleicher Zeit harmonischer. Ein einziges
Beispiel stehe hier statt aller.
Von dem frühsten Unterricht meiner Lehrjahre bis auf die
neuern Zeiten erinnere ich mich gar wohl, daß der große
und unproportionierte Raum zwischen Mars und Jupiter
jedermann auffallend gewesen und zu gar mancherlei Aus-
legungen Gelegenheit gegeben. Man sehe unseres herrlichen
Kants *Bemühungen, sich* über dieses Phänomen einigermaßen *zu beruhigen.*
Hier lag also ein Problem, man darf sagen am Tage, denn
der Tag selbst verbarg, daß sich hier mehrere kleine Ge-

stirne um sich selbst bewegten und die Stelle eines größeren, dem Raum angehörigen Gestirns auf die wundersamste Weise eingenommen hatten.

Dergleichen Probleme liegen zu Tausenden innerhalb des Kreises der Naturforschung, und sie würden sich früher auflösen, wenn man nicht zu schnell verführe, um sie durch Meinungen zu beseitigen und zu verdüstern.

Indessen behauptet alles, was man Hypothese nennt, ihr altes Recht, wenn sie nur das Problem, besonders wenn es gar keiner Auflösung fähig scheint, einigermaßen von der Stelle schiebt und es dahin versetzt, wo das Beschauen erleichtert wird. Ein solches Verdienst hatte die antiphlogistische Chemie; es waren dieselben Gegenstände, von denen gehandelt wurde, aber sie waren in andere Stellen, in andere Reihen gerückt, so daß man ihnen auf neue Weise von andern Seiten beikommen konnte.

Was meinen Versuch betrifft, die Hauptbedingungen der Witterungslehre für tellurisch zu erklären und einer veränderlichen, pulsierenden Schwerkraft der Erde die atmosphärischen Erscheinungen in gewissem Sinne zuzuschreiben, so ist er von derselben Art. Die völlige Unzulänglichkeit, so konstante Phänomene den Planeten, dem Monde, einer unbekannten Ebbe und Flut des Luftkreises zuzuschreiben, ließ sich Tag für Tag mehr empfinden, und wenn ich die Vorstellung darüber nunmehr vereinfacht habe, so kann man dem eigentlichen Grund der Sache sich um so viel näher glauben.

Denn ob ich gleich mir nicht einbilde, daß hiemit alles gefunden und abgetan sei, so bin ich doch überzeugt: Wenn man auf diesem Wege die Forschungen fortsetzt und die sich hervortuenden nähern Bedingungen und Bestimmungen genau beachtet, so wird man auf etwas kommen, was ich selbst weder denke noch denken kann, was aber sowohl die Auflösung dieses Problems als mehrerer verwandten mit sich führen wird.

Ultimatum

Und so sag ich zum letzten Male:
Natur hat weder Kern
Noch Schale;
Du prüfe dich nur allermeist,
Ob du Kern oder Schale seist!

»Wir kennen dich, du Schalk!
Du machst nur Possen;
Vor unsrer Nase doch
Ist viel verschlossen.«

Ihr folget falscher Spur,
Denkt nicht, wir scherzen!
Ist nicht der Kern der Natur
Menschen im Herzen?

Textauswahl und Textgestalt

Goethes Schriften zur Naturwissenschaft umfassen in der Weimarer (oder Sophien-)Ausgabe dreizehn Bände, in der von der Deutschen Akademie der Naturforscher (Leopoldina) veranstalteten elf Text- und bisher drei Ergänzungs- und Erläuterungsbände. Angesichts einer derartigen Fülle an Textmaterialien verlangen bei einer Auswahledition in einem schmalen Bändchen die Auswahlprinzipien besondere Beachtung.

Wie soll Goethe, der Naturforscher, heute vorgestellt werden? Mit solchen Texten etwa, in denen Goethe heute noch gültige Beiträge zur naturwissenschaftlichen Erkenntnis lieferte oder Wegmarken zu bedeutenden Entdeckungen setzte? Folgten wir diesem Kriterium, dann kämen allenfalls die Schriften zur Morphologie, etwa jene über die Metamorphose der Pflanzen und über die Knochenlehre mit dem berühmten Aufsatz über den Zwischenkieferknochen, in Frage. Aber selbst hier sind die Meinungen der Naturforscher geteilt: Während Helmholtz Goethes botanische und zoologische Studien als genuine Beiträge zur Wissenschaft betrachtet (C.3)[1] und Ernst Haeckel in Goethe den bedeutendsten Vorgänger Darwins neben Lamarck und einen der Begründer der Deszendenztheorie sieht (C.10), ist andererseits Emil Du Bois-Reymond der Überzeugung, die Goethe »gelungenen Schritte hätten früher oder später Andere gethan [...]« (C.1; 31), und Adolf Portmann äußert: »Es läßt sich leicht zeigen, daß Goethes Schaffen den Gang der Naturforschung nicht entscheidend beeinflußt hat« (C.30; 273). Jedoch ganz abgesehen von den Schwierigkeiten, einen Konsensus über die tatsächlich gültigen Beiträge Goethes zur Entwicklung der Naturwissenschaften in den vergangenen zweihundert Jahren zu erreichen, wäre dieses Auswahlprinzip durchaus fragwürdig. Denn es möchte wohl so sein, daß Goethes Denken in ganz andern Bahnen verlief, als sie die modernen Naturwissenschaften eingeschlagen haben, und daher in deren Rahmen nicht erfaßt werden könnte, ja daß Goethes naturwissenschaftliches Denken und seine Methodik gerade durch ihr Anderssein an eigentlicher Aktualität gewinnen.

Oder sollten jene Werke in den Mittelpunkt gestellt werden, die

---

1 Buchstabe und erste Zahl beziehen sich auf Abschnitt und Nummer in den Literaturhinweisen; eine zweite Zahl nach dem Strichpunkt bezeichnet die Seite.

in Goethes Leben selbst die wichtigste Rolle gespielt haben und durch die er sich seinen Zeitgenossen und der Nachwelt als Naturforscher einprägte? Dies hieße dann, vor allem Texte zur Farbenlehre und zur Optik vorzulegen, aus jenem Gebiet also, auf dem Goethe zeitlebens mit aller Energie, Leidenschaft und mit zunehmend sich versteifendem Trotz gegen Newtons »Irrlehre« kämpfte. Aber auch bei dieser Auswahl ergäbe sich ein verzerrtes Bild: Die naturwissenschaftlichen Bemühungen Goethes erschienen nur zu leicht als idiosynkratisches Kuriosum im Leben des großen Dichters, als »todtgeborene Spielerei eines autodidaktischen Dilettanten«, dem »der Begriff der mechanischen Causalität [. . .] gänzlich abging« (C.1; 29).

Die vorliegende Auswahl geht anders vor: Statt fehl angebrachten Aktualisierungsbemühungen zu verfallen oder die naturwissenschaftlichen Arbeiten als biographisch zwar wesentlichen, aber doch nur noch historisch interessierenden Nebensproß von Goethes vielfältigen Tätigkeiten vorzustellen, wird hier versucht, die naturwissenschaftlichen Studien in ihrer eigentümlichen Verschränktheit mit dem Dichterischen und dem Persönlichen zu präsentieren, denn gerade in ihrer vollständigen Integriertheit im Leben liegt das Wesentliche und Exemplarische von Goethes Naturwissenschaft. (Siehe das Nachwort.)

Als Textgrundlage wurde für die ausgewählten Schriften in Prosa, wo nichts anderes bemerkt, die von Rudolf Steiner und Kurt von Bardeleben betreute 2. Abteilung der Weimarer Ausgabe benützt, die Texte selbst wurden anhand der neuern Ausgabe der Deutschen Akademie der Naturforscher (Leopoldina) soweit als möglich überprüft. Den Gedichteinlagen und -folgen lag die 1. Abteilung der Weimarer Ausgabe zugrunde, wobei darauf geachtet wurde, daß z. B. bei den morphologischen Gedichten die Anordnung der Ausgabe letzter Hand erhalten blieb. Orthographie und Interpunktion wurden, bei Wahrung des Lautstandes und Berücksichtigung stilistischer Eigenheiten, dem heutigen Gebrauch angeglichen. Offensichtliche Druckfehler wurden stillschweigend korrigiert. Erläuternde Zusätze des Herausgebers und Auslassungspunkte zur Kennzeichnung von Auslassungen stehen in eckigen Klammern.

Die Texte sind nicht chronologisch, sondern nach einzelnen Wissenschaftsgebieten angeordnet. Die chronologische Reihenfolge ist leicht aus den Literaturhinweisen (Abschn. B) und aus der Zeittafel ersichtlich.

Anmerkungen zu den einzelnen Texten

Abkürzungen

Ausgabe letzter Hand	Goethes Werke. Vollständige Ausgabe letzter Hand. [Taschenausgabe.] Bd. 1–60. Stuttgart/Tübingen: Cotta, 1827–42. [Darin Bd. 41–60: Goethes nachgelassene Werke.]
Hempelsche Ausgabe	Goethes Werke. Nach den vorzüglichsten Quellen revidierte Ausgabe. Bes. von Woldemar Frhr. von Biedermann [u. a.]. Bd. 1–36. Berlin: Hempel, o. J. [1868–79].
Weimarer Ausgabe	Goethes Werke. Hrsg. im Auftrage der Großherzogin Sophie von Sachsen. Abt. 2: Naturwissenschaftliche Schriften. Bd. 1–13. Weimar: Böhlau, 1890–1906.
Zur Naturwissenschaft überhaupt	Goethe: Zur Naturwissenschaft überhaupt, besonders zur Morphologie. Erfahrung, Betrachtung, Folgerung, durch Lebensereignisse verbunden. [Gemeinsamer Haupttitel für die in 6 Lieferungen erschienenen Schriftenreihen *Zur Morphologie* und *Zur Naturwissenschaft überhaupt*.] Bd. 1. H. 1–4. Bd. 2. H. 1–4. Stuttgart/Tübingen: Cotta, 1817–24.

Allerdings. Dem Physiker

Das anspruchslos scheinende Gedicht soll zusammen mit dem Schlußgedicht *Ultimatum* die vorliegende Sammlung gleichsam als Motto einfassen. In seinem leichten Ton ist es Zeugnis von Goethes Altersironie, jenen »sehr ernsten Scherzen«, in denen in distanziert engagierter Eindringlichkeit Wesentliches zum Ausdruck gebracht wird. So tönen hier typische Leitmotive aus Goethes naturwissenschaftlicher Tätigkeit an: 1. die polemische Auseinandersetzung mit der Schulwissenschaft, hier gegen den Rationalisten Albrecht von Haller gerichtet, aus dessen Gedicht »Die Falschheit menschlicher Tugenden«, V. 289 f. (1730), das entstellte Zitat (»Ins Innre der Natur dringt kein erschaffner Geist / Zu glücklich, wann sie noch die äußre Schale weist«) mit

leichter Wendung ins Persönliche stammt; 2. die Bekräftigung
der Einheit von innen und außen, Schale und Kern: »Der Schein,
was ist er, dem das Wesen fehlt? / Das Wesen, wär' es, wenn es
nicht erschiene?« (*Die Natürliche Tochter*, V. 1066 f.); 3. das
innige Vertrauen in die Natur; 4. die Wendung zum Leser als
Publikum mit einer scherzhaften Invektive (vgl. *Parabase, Epirrhema, Antepirrhema*; in der vorliegenden Ausgabe S. 64, 67,
70). Und schließlich, in *Ultimatum* mit seinen Motivabwandlun-
gen von *Allerdings*, in fast beschwörend-affirmativer Weise das
Goethische Credo: »Ist nicht der Kern der Natur Menschen im
Herzen?« Das Gedicht *Allerdings* (hie und da auch unter dem
Titel *Unwilliger Ausruf*) entstand 1820.

Erstdruck: *Zur Naturwissenschaft überhaupt*, Bd. 1, H. 3 (1820);
ohne Überschrift.

Der Versuch als Vermittler von Objekt und Subjekt

Der Aufsatz – »wohl die einzige abgerundete, isolierte, ver-
öffentlichte methodologische Betrachtung – neben den späten
Auseinandersetzungen mit Kant von 1817 in den Heften zur
Morphologie« (C.42; 58) – entstand während den Arbeiten an
der Farbenlehre und in der Auseinandersetzung mit Newton,
ohne allerdings dessen Namen zu nennen. Datiert mit 28. April
1792. Schiller gegenüber nennt Goethe den Aufsatz »Kautelen
des Beobachters« (Brief vom 18. Juli 1798). Der grundsätzliche
Wert des Versuchs wird zwar anerkannt, dennoch werden aber
die damit verbundenen Gefahren hervorgehoben, die Goethe in
der Tendenz zur Isolation einzelner Naturphänomene vom ganzen Naturzusammenhang und deren kurzschlüssigen Verbindung
mit einer Theorie oder Hypothese sieht: »Da alles in der Natur,
besonders aber die allgemeinern Kräfte und Elemente in einer
ewigen Wirkung und Gegenwirkung sind, so kann man von
einem jeden Phänomene sagen, daß es mit unzähligen andern in
Verbindung stehe [. . .]. Haben wir also einen solchen Versuch
gefaßt, eine solche Erfahrung gemacht, so können wir nicht
sorgfältig genug untersuchen, was *unmittelbar* an ihn grenzt, was
zunächst auf ihn folgt. Dieses ist's, worauf wir mehr zu sehen
haben als auf das, was sich auf ihn *bezieht*. Die *Vermannichfaltigung eines jeden einzelnen Versuches* ist also die eigentliche

Pflicht eines Naturforschers« (S. 12 f.). Neben der dem Versuch inhärenten Methodik der Isolation ist es die Künstlichkeit der Versuchsanordnung, der immer und immer wieder Goethes Kritik gilt, dies vor allem im Zusammenhang mit Newtons Theorie der Zusammengesetztheit des weißen Lichts. In diesem Aufsatz nur sehr allgemein behandelt (S. 9), äußert sich Goethe gelegentlich Zelter gegenüber deutlicher: »Und das ist eben das größte Unheil der neueren Physik, daß man die Experimente gleichsam vom Menschen abgesondert hat und bloß in dem, was künstliche Instrumente zeigen, die Natur erkennen, ja was sie leisten kann, dadurch beschränken und beweisen will.« Vgl. dazu auch die Aphorismen Nr. 6, 22, 23, 24 in der vorliegenden Ausgabe. »Wer ihn [den Aufsatz] liest, wird sich wundern, wie man so lange und so oft sagen konnte, Goethe habe die moderne Naturwissenschaft nicht verstanden« (Andreas B. Wachsmuth in seinem Nachwort zur dtv-Ausgabe von Goethes *Sämtlichen Werken*, Bd. 39, München 1963, S. 237).

Erstdruck: *Zur Naturwissenschaft überhaupt*, Bd. 2, H. 1 (1823).

Inwiefern die Idee: Schönheit sei Vollkommenheit mit Freiheit, auf organische Naturen angewendet werden könne

Ein Essay im eigentlichen Sinne des Wortes, steht dieser Entwurf im Zeichen der epochalen Begegnung von Schiller und Goethe im Sommer 1794. Er ist gleichsam ein spielerischer Versuch Goethes, Gedanken und Theorien Schillers, die dieser in den ersten Gesprächen nach der berühmten Begegnung in der naturforschenden Gesellschaft vom 20. Juli darlegte, aufzugreifen und in sein eigenes Gebiet, die Naturwissenschaften, hinüberzutragen. Goethe sandte den Aufsatz am 30. August an Schiller, worauf dieser mit Exzerpten aus seinen *Kallias-Briefen* antwortete, jenen Briefen an Körner, in denen er Schönheit als »nichts anderes als Freiheit in der Erscheinung«, »Autonomie in der Erscheinung« definiert (Brief vom 8. Februar 1793). Der Aufsatz galt lange als verschollen und führte in der Goethe-Forschung zu einem Streit, ob er mit *Natur*- oder *Kunst*betrachtung zu tun habe, da Schillers und Goethes Berichte darüber divergierten. Dazu Otto Harnack: »Daß Goethe über Naturbetrachtung, Schiller über Kunstbetrachtung zu berichten weiß, ist kein Hin-

254 Anmerkungen zu den einzelnen Texten

dernis. Beides war in Goethes morphologischer Anschauungs-
weise eng verbunden. Goethen blieb mehr der naturwissenschaftliche Ausgangspunkt des Gesprächs im Gedächtnis, Schillern mehr
die Übertragung auf das Kunstgebiet« (*Euphorion* 6, 1899,
S. 542). 1952 wurde der authentische Text von Günther Schulz
in Schillers Nachlaß gefunden. Der Aufsatz illustriert in anschaulicher Weise die Nahtlosigkeit im Übergang von morphologischer zu ästhetischer Betrachtungsweise.

Erstdruck: *Jahrbuch der Goethe-Gesellschaft*, N. F., Bd. 14/15
(1952/53); danach unser Text.

Bedenken und Ergebung

Erstdruck: *Zur Naturwissenschaft überhaupt*, Bd. 1, H. 2 (1820).

Analyse und Synthese

Einer der letzten Aufsätze Goethes zur Naturwissenschaft: eine
wissenschaftshistorische Studie zur allgemeinen Methodik des 18.
und 19. Jahrhunderts und den methodischen Grundlagen seines
eigenen Schaffens.

Erstdruck: *Ausgabe letzter Hand*, Bd. 50 (1833).

Polarität

Wie aus dem Aufsatz *Der Versuch als Vermittler von Objekt
und Subjekt* hervorgeht, pflegte Goethe in intensiver Weise das
Gespräch über naturwissenschaftliche Gegenstände und gemeinsame Beobachtungen der Natur, gerade auch mit Laien. Auch
bedurfte er der Mitteilung seiner Beobachtungen und Entdeckungen, zumal ihn die Reaktionen aus Fachkreisen immer wieder
enttäuschten. So kam es 1805 zur Einrichtung der »Mittwochs-
gesellschaft«, in der sich Damen der Hofgesellschaft in Goethes
Haus trafen, um von Goethe in naturwissenschaftliche Probleme
eingeführt zu werden. Der skizzenhafte Entwurf ist das Kon-
zept zu Goethes erstem Vortrag am 2. Oktober 1805. Es enthält

stichwortartig die in Goethes naturwissenschaftlichem Denken ganz zentralen Begriffe der Ökonomie der Natur in ihren Bauplänen, der Polarität und der Steigerung.

Erstdruck: *Weimarer Ausgabe*, Abt. 2, Bd. 11 (1893); danach Titel.

Studie nach Spinoza

Der Aufsatz stammt aus der mittleren der drei Epochen von Goethes Beschäftigung mit Spinoza, aus den Jahren 1784/85. Um 1773 vertieft sich Goethe erstmals in Spinoza, und 1811 setzt er sich zum drittenmal mit ihm auseinander. Vgl. dazu auch *Dichtung und Wahrheit*, 16. Buch.

Erstdruck: Bernhard Suphan, »Aus der Zeit der Spinoza-Studien Goethes«, in: *Goethe-Jahrbuch* 12 (1891); Titel in der *Weimarer Ausgabe* eingeführt.

Die Natur. Fragment

Der Aufsatz galt früher als »Paradestück« (Wachsmuth) Goethescher Naturbetrachtung, doch weiß man heute, daß er nicht von Goethe selbst stammt, sondern von dem jungen Theologen Georg Christoph Tobler aus dem Zürcher Lavater-Kreis, der bei Goethe zu Besuch war und wohl im Anschluß an gemeinsame Gespräche das Fragment schrieb. Goethe veranlaßte, daß das Fragment 1783 anonym im *Tiefurter Journal* (handschriftlich) veröffentlicht wurde. Gegenüber Knebel bestätigt Goethe am 3. März 1783, nicht der Verfasser zu sein. Zwei Gründe sprechen gegen Goethe als Verfasser: 1. »Der Aufsatz spricht die geistige Erkennbarkeit der Natur zu sehr ab, um nicht zu sagen, er leugnet sie«; 2. »[...] verhielt sich Goethe 1783 nicht mehr bloß fühlend und ›ahndevoll‹, so wertherhaft zur Natur wie der Verfasser dieses Aufsatzes« (C.36; 12). Das Fragment gewinnt seine Bedeutung und sein Gewicht durch die folgende »Erläuterung« aus dem Jahre 1828.

Erstdruck: *Pfälzisches Museum*, Bd. 1, H. 4 (1784).

Erläuterung zu dem aphoristischen Aufsatz »Die Natur«

Siehe Anm. zu *Die Natur*. Datiert vom 24. Mai 1828.

Erstdruck: *Ausgabe letzter Hand*, Bd. 50 (1833).

Aphorismen

Titel vom Hrsg. – Die hier ausgewählten Aphorismen stammen aus *Zur Naturwissenschaft überhaupt*, Bd. 2, H. 1 (1823): 12, 40, 41, 49, 50, aus Goethes Nachlaß in der *Ausgabe letzter Hand*, Bd. 49/50 (1833): 2, 3, 6, 13, 17, 22–24, 27–31, 34–37, 42, 43, 45–48, 52, 60–63, und aus *Wilhelm Meisters Wanderjahren* (1829): 1, 4, 5, 7–11, 18–21, 25, 26, 32, 33, 38, 39, 44, 51, 53, 54–59.

Morphologie

Das Fragment mit seinen prägnanten Bestimmungen und Thesen stammt aus dem Nachlaß.

Erstdruck: *Weimarer Ausgabe*, Abt. 2, Bd. 6 (1891).

Zur Morphologie

Seinem Verleger Cotta gegenüber äußerte Goethe am 24. Oktober 1806 den Plan, seine »Ideen über organische Bildung drucken zu lassen«. Dies offenbar noch unter dem frischen Eindruck der im Anschluß an die Schlacht bei Jena erfolgten Plünderei Weimars am 14. Oktober 1806, welche Goethe die Gefahr eines Verlustes all seines gesammelten Materials bewußt machte; vgl. dazu die Bemerkungen auf S. 46. Im Zusammenhang mit diesem Plan müssen die ersten beiden Kapitel »Das Unternehmen wird entschuldigt« und »Die Absicht eingeleitet« entstanden sein, da mit »Jena 1807« datiert. Dazu auch der Tagebucheintrag vom 10. November und 6. Dezember 1806: »Einleitung zur Morphologie«. Dann wurde der Plan aber wieder fallengelassen. Erst 1817 wurden die beiden Aufsätze erneut hervorgeholt und zusammen mit dem kurz zuvor entstandenen dritten Kapitel »Der Inhalt bevorwortet« als Einleitung im ersten der Hefte *Zur Naturwissenschaft überhaupt* gedruckt, die in unregelmäßigen Abständen zwischen 1817 und 1824 erschienen.

Erstdruck: *Zur Naturwissenschaft überhaupt*, Bd. 1, H. 1 (1817).

Betrachtung über Morphologie überhaupt

Dieser Text gehört zu den Vorarbeiten zu einer Physiologie der Pflanzen und ist ein Versuch, die Morphologie als Wissenschaftszweig zu definieren und von den Nachbargebieten abzugrenzen. Vermutlich Mitte der neunziger Jahre entstanden.

Erstdruck: *Weimarer Ausgabe*, Abt. 2, Bd. 6 (1891).

Gedichte zur Morphologie

Titel vom Hrsg. – In mehr oder minder weiten Spannen umkreisen alle diese Gedichte das Wesen natürlichen Lebens, der Gestalt, der lebendigen Formen und des beobachtenden, schauenden Geistes. Die einzelnen Gedichte entstammen zwar ganz verschiedenen Epochen von Goethes Leben, in der Ordnung und Reihenfolge der Ausgabe letzter Hand von 1827 (mit Ausnahme von *Vermächtnis*, das im Februar 1829 entstand) bilden sie aber gleichwohl eine Einheit, in der das naturwissenschaftliche Gedankengebäude Goethes in erstaunlicher Ganzheit und Fülle in reizvollem Wechsel von Gedankenlyrik, persönlichen Klängen, metrisch strenger Lehrpoesie und gelöst-geselligen Tönen dichterisch zum Ausdruck kommt.

Dauer im Wechsel

Entstanden 1803.

Erstdruck: *Taschenbuch auf das Jahr 1804*, hrsg. von Christoph Martin Wieland und Johann Wolfgang Goethe.

Eins und alles

Das Gedicht trägt das Datum: 6. Oktober 1821. Tagebucheintrag
vom gleichen Tag: »Gedicht zum Abschluß der Morphologie«.

Erstdruck: *Morgenblatt* vom 24. September 1823 und *Zur Naturwissenschaft überhaupt*, Bd. 2, H. 1 (1823).

Vermächtnis

Das Gedicht nimmt als Ausgangspunkt den Schluß von *Eins und
alles* durch die Negierung der Zeile »Denn alles muß in Nichts
zerfallen« wieder auf und rückt durch die Zeilenverschiebung
von »Das Ew'ge regt sich fort in allen« die Dialektik von Sein
und Nichts in ein klareres Licht. Anlaß dazu war – wie Ecker-
mann berichtet (12. Februar 1829) – eine Zusammenkunft von
Naturwissenschaftlern in Berlin, bei der die Zeilen »Denn alles
muß in Nichts zerfallen, / Wenn es im Sein beharren will« in
goldenen Lettern über der Versammlung prangten. Goethe habe
diese Herauslösung aus dem Zusammenhang dumm gefunden und
in *Vermächtnis* darauf geantwortet. Als Reaktion auf die Um-
und Mißdeutung von seiten der herrschenden Naturwissenschaft
ist das Gedicht ein Schlüsseltext im Zusammenhang mit Goethes
naturwissenschaftlichem Denken.

Erstdruck: *Ausgabe letzter Hand*, Bd. 22 (1829).

Parabase

Die Titelgebung *Parabase, Epirrhema, Antepirrhema* und die
Einteilung dieser Gedichte zusammen mit *Die Metamorphose der
Pflanzen* und *Metamorphose der Tiere* ist wohl ein Ergebnis der
Zusammenarbeit Goethes und des Altphilologen Friedrich Wilhelm Riemer bei der Zusammenstellung der Ausgabe letzter
Hand: In der attischen Komödie, insbesondere bei Aristophanes,
pflegten auf die das dramatische Gefüge tragenden Chorlieder
als Einlagen direkte Adressen des Chorführers ans Publikum zu
folgen, in ihrer Reihenfolge ›Parabase‹, ›Epirrhema‹, ›Antepirrhema‹ genannt. In der Gedichtfolge Goethes wechseln so die

persönlich-subjektiv gehaltenen Zwischentöne mit den beiden objektiv-lehrhaften, daktylischen Metamorphose-Gedichten.

Erstdruck: *Zur Naturwissenschaft überhaupt*, Bd. 1, H. 3 (1820); ohne Titel.

Die Metamorphose der Pflanzen

Das Lehrgedicht in der Form der klassischen Elegie mit fortlaufenden Distichen von alternierenden Hexametern und Pentametern entstand im Juni 1798 (Tagebuchnotiz vom 17. Juni 1798). Es hat seine genauen Entsprechungen im Aufsatz *Die Metamorphose der Pflanzen* (S. 70), der daher am besten zum nähern Textverständnis herangezogen wird; V. 11–20: Nr. 10–18; V. 21–32: Nr. 19–28; V. 33–44: Nr. 29–38; V. 45–48: Nr. 39–45; V. 49–56: Nr. 46–73; V. 57–58: Nr. 74–83 (nach Erich Trunz in *Goethes Werke. Hamburger Ausgabe in 14 Bänden*, Bd. 1, Hamburg 1960, München [10]1974, S. 583). Goethe äußert sich dazu in *Zur Naturwissenschaft überhaupt*, Bd. 1, H. 1 (1817), wo er über die Geschichte seiner botanischen Studien berichtet, in folgender Weise: »[...] nirgends wollte man zugeben, daß Wissenschaft und Poesie vereinbar seien. Man vergaß, daß Wissenschaft sich aus Poesie entwickelt habe, man bedachte nicht, daß, nach einem Umschwung von Zeiten, beide sich wieder freundlich, zu beiderseitigem Vorteil, auf höherer Stelle, gar wohl wieder begegnen könnten. Freundinnen, welche mich schon früher den einsamen Gebirgen, der Betrachtung starrer Felsen gern entzogen hätten, waren auch mit meiner abstrakten Gärtnerei keineswegs zufrieden. Pflanzen und Blumen sollten sich durch Gestalt, Farbe, Geruch auszeichnen, nun verschwanden sie aber zu einem gespensterhaften Schemen. Da versuchte ich diese wohlwollenden Gemüter zur Teilnahme durch eine Elegie zu locken. [...] Höchst willkommen war dieses Gedicht der eigentlich Geliebten [Christiane Vulpius], welche das Recht hatte, die lieblichen Bilder auf sich zu beziehen; und auch ich fühlte mich sehr glücklich, als das lebendige Gleichnis unsere schöne vollkommene Neigung steigerte und vollendete; von der übrigen liebenswürdigen Gesellschaft aber hatte ich viel zu erdulden, sie parodierten meine Verwandlungen durch märchenhafte Gebilde neckischer, neckender Anspielungen.«

Erstdruck: *Musen-Almanach für das Jahr 1799*, hrsg. von Friedrich Schiller.

Epirrhema

Siehe Anm. zu *Parabase*.

Erstdruck: *Zur Naturwissenschaft überhaupt*, Bd. 1, H. 2 (1820); ohne Überschrift.

Metamorphose der Tiere

Während die *Metamorphose der Pflanzen* eine in sich abgeschlossene Elegie mit reizvollem Wechsel von subjektiver Unmittelbarkeit und objektiver Beschreibung ist, handelt es sich bei der *Metamorphose der Tiere* mit den fortlaufenden Hexametern und dem episch ausladenden didaktischen Tonfall wohl um das Bruchstück eines von Goethe in den Jahren 1798/99 in Anlehnung an Lukrez' *De natura rerum* geplanten großen Lehrgedichts über die Natur (Tagebuchnotiz vom 18. Januar 1799: »Ideen zu einem Naturgedicht«).

Erstdruck: *Zur Naturwissenschaft überhaupt*, Bd. 1, H. 2 (1820); unter dem Titel ΑΘΡΟΙΣΜΟΣ (zu ἀθροίζω, sammeln, vereinigen, zusammenbringen).

Antepirrhema

Als letzte persönliche Adresse ans Publikum in diesem Gedicht-Zyklus nimmt der Dichter die Abschlußverse aus *Bedenken und Ergebung* wieder auf.

Erstdruck: *Zur Naturwissenschaft überhaupt*, Bd. 1, H. 2 (1820); ohne Überschrift.

Die Metamorphose der Pflanzen

Griechisches Motto: Nicht die Wirklichkeit beunruhigt und erregt die Menschen, sondern die Theorien darüber. – Die Abhandlung ist die erste zusammenfassende Darstellung von Goethes botanischen Studien und Beobachtungen in seinem Garten am Stern, in den Weimarer Parkanlagen und vor allem in Italien. Zusammen mit dem Aufsatz über den Zwischenkieferknochen von 1784 (S. 147) ist diese Abhandlung der »erste wissenschaftliche Ertrag aus Goethes Zeit des strengen Realismus« (C.36; 15).

Erstdruck: *Versuch, die Metamorphose der Pflanzen zu erklären*, Gotha: Ettinger, 1790.

Metamorphose der Pflanzen. Zweiter Versuch. Einleitung

Handschriftliches Fragment von 1790, das bald nach dem vorstehenden *Versuch, die Metamorphose der Pflanzen zu erklären* entstanden sein muß und gegenüber dem ersten Versuch allgemeinere wissenschaftshistorische Aspekte mit berücksichtigt.

Erstdruck: *Weimarer Ausgabe*, Abt. 2, Bd. 6 (1891).

Typus

Erstdruck: *Ausgabe letzter Hand*, Bd. 2 (1827).

Erster Entwurf einer allgemeinen Einleitung in die vergleichende Anatomie, ausgehend von der Osteologie

Analog zur Idee der »Urpflanze« oder des »vegetabilischen Typus« in der Botanik versucht hier Goethe, einen ebensolchen »Typus« in der Tierwelt aufzustellen, d. h. einen einheitlichen Bauplan des Knochengerüstes, welcher der großen Vielfalt an Arten und Gattungen in der Tierwelt zugrunde liegt. Angeregt zu diesem Unternehmen wurde er durch die Brüder Humboldt (vgl. dazu S. 168 f.), von denen der eine, Wilhelm, gerade zu jener Zeit nach einem ebensolchen »Typus« in der Sprache forschte (vgl. Wilhelm von Humboldt, *Schriften zur Sprache*, hrsg. von Michael Böhler, Stuttgart 1973, Reclams Universal-Bibliothek Nr. 6922 [3]). Entstanden Januar 1795.

Erstdruck: *Zur Naturwissenschaft überhaupt*, Bd. 1, H. 2 (1820).

Versuch aus der vergleichenden Knochenlehre, daß der Zwischen-
knochen der obern Kinnlade dem Menschen mit den übrigen
Tieren gemein sei

Entstanden zwischen März und Mai 1784, ist dieser Aufsatz
neben der Farbenlehre wohl die berühmteste und bekannteste
Arbeit des Naturforschers Goethe. Er teilt darin seine Entdek-
kung des Zwischenkieferknochens beim Menschen mit, dessen
Fehlen in jener Zeit noch immer als naturwissenschaftlicher Beweis des theologischen Dogmas von der wesensmäßigen Differenz
zwischen höheren Säugetieren und dem Menschen herbeigezogen
wurde. Goethe berichtet darüber am 27. März 1784 mit echtem
Entdeckerstolz an Herder, mit dessen Idee einer Wesenseinheit
aller Lebewesen, »einer Hauptform« (*Ideen zur Philosophie der
Geschichte der Menschheit*, 1784–91, 2. Buch, Kap. 4) seine Entdeckung so wohl übereinstimmte: »Ich habe gefunden – weder
Gold noch Silber, aber was mir eine unsägliche Freude macht –
das Os intermaxillare am Menschen! Ich verglich mit Lodern
[Justus Christian Loder (1753–1832), Prof. der Anatomie] Men-
schen- und Tierschädel, kam auf die Spur, und siehe, da ist es.
Nur bitt ich Dich, laß Dich nichts merken, denn es muß geheim
behandelt werden. Es soll Dich auch recht herzlich freuen, denn
es ist wie der Schlußstein zum Menschen, fehlt nicht, ist auch da.«

Erstdruck: *Zur Naturwissenschaft überhaupt*, Bd. 1, H. 2 (1820);
ohne Tafeln und unter dem Titel *Dem Menschen wie den Tieren
ist ein Zwischenknochen der obern Kinnlade zuzuschreiben.*
Dann in: *Nova Acta Leopoldina*, Bd. 15, H. 1 (1831); andere
Fassung mit Tafeln.

Zur Geschichte dieser Studien

Eine lebendige Schilderung der Umstände von Goethes Zwischen-
kieferknochen-Entdeckung, war dieser Aufsatz als Abschnitt II
des vorstehenden Aufsatzes gedacht.

Erstdruck: *Zur Naturwissenschaft überhaupt*, Bd. 1, H. 2 (1820);
Titel in der *Weimarer Ausgabe* eingeführt.

Was es gilt. Dem Chromatiker

Erstdruck: *Zur Naturwissenschaft überhaupt*, Bd. 1, H. 1 (1817); ohne Überschrift.

Entwurf einer Farbenlehre. Einleitung

Die Beschäftigung mit der Farbenlehre und Optik als wissenschaftlicher Disziplin erstreckt sich über mehr als fünf Jahrzehnte von Goethes Leben – von den ersten Farbbeobachtungen um 1777 bis zum letzten Lebenstage, an dem er nach dem Zeugnis seiner Schwiegertochter noch Farbversuche anstellen wollte. Die Arbeit an dem monumentalen Werk *Zur Farbenlehre* selbst dehnte sich über rund zwei Jahrzehnte – von 1790 bis 1810 – aus, eine Arbeit, die Goethe selbst oft als mühsam und beschwerlich empfunden haben mußte, schreibt er doch das Erscheinungsdatum des dreibändigen Werks am 16. Mai 1810 in den Annalen als »Befreiungstag« ein. Dieser berühmteste, aber auch umstrittenste Zweig von Goethes naturwissenschaftlicher Arbeit ist nicht leicht zugänglich, da von vielen Mißverständnissen umstellt, an denen Goethe selbst zum Teil Schuld trägt. Dies liegt unter anderem daran, daß die kontroverse und oft aggressiv-polemische Haltung Goethes zur Lehre Newtons in den Mittelpunkt gerückt wird und die Abhandlungen mehr als Beiträge zur ›Optik‹ denn als ›Farbenlehre‹ verstanden wurden – Goethe selbst nannte seine ersten Veröffentlichungen auf diesem Gebiet *Beiträge zur Optik* (1791–93).

Zum Verständnis der Farbenlehre sind die Voraussetzungen wesentlich, unter denen Goethe dieses Wissensgebiet betrat; er berichtet im Historischen Teil der *Farbenlehre* darüber, wie er bei seinem Italienaufenthalt (1786–88) zum Studium der Farben kam: »[...] ich erfreute mich an der Art, wie ich sah, daß Poesie und bildende Kunst wechselseitig aufeinander einwirken können. Manches war mir im einzelnen deutlich, manches im ganzen Zusammenhange klar. Von einem einzigen Punkte wußte ich mir nicht die mindeste Rechenschaft zu geben: es war das Kolorit. Mehrere Gemälde waren in meiner Gegenwart erfunden, komponiert, die Teile der Stellung und Form nach sorgfältig durchstudiert worden, und über alles dieses konnten mir die Künstler, konnte ich mir und ihnen Rechenschaft, ja sogar manchmal Rat

erteilen. Kam es aber an die Färbung, so schien alles dem Zufall
überlassen zu sein, dem Zufall, der durch einen gewissen Geschmack, einen Geschmack, der durch Gewohnheit, eine Gewohnheit, die durch Vorurteil, ein Vorurteil, das durch Eigenheiten
des Künstlers, des Kenners, des Liebhabers bestimmt wurde. Bei
den Lebendigen war kein Trost, ebensowenig bei den Abgeschie-
denen, keiner in den Lehrbüchern, keiner in den Kunstwer-
ken. [...]
Je weniger mir nun bei allen Bemühungen etwas erfreulich Be-
lehrendes entgegenschien, desto mehr brachte ich diesen mir so
wichtigen Punkt überall wiederholt, lebhaft und dringend zur
Sprache, dergestalt, daß ich dadurch selbst Wohlwollenden fast
lästig und verdrießlich fiel. Aber ich konnte nur bemerken, daß
die lebenden Künstler bloß aus schwankenden Überlieferungen
und einem gewissen Impuls handelten, daß Helldunkel, Kolorit,
Harmonie der Farben immer in einem wunderlichen Kreise sich
durcheinanderdrehten. Keins entwickelte sich aus dem andern,
keins griff notwendig ein in das andere. Was man ausübte, sprach
man als technischen Kunstgriff, nicht als Grundsatz aus. Ich
hörte zwar von kalten und warmen Farben, von Farben, die
einander heben, und was dergleichen mehr war; allein bei jeder
Ausführung konnte ich bemerken, daß man in einem sehr engen
Kreise wandelte, ohne doch denselben überschauen oder beherrschen zu können. [...]
Sobald ich nach langer Unterbrechung endlich Muße fand, den
eingeschlagenen Weg weiterzuverfolgen, trat mir in Absicht auf
Kolorit dasjenige entgegen, was mir schon in Italien nicht verborgen bleiben konnte. Ich hatte nämlich zuletzt eingesehen, daß
man den Farben, als physischen Erscheinungen, erst von der Seite
der Natur beikommen müsse, wenn man in Absicht auf Kunst
etwas über sie gewinnen wolle« (*Zur Farbenlehre*, Bd. 2, »Materialien zur Geschichte der Farbenlehre; Konfession des Verfassers«).
Es wäre nun aber falsch, in der *Farbenlehre* einfach den *Künstler*
und nicht den *Naturwissenschaftler* Goethe am Werk sehen zu
wollen, da er – wie er selbst sagt – »von der Seite der Malerei,
von der Seite ästhetischer Färbung der Oberflächen, in die Farbenlehre hereingekommen« und »sie [...] dem Kunstgebrauch
annähern« wollte (S. 183). Denn damit nähmen wir gerade jene
Scheidung von subjektiv-ästhetisch-künstlerischen Aspekten der
Farbe und objektiv-physikalischen vor, die nach Goethe nicht

zulässig ist, da für ihn die Farbe ihrem Wesen nach ein relationales Phänomen ist. Seine Definition der Farbe lautet: »die Farbe [ist] die gesetzmäßige Natur in bezug auf den Sinn des Auges« (S. 178).

Carl Friedrich von Weizsäcker drückt die Unzulässigkeit der Trennung von Subjektiv-Ästhetischem und Objektiv-Physikalischem noch allgemeiner aus: »Selbst jede Kompetenzabgrenzung, wie etwa die, Newton behandle den physikalischen, Goethe den erlebnismäßigen ›Aspekt‹ der Farben, ist eine Niederlage Goethes, dem es um die Einheit des Wirklichen ging; diese Kompetenzabgrenzung wird ja gerade mit den begrifflichen Hilfsmitteln der Cartesischen Spaltung vorgenommen.« (Zitiert bei C.42; 183.) Und Gottfried Benn faßt die Problematik von Goethes Farbenlehre in weitesten kulturhistorischen Bezügen: »Also, sie war keineswegs resultatlos, diese mißgegangene Leidenschaft, diese Leidenschaft ohne Fachmann, dies Dahinkümmern mit Geschwätz statt treuer Forschung, sie war nur nicht mathematisch-physikalisch, sie war nur nicht analytisch, sie war nicht erklärt voraussetzungs-, d. h. ideenlos, sondern diese Leidenschaft ging auf Anschauung, sie war ›anschauliches Denken‹, und damit rühren wir an die intimste und innerste Struktur des Goetheschen Seins, betreten sein zentralstes Reich, auch das erregendste, das unabsehbarste, für uns heute von so enormer Aktualität: denn dies anschauliche Denken [...] ist, auf eine kurze Formel gebracht, der uns heute so geläufige Gegensatz von Natur, Kosmos, Bild, Symbol oder Zahl, Begriff, Wissenschaft; von Zuordnung der Dinge zum Menschen und seinem natürlichen Raum oder Zuordnung der Begriffe in widerspruchslose mathematische Reihen; von Identität alles Seins oder Chaos zufälliger, korrigierbarer, wechselnder Ausdrucks- und Darstellungssysteme; mit einem Wort, es ist die Problematik, die uns aus jedem Vortrag, in jedem Hörsaal, in jeder Akademie, in jedem Institut heutigentags entgegentritt [...]« (C.14; 746 f.).

Da es nicht möglich ist, auf dem beschränkten Raum der vorliegenden Anthologie wesentliche Teile der Hunderte von Seiten langen *Farbenlehre* wiederzugeben, begnügen wir uns mit der Einleitung, einer Neueren Einleitung und der Anzeige und Übersicht; diese verschaffen doch einen relativ umfassenden Einblick in das eigentümliche Werk und geben einen Grundbegriff von Goethes Anliegen und seiner Methodik.

Erstdruck der Farbenlehre: *Zur Farbenlehre.* Bd. 1 (Didaktischer Teil). Tübingen: Cotta, 1808. – *Zur Farbenlehre.* 2 Bde. (Didaktischer Teil; Polemischer Teil; Historischer Teil; Statt des versprochenen Supplementaren Teils) und Tafel-H. Tübingen: Cotta, 1810.

Neuere Einleitung

Erstdruck: unter »Nachträge zur Farbenlehre« in *Zur Naturwissenschaft überhaupt*, Bd. 1, H. 4 (1822).

Anzeige und Übersicht

Erstdruck: *Morgenblatt für gebildete Stände*, Extrabeilage Nr. 8 vom 6. Juni 1810.

Entoptische Farben. An Julien

Polarisationserscheinungen, die bei Spiegelung und doppelter Strahlenbrechung entstehen, nannte Goethe *entoptische* Farben. Das Gedicht trägt das Datum: »Jena d. 17. May 1817«.

Erstdruck: *Ausgabe letzter Hand*, Bd. 2 (1827).

Über den Granit

Aus einem Brief Goethes an Charlotte von Stein (7. Dezember 1781) geht hervor, daß Goethe um jene Zeit einen »Roman über das Weltall« plante, zu dem diese mehr essayistische denn nüchtern naturwissenschaftliche Abhandlung gehören soll. Am 18. Januar 1784 diktiert.

Erstdruck: *Hempelsche Ausgabe*, Bd. 33 (1877).

Der Granit als Unterlage aller geologischen Bildung

Zu dem fast panegyrisch anmutenden Aufsatz *Über den Granit* gesellen sich diese wenigen Zeilen als ein mehr distanziert-kritischer Versuch, den Granit als Urgestein zu beschreiben.

Erstdruck: *Weimarer Ausgabe*, Abt. 2, Bd. 9 (1892); danach Titel.

Der Dynamismus in der Geologie

Zu Goethes Zeit herrschten zwei Hauptrichtungen in der Geologie: der Vulkanismus und der Neptunismus. Der Vulkanismus beruht auf der Theorie der Erdbildung durch vulkanische Ausbrüche, der Neptunismus auf der Theorie der Erdbildung durch ein zurückströmendes Urmeer, das die geologischen Schichten ausscheidet. Goethe tendierte zum Neptunismus und verabscheute die »vermaledeite Polterkammer« der Vulkanisten (*Entwurf zu einer Einführung in geologische Probleme*, 1831); gleichwohl versucht er hier eine eigene Position zu umreißen, in der die ihm allzu mechanistischen Vorstellungen der Neptunisten durch mehr dynamische modifiziert werden sollen, die vom Grundgedanken der Metamorphose ausgehen.

Erstdruck: *Weimarer Ausgabe*, Abt. 2, Bd. 10 (1894); danach Titel.

Verschiedene Bekenntnisse

Eine persönliche Standortbestimmung im Rahmen der herrschenden Wissenschaftsrichtungen. In Goethes letzten Lebensjahren entstanden.

Erstdruck: *Weimarer Ausgabe*, Abt. 2, Bd. 9 (1892).

Hypothese über die Erdbildung

Der kurze Entwurf gelangt zwar nicht bis zur Hypothese über die Erdbildung selbst, aber dafür wird der Sinn und Nutzen von

Hypothesen – selbst dichterischer Natur – für die Naturwissenschaften erwogen.

Erstdruck: *Weimarer Ausgabe*, Abt. 2, Bd. 10 (1894); danach Titel.

Vergleichsvorschläge, die Vulkanier und Neptunier über die Entstehung des Basalts zu vereinigen

Siehe Anm. zu *Der Dynamismus in der Geologie*.

Erstdruck: *Weimarer Ausgabe*, Abt. 2, Bd. 9 (1892).

Vulkanier und Neptunier

Titel vom Hrsg. – Hier wird die Erdbildungs-Theorie der Vulkanier von Mephistopheles vorgetragen.

Erstdruck: *Ausgabe letzter Hand*, Bd. 41 (1832).

Atmosphäre

Erst relativ spät – um 1815 – beginnt sich Goethe systematisch auch noch mit der Meteorologie zu beschäftigen, nachdem er vorher mehr gelegentlich Beobachtungen von Witterungsverhältnissen notiert hatte. Zugang zur Meteorologie – deren Gegenstände in ihrer Flüchtigkeit ihm schwer faßlich waren, obwohl ihn als Morphologen die Gestalt und der Wechsel der Wolken faszinierte und nach dem Gestaltgesetz suchen ließ – gewann Goethe vor allem durch die Schrift des englischen Meteorologen Luke Howard: *Essays on modification of clouds* (1803). In der Folge trat er mit Howard (1772–1864) in brieflichen Kontakt und richtete eine eigene meteorologische Beobachtungsstation auf dem Ettersberg bei Weimar ein. Die Trilogie *Atmosphäre – Howards Ehrengedächtnis – Wohl zu merken* zeugt von der Dankbarkeit Goethes dem Manne gegenüber, der ihm auch noch dieses Natur- und Wissensgebiet erschloß.

Erstdruck: *Zur Naturwissenschaft überhaupt*, Bd. 1, H. 4 (1822); ohne Überschrift.

Howards Ehrengedächtnis

Goethe schreibt als Erläuterungen zu diesem Gedicht: »In der ersten Strophe wird die indische Gottheit Camarupa (wearer of shapes at will) als das geistige Wesen dargestellt, welches nach eigener Lust, die Gestalten beliebig zu verwandeln, auch hier sich wirksam erweist, die Wolken bildet und umbildet. In der zweiten Strophe wird sodann die Funktion der menschlichen Einbildungskraft vorgetragen, welche nach eingeborenem Trieb allem ungebildeten Zufälligen jederzeit irgendeine notwendige Bildung zu geben trachtet, welches wir denn auch daran erkennen, daß sie sich die Wolken gern als Tiere, streitende Heere, Festungen und dergleichen denkt, wie solches Shakespeare einigemal glücklich benutzt hat. Die gleiche Operation nehmen wir an fleckigen Mauern und Wänden öfters vor und glauben da und dort wo nicht regelmäßige Gestalten doch Zerrbilder zu erblicken. Zugleich wird auf Megha Dhuta, den Wolkenboten, angespielt, indem dieses herrliche Gedicht [indisches Epos von Kalidasa] in allen seinen Teilen hierhergehört. Und so wird denn in der dritten Strophe, damit nichts vermißt werde, Howards Name ausgesprochen und sein Verdienst anerkannt, daß er eine Terminologie festgestellt, an die wir uns beim Einteilen und Beschreiben atmosphärischer Phänomene durchaus halten können. Diese Benennungsweise nun ist angekündigt und ausgesprochen in der vorletzten Zeile, wie folgt:

　Wie Streife steigt　Sich ballt　Zerflattert　Fällt
　Stratus　　　　　　Cumulus　　Cirrus　　　Nimbus.«
(*Zur Naturwissenschaft überhaupt*, Bd. 1, H. 4, 1822.)

Erstdruck: V. 1–23: *Zur Naturwissenschaft überhaupt*, Bd. 1, H. 4 (1822); V. 25–52: *Zur Naturwissenschaft überhaupt*, Bd. 1, H. 3 (1820).

Wohl zu merken

Erstdruck: *Zur Naturwissenschaft überhaupt*, Bd. 1, H. 4 (1822); ohne Überschrift.

Luke Howard an Goethe

Die Gründe für sein Interesse an der Lebensgeschichte eines
Naturwissenschaftlers legt Goethe in seiner Einleitung dar.

Erstdruck: *Zur Naturwissenschaft überhaupt*, Bd. 1, H. 4 (1822).

Versuch einer Witterungslehre

Die Auszüge aus Goethes *Witterungslehre* von 1825 zeigen, wie
er auch hier versucht, das Typische atmosphärischer Vorgänge zu
erfassen und in den Kategorien von Polarität, Metamorphose und
Steigerung zu beschreiben; aus den Barometer-Schwankungen ent-
nimmt er den pulsierenden Rhythmus der Erde im Weltraum,
ihre Systole und Diastole.

Erstdruck: *Ausgabe letzter Hand*, Bd. 51 (1833).

Ultimatum

Siehe Anm. zum Eingangsgedicht *Allerdings*.

Erstdruck: *Über Kunst und Altertum*, Bd. 3, H. 2 (1822); ohne
Überschrift.

Literaturhinweise

A. Bibliographien zu den naturwissenschaftlichen Schriften

Günther Schmid: Goethe und die Naturwissenschaften. Eine Bibliographie. Hrsg. im Namen der Kaiserlich Leopoldinisch-Carolinisch Deutschen Akademie der Naturforscher von Emil Abderhalden. Halle a. d. S. 1940.

Hans Pyritz / Heinz Nicolai / Gerhard Burkhardt: Goethe-Bibliographie. 2 Bde. Heidelberg 1965–68.

B. Schriften Goethes zur Naturwissenschaft

Gesamtausgaben

Werke. Hrsg. im Auftrage der Großherzogin Sophie von Sachsen. Abt. 2: Naturwissenschaftliche Schriften. 13 Bde. Weimar 1890 bis 1906.

Schriften zur Naturwissenschaft. Vollständige, mit Erläuterungen versehene Ausgabe hrsg. im Auftrage der Deutschen Akademie der Naturforscher (Leopoldina) zu Halle. Abt. 1: Texte. Bd. 1 bis 11. Weimar 1947–70. Abt. 2: Ergänzungen und Erläuterungen. Bd. 3. 4. 6. Weimar 1959–73.

Einzelwerke in chronologischer Reihenfolge ihrer Entstehung

 (1) (Die Natur) (1781)
 (2) Dem Menschen wie den Tieren ist ein Zwischenknochen der obern Kinnlade zuzuschreiben (1784–86)
 (3) Studie nach Spinoza (1784/85)
 (4) Über den Granit (1784)
 (5) Versuch, die Metamorphose der Pflanzen zu erklären (1789/90)
 (6) Versuch über die Gestalt der Tiere (1790)
 (7) Beiträge zur Optik, 1. Stück (1791)
 (8) Der Versuch als Vermittler von Objekt und Subjekt (1792)
 (9) Von den farbigen Schatten (1792; nicht veröffentlicht)
(10) Im Wasser Flamme (1792; siehe *Zur Farbenlehre*, Abschn. XIV)

(11) Beiträge zur Optik, 2. Stück (1792)

(12) Über Newtons Hypothese der diversen Refrangibilität (1793)

(13) Über die Farbenerscheinungen, die wir bei Gelegenheit der Refraktion gewahr werden (1793)

(14) Versuch, die Elemente der Farbenlehre zu entdecken. Der Beiträge zur Optik viertes Stück (1793)

(15) Inwiefern die Idee: Schönheit sei Vollkommenheit mit Freiheit, auf organische Naturen angewendet werden könne (1794)

(16) Erster Entwurf einer allgemeinen Einleitung in die vergleichende Anatomie, ausgehend von der Osteologie (1795)

(17) Beobachtungen über die Entwicklung der Flügel des Schmetterlings Phalaena grossularia (1796)

(18) Vorträge über die drei ersten Kapitel des Entwurfs einer allgemeinen Einleitung in die vergleichende Anatomie (1796)

(19) Betrachtung organischer Naturen (1797)

(20) Erfahrung und Wissenschaft (1798)

(21) Betrachtungen über eine Sammlung kranken Elfenbeins (1798; gedruckt 1823 in *Zur Naturwissenschaft überhaupt,* Bd. 2, H. 1)

(22) Elegie: Die Metamorphose der Pflanzen (1798)

(23) Bedenken (1800)

(24) Gedicht: Dauer im Wechsel (1803)

(25) Gedicht: Metamorphose der Tiere (1806)

(26) Sammlung zur Kenntnis der Gebirge von und um Karlsbad angezeigt und erläutert (1807)

(27) Der Kammerberg bei Eger (I) (1808)

(28) Zur Farbenlehre (1810)

(29) Materialien zur Geschichte der Farbenlehre (1810)

(30) Die entoptischen Farben (1813)

(31) Zur Naturwissenschaft überhaupt, besonders zur Morphologie. Erfahrung, Betrachtung, Folgerung, durch Lebensereignisse verbunden. (1817–24; 2 Bände mit 6 Heften, publiziert in lockerer Folge)

(32) Gedichte: Was es gilt. Dem Chromatiker – Entoptische Farben (1817)

(33) Bedenken und Ergebung (1817)

(34) Gedichte: Howards Ehrengedächtnis – Epirrhema – Antepirrhema (1819)

(35) Gedichte: Parabase – Allerdings. Dem Physiker (1820)

(36) Wolkengestalt nach Howard (1820)

(37) Kammerberg bei Eger (II) (1820)
(38) Gedicht: Entoptische Farben (1820)
(39) Gedichte: Atmosphäre – Wenn Gottheit Camarupa ... – Wohl zu merken – Eins und alles (1821)
(40) Anzeige: Luke Howard to Goethe. A Biographical Sketch (1822)
(41) Gedicht: Ultimatum (1822)
(42) Nachträge zur *Farbenlehre* (1822)
(43) Zur Morphologie (1823; gedruckt in *Zur Naturwissenschaft überhaupt*, Bd. 2, H. 1)
(44) Bedeutende Fördernis durch ein einziges geistreiches Wort (1823)
(45) Zur Morphologie (1824; gedruckt in *Zur Naturwissenschaft überhaupt*, Bd. 2, H. 2)
(46) Versuch einer Witterungslehre (1825)
(47) Bryophyllum Calycinum (1826)
(48) Naturphilosophie (1826)
(49) Über Mathematik und deren Mißbrauch (1826)
(50) Bignonia radicans (1828)
(51) Analyse und Synthese (1829)
(52) Gedicht: Vermächtnis (1829)
(53) Principes de Philosophie zoologique (1831)

C. Hinweise zur Sekundärliteratur

(1) Emil Du Bois-Reymond: Goethe und kein Ende. Rede. Leipzig 1883.
(2) Salomon Kalischer: Goethe als Naturforscher und Herr Du Bois-Reymond als sein Kritiker. Eine Antikritik. Berlin 1883.
(3) Hermann von Helmholtz: Über Goethe's naturwissenschaftliche Arbeiten. In: H. v. H.: Vorträge und Reden. Bd. 1. Braunschweig 1884. S. 1–24.
(4) Rudolf Magnus: Goethe als Naturforscher. Vorlesungen [. . .]. Leipzig 1906.
(5) Adolph Hansen: Goethes Metamorphose der Pflanzen. Geschichte einer botanischen Hypothese. 2 Tle. Gießen 1907.
(6) Adolph Hansen: Goethes Morphologie. Ein Beitrag zum sachlichen und philosophischen Verständnis und zur Kritik der morphologischen Begriffsbildung. Gießen 1919.

(7) Ernst Cassirer: Goethe und die mathematische Physik. Eine erkenntnistheoretische Studie. In: E. C.: Idee und Gestalt. Berlin 1921. S. 27–76.

(8) Friedrich Grävell: Göthe im Recht gegen Newton. Neu hrsg. und eingel. von Günther Wachsmuth. Stuttgart 1922.

(9) Hermann Glockner: Das philosophische Problem in Goethes Farbenlehre. Heidelberg 1924.

(10) Ernst Haeckel: Die Naturanschauung von Darwin, Goethe und Lamarck. In: E. H.: Vorträge und Abhandlungen. Leipzig 1924. S. 291–331.

(11) Walter Jablonski: Vom Sinn der Goetheschen Naturforschung. Berlin 1927.

(12) Goethe als Seher und Erforscher der Natur. Untersuchungen über Goethes Stellung zu den Problemen der Natur. Hrsg. von Johannes Walther. Halle a. d. S. 1930.

(13) Martin Gebhardt: Goethe als Physiker. Ein Weg zum unbekannten Goethe. Berlin 1932.

(14) Gottfried Benn: Goethe und die Naturwissenschaften. In: Die neue Rundschau 43,1 (1932) S. 463–490. Auch in: G. B.: Gesammelte Werke in acht Bänden. Hrsg. von Dieter Wellershoff. Bd. 3: Essays und Aufsätze. Wiesbaden 1968. S. 724–762. [Nach dieser Ausgabe wird zitiert.]

(15) Eduard Castle: Zur Geschichte der Ausgaben der naturwissenschaftlichen Schriften Goethes. In: Archiv für das Studium der neueren Sprachen und Literaturen 163 (1933) S. 172–186.

(16) Georg Uschmann: Der morphologische Vervollkommnungsbegriff bei Goethe und seine problemgeschichtlichen Zusammenhänge. Jena 1939.

(17) Rupprecht Matthaei: Versuche zu Goethes Farbenlehre mit einfachen Mitteln. Ein Aufriß der Farbenlehre. Jena 1939.

(18) Günther Müller: Die Gestaltfrage in der Literaturwissenschaft und Goethes Morphologie. Halle 1944.

(19) Horst Oppel: Morphologische Literaturwissenschaft. Goethes Ansicht und Methode. Mainz 1947.

(20) Werner Heisenberg: Die Goethesche und die Newtonsche Farbenlehre im Lichte der modernen Physik. In: W. H.: Wandlungen in den Grundlagen der Naturwissenschaft. Leipzig [7]1947. S. 54–70.

(21) Kurt Hildebrandt: Goethes Naturerkenntnis. Hamburg 1947.

(22) Fritz Seidel: Goethe gegen Kant. Goethes wissenschaftliche Leistung als Naturforscher und Philosoph. Berlin 1948.

(23) Marianne Trapp: Goethes naturphilosophische Denkweise. Stuttgart 1949.

(24) Ernst Grünthal / Fritz Strauß: Abhandlungen zu Goethes Naturwissenschaft. Bern 1949.

(25) Hans Fischer: Goethes Naturwissenschaft. Zürich 1950.

(26) Lothar Wolf / Wilhelm Troll: Goethes morphologischer Auftrag. Versuch einer naturwissenschaftlichen Morphologie. Tübingen ³1950.

(27) Goethe und die Wissenschaft. Vorträge. Gehalten anläßlich des Internationalen Gelehrtenkongresses zu Frankfurt am Main im August 1949. Frankfurt a. M. 1951.

(28) Heinrich O. Proskauer: Taschenbücher zum Studium von Goethes Farbenlehre. 2 Bde. Basel 1951–53.

(29) Theodor Litt: Goethes Naturanschauung und die exakte Naturwissenschaft. In: T. L.: Naturwissenschaft und Menschenbildung. Heidelberg ²1954. S. 108–144.

(30) Adolf Portmann: Goethes Naturforschung. In: A. P.: Biologie und Geist. Zürich 1956. S. 273–292.

(31) Hermann Bräuning-Oktavio: Vom Zwischenkieferknochen zur Idee des Typus. Goethe als Naturforscher in den Jahren 1780–1786. Leipzig 1956.

(32) Eberhard Buchwald: Naturschau mit Goethe. Stuttgart 1960.

(33) Rudolf Steiner: Goethes naturwissenschaftliche Schriften. Stuttgart 1962.

(34) Walter Brednow: Tier und Mensch in Goethes naturwissenschaftlicher Sicht. Berlin 1965. (Sitzungsberichte der Sächsischen Akademie der Wissenschaften zu Leipzig. Mathematisch-naturwissenschaftliche Klasse. Bd. 106,6.)

(35) Peter Schmidt: Goethes Farbensymbolik. Untersuchungen zu Verwendung und Bedeutung der Farben in den Dichtungen und Schriften Goethes. Berlin 1965.

(36) Andreas B. Wachsmuth: Geeinte Zwienatur. Aufsätze zu Goethes naturwissenschaftlichem Denken. Berlin/Weimar 1966.

(37) Werner Heisenberg: Das Naturbild Goethes und die technisch-naturwissenschaftliche Welt. In: Goethe-Jahrbuch 29 (1967) S. 27–42.

(38) Karl L. Wolf: Goethe und die Naturwissenschaft. Betrachtungen zu einem Vortrag Werner Heisenbergs. In: Goethe-Jahrbuch 29 (1967) S. 289–293.

(39) Dorothea Kuhn: Empirische und ideelle Wirklichkeit. Studien

über Goethes Kritik des französischen Akademiestreites. Graz 1967.

(40) Manfred Kleinschneider: Goethes Naturstudien. Wissenschaftstheoretische und -geschichtliche Untersuchungen. Bonn 1971.

(41) Angelika Groth: Goethe als Wissenschaftshistoriker. München 1972.

(42) Christoph Gögelein: Zu Goethes Begriff von Wissenschaft auf dem Wege der Methodik seiner Farbstudien. München 1972.

(43) Hugh B. Nisbet: Goethe und die naturwissenschaftliche Tradition. In: Goethe und die Tradition. Hrsg. von Hans Reiss. Frankfurt a. M. 1972. S. 212–241.

(44) Adolf Portmann: Goethe und der Begriff der Metamorphose. In: Goethe-Jahrbuch 90 (1973) S. 11–21.

(45) Walter Müller-Seidel: Naturforschung und deutsche Klassik. Die Jenaer Gespräche im Juli 1794. In: Untersuchungen zur Literatur als Geschichte. Festschrift für Benno von Wiese. Berlin 1973. S. 61–78.

Zeittafel

zu Goethes Leben in naturwissenschaftlicher Hinsicht[1]

1770/71 Straßburger Studienzeit. Vorlesungen über Anatomie (J. F. Lobstein), Chirurgie (J. Chr. Ehrmann), Chemie (J. R. Spielmann).

23. Juni – 4. Juli: Reise zu Pferd nach dem Unterelsaß und Lothringen. Erstes Interesse für Geologie, Bergbau, Hüttenindustrie.

1773 Frankfurt. Mai: Erste Beschäftigung mit Spinoza.

1774/75 Mitarbeit an Lavaters »Physiognomischen Fragmenten« mit eigenen Beiträgen.

1775 Erste Beschäftigung mit der Knochen- und Schädellehre. Abhandlung Goethes über Tierschädel.

14. Mai – 22. Juli: Schweizerreise. Aufzeichnungen von Farbeindrücken und geologischen Beobachtungen.

1776 Weimar. Beginn von Goethes praktischer Beschäftigung mit der Pflanzenwelt.

18. Juli – 14. August: Aufenthalt in Ilmenau, mit Herzog Carl August und Berghauptmann v. Trebra, zu vorbereitenden Arbeiten für die Wiederaufnahme des Bergbaus. Erwachen der geologischen und mineralogischen Interessen Goethes.

1777 29. November – 19. Dezember: Erste Harzreise; Besteigung des Brocken. Beobachtung von Farbphänomenen.

1780 Mineralogische Studien. Anlage einer mineralogischen Sammlung und einer Sammlung von Zeichnungen.

1781 Aufenthalt des Schweizer Theologen G. Chr. Tobler in Weimar. Niederschlag Goethescher Naturauffassung in Toblers Prosafragment »Die Natur«.

28./29. Oktober: Anatomische Vorlesungen bei J. Chr. Loder in Jena im Zusammenhang mit Studien über Knochenbau des Menschen und der Wirbeltiere.

November – Januar 1782: Vorträge Goethes über Anatomie in der »Freien Zeichen-Akademie« in Weimar.

1 Zusammengestellt nach der Zeittafel von Heinz Nicolai in: *Goethes Werke. Hamburger Ausgabe in 14 Bänden*, Bd. 14, Hamburg 1960, München ⁵1976; auch separat München 1977 (Beck'sche Schwarze Reihe, Bd. 161). Abdruck mit freundlicher Genehmigung des Verlages C. H. Beck, München.

1784   27. März. Entdeckung des Zwischenkieferknochens am menschlichen Schädel.

März – Mai: Entstehung des bis 1786 erweiterten Aufsatzes *Dem Menschen wie den Tieren ist ein Zwischenknochen der obern Kinnlade zuzuschreiben.*

April: Beginn des zeitlebens unterhaltenen wissenschaftlichen Kontakts mit Bergrat J. G. Lenz, später Professor der Mineralogie und Direktor der Mineralogischen Sammlung in Jena.

1. – 16. September: Dritte Harzreise. Geologische und zeichnerische Tätigkeit. *Über den Granit.*

September: Anregung zu Goethes Spinoza-Studium im Gedankenaustausch mit Herder und Charlotte v. Stein. *Studie nach Spinoza.*

1785   5. – 12. März: Bei Knebel in Jena. Gemeinsame botanische Studien.

2. – 16. Juni: Mit Knebel in Ilmenau. Botanische und mineralogische Studien. Arbeit an einer *Gebirgs-Lehre.*

23. Juni – 5. Juli: Reise durch das Fichtelgebirge nach Karlsbad mit Knebel. Naturwissenschaftliche Studien. Sammlung von Gesteinen.

6. – 12. November: Ilmenau. Erstes intensives Studium Linnés (»Philosophia botanica«).

1786   April: Botanische und mikroskopische Studien.

Mai: Beschäftigung mit Algebra.

Juli: Intensive botanische Studien. Konzeption der Idee der Metamorphose.

3. September: Heimliche Abreise nach Italien. Auf der Reise geologische und mineralogische Beobachtungen. Besuch des Münchner Naturalienkabinetts. Niederschrift von Beobachtungen über Witterung, Klimaverhältnisse, Gesteinsarten, Pflanzenwelt. Sammlung von Gesteinen. Ausarbeitung meteorologischer und geologischer Beobachtungen.

Goethe findet seine botanischen Erkenntnisse, besonders den Gedanken der Pflanzenmetamorphose, durch die Anschauung der südländischen Pflanzenwelt bestätigt.

1787   Rom/Neapel. Geologische und botanische Studien. Besteigung des Vesuvs. Geologische Beobachtungen und Überlegungen, besonders hinsichtlich der Entstehung, des Alterns und der Arten der Lava.

25. März: Beschäftigung mit der Idee der Urpflanze und

der Entwicklung der Pflanzengestalt aus der Metamorphose des Blatts.

April: Palermo. Endgültige Überzeugung von der ursprünglichen Identität aller Pflanzenteile.

Juni – April 1788: Zweiter römischer Aufenthalt. Studium der menschlichen Gestalt. Fortgesetztes Bemühen um das Problem der Metamorphose der Pflanzen in Beobachtung, Zeichnung, Zuchtversuchen.

September: Erste Zusammenfassung und schriftliche Fixierung der morphologisch-botanischen Erkenntnisse in Gesprächen mit K. Ph. Moritz.

1788   Februar: Beschäftigung mit dem Problem der Farben in der Malerei.

18. Juni: Ankunft in Weimar.

Dezember: Loder veröffentlicht Goethes Entdeckung des Zwischenkieferknochens.

1789   16. September: Besuch von A. G. Werner, Professor für Mineralogie und Bergbaukunde in Freiberg, einem führenden Vertreter des Neptunismus, zu dem Goethe sich als Anhänger Werners bekennt.

Herbst/Winter: Verstärkte Pflege der wissenschaftlichen Beziehungen zur Universität Jena. Mitwirkung am Ausbau und der Ordnung der naturkundlichen Sammlungen. Vorbereitende Arbeiten zur Anlage eines botanischen Gartens.

November/Dezember: Ausarbeitung der Schrift *Versuch, die Metamorphose der Pflanzen zu erklären*, in der Goethe erstmalig die Resultate seiner botanischen Studien darlegt. Abschluß im Januar 1790, erschienen Ostern 1790.

Studien und Versuche zur Metamorphose der Insekten.

1790   Januar: Beginn der Studien und Versuche zur Farbenlehre. Bei der Beobachtung der Spektralfarben stellt sich Goethe spontan eine von Newtons Theorie der Farbentstehung abweichende Auffassung ein. Einrichtung einer Dunkelkammer in Goethes Wohnung.

10. März – 20. Juni: Zweite Italienreise. Reisetagebuch mit eingehenden geologischen und botanischen Aufzeichnungen. Wiedererwachen von Goethes anatomisch-osteologischen Interessen bei dem Fund eines Schafschädels am Lido; Bestätigung der früher entwickelten Auffassung, daß die Schädelknochen der Wirbeltiere aus Metamorphose der Wirbelknochen zu erklären seien.

Nach der Rückkehr nach Weimar Beschäftigung mit vergleichender Anatomie. Entwurf eines Schemas. Ausarbeitung der Abhandlung *Versuch über die Gestalt der Tiere*.

1791   Anhaltende Beschäftigung mit der Farbphysik, zunächst besonders den prismatischen Farberscheinungen, deren Resultate Goethe in den *Beiträgen zur Optik* darlegt.

Beginn der bis 1810 fortgesetzten Studien und Materialsammlungen zur Geschichte der Farbenlehre.

4. November: Vortrag Goethes über das Farbenprisma in der Freitagsgesellschaft.

1792   28. April: Aufsatz *Der Versuch als Vermittler von Objekt und Subjekt* (Datum der Handschrift).

2. Mai: Aufzeichnungen über Farbversuche mit Leuchtsteinen.

25. Juni: Vollendung der Abhandlung *Von den farbigen Schatten* (geplant als 3. Stück der *Beiträge zur Optik*, jedoch nicht veröffentlicht).

Fortsetzung der Beschäftigung mit den Problemen der Farberscheinungen auch in Briefwechsel der folgenden Jahre, u. a. mit Lichtenberg, Sömmering, Jacobi, Dalberg, A. v. Humboldt.

26. Juni: Studium der Schriften Newtons.

8. August – Mitte Dezember: Teilnahme am Feldzug in Frankreich. Während des Feldzugs Studium von Farbphänomenen. Beobachtung prismatischer Farberscheinungen in einem wassergefüllten Erdtrichter (Aufsatz *Im Wasser Flamme* und *Zur Farbenlehre*, Abschn. XIV). Aufzeichnungen von Skizzen und Plänen für optische Versuche. *Beiträge zur Optik*, 2. Stück.

1793   Beginn der kritischen Auseinandersetzung mit Newton in mehreren Abhandlungen, Entwürfen und Versuchen zur Farbenlehre.

Juni – August: Niederschrift von *Betrachtungen über die Farben, geschrieben vor Mainz* sowie von Notizen, Entwürfen, Materialien zur Farbenlehre.

15. Juli: Goethe formuliert in Grundzügen den Unterschied seiner Farbentheorie zu der Newtons *(Resultate meiner Erfahrungen)*.

21. Juli: Aufsatz *Einige allgemeine chromatische Sätze*.

4. – 7. Oktober: Chemische Farbversuche.

1794   Fortsetzung der polemischen Stellungnahme gegen Newton

und seine Anhänger. Aufzeichnung eigener Beobachtungs-
resultate. *(Grundversuche über Farbenerscheinungen bei der
Refraktion.)*

20. Februar: Goethe übernimmt die Verwaltung der neu-
gegründeten Botanischen Anstalt Jena gemeinsam mit Chr.
G. Voigt.

20. – 23. Juli: Goethe in Jena. Gespräch mit Schiller über
die Urpflanze, die Metamorphosenlehre, das Verhältnis
von Idee und Erfahrung in der Naturerkenntnis.

30. August: Goethe sendet Schiller den Aufsatz *Inwiefern
die Idee: Schönheit sei Vollkommenheit mit Freiheit, auf
organische Naturen angewendet werden könne.*

1795   Januar: Abhandlung *Erster Entwurf einer allgemeinen Einleitung in die vergleichende Anatomie, ausgehend von der
Osteologie.*

März: Briefliche Fortsetzung des Gedankenaustausches über
Gegenstände der Anatomie (Briefwechsel mit W. und A. v.
Humboldt 1795–1832). Im Zusammenhang mit diesen Studien Entstehung mehrerer Aufsätze über einzelne Gegenstände der Knochenlehre.

1. Juli – 11. August: Reise nach Karlsbad. Aufzeichnung
geologischer Beobachtungen.

August: Beschäftigung mit den physiologischen Farberscheinungen.

25. November: Im Zusammenhang mit den Arbeiten zur
Farbenlehre betont Goethe gegen Schiller wachsendes Inter-
esse an den philosophischen Auseinandersetzungen der
Epoche.

1796   Juni: Beginn monatelang durchgeführter Versuche zum
Wachstum der Pflanzen unter verschiedenen Lichtverhält-
nissen. Gleichzeitig, bis Ende des Jahres, Beschäftigung mit
der Metamorphose der Insekten.

6. August: Aufsatz *Beobachtungen über die Entwicklung der
Flügel des Schmetterlings Phalaena grossularia.*

Oktober – Dezember: Anatomische Studien an Fischen und
Vögeln.

Dezember: Arbeit an der *Farbenlehre.*

1797   Januar – März: Arbeit an der *Farbenlehre.* Anhaltende Beschäftigung mit der Metamorphose der Insekten.

7. Februar: Diktat der Studie *Betrachtung organischer
Naturen.*

20. Februar – 31. März: In Jena. Naturwissenschaftliche Studien.

Mai: Anatomische Studien an Insekten und Weichtieren.

30. Juli – Ende November: Dritte Reise in die Schweiz. Während aller Fahrtstrecken ausführliche Einträge und Beschreibungen im Tagebuch, u. a. über Geologie und Mineralogie.

1798   Januar – Februar: Intensive Beschäftigung mit der *Farbenlehre*. Arbeit an einem Gesamtschema. In diesem Zusammenhang briefliche Diskussion mit Schiller über Goethes naturwissenschaftliche Erkenntnismethode im Hinblick auf Goethes Aufsätze *Der Versuch als Vermittler von Objekt und Subjekt* und *Erfahrung und Wissenschaft*, den Goethe am 15. Januar abfaßt.

26. – 28. März: Aufsatz *Betrachtungen über eine Sammlung kranken Elfenbeins*.

5./6. Mai: Magnetische Versuche, die Goethe in den Sommermonaten fortsetzt. Aufstellung eines Schemas der magnetischen Phänomene (19. Juni). Aufsatz über die physischen Wirkungen in diesem Bereich (31. Juli).

17./18. Juni: Entstehung der Elegie *Die Metamorphose der Pflanzen* im Zusammenhang mit Gedanken über die Möglichkeit dichterischer Darstellung der Naturlehre.

19. – 21. Juni: Beschäftigung mit dem astronomischen System von Laplace.

12. – 15. November: Beschäftigung mit einer neuen Einleitung zur *Farbenlehre*. Diskussionen mit Schiller über die Methode der Darstellung.

1799   Januar/Februar: Erörterungen mit Schiller über den Zusammenhang von Temperamentenlehre und Farbenlehre. Schematische Darstellung in einer »Temperamentenrose«. Schemata zur Geschichte der Farbenlehre und zur Refraktion.

September/Oktober: Gespräche mit Schelling, u. a. über Elektrizität und Magnetismus.

November/Dezember: Wiederaufnahme der Farbenlehre.

26. Dezember – 9. Januar 1800: Studium von Newtons Optik.

1800   Endgültige Festlegung der Einteilung der Farbenlehre in einen didaktischen, polemischen und historischen Teil. Skizze zu einer *Geschichte der Arbeiten des Verfassers in diesem Fache.* Aufsatz *Bedenken* hinsichtlich der Methodik in der Farbenlehre.

1801 Februar: Optische Versuche mit J. W. Ritter.
Juni – September: Beschäftigung mit der *Farbenlehre.*

1802 August: Neue Beschäftigung mit vergleichender Anatomie und Knochenlehre.

1803 9. – 15. August: Tägliche Beschäftigung mit der Chemischen Farbenlehre.

1804 Juni. Neue Studien zur Geschichte der Farbenlehre. Ordnung und Studium einer mineralogischen Sammlung, die der Herzog für Jena ankauft.

1805 April – Mai: Studien zur Geschichte der Farbenlehre.
2. Oktober: Niederschrift von Gedanken über Polarität und Steigerung als Grundphänomene des Seins. Als Einleitung zu physikalischen Vorträgen verfaßt.
Beginn des Drucks der *Farbenlehre,* deren Manuskript Goethe abschnittweise an Cotta sendet und die ihn bis zu ihrem Erscheinen 1810 unablässig beschäftigt.

1806 Arbeit an der Farbenlehre, Vollendung des didaktischen Teils.
Januar/Februar: Beschäftigung mit Galvanismus.
Februar – Juni: Wöchentliche Vorträge über Farbphysik mit experimentellen Vorführungen.
29. Juni – 8. August: Karlsbad. Beschäftigung mit mineralogischen und geologischen Fragen.
Ende Oktober: Entstehung der Absicht, die morphologischen Studien gesammelt bei Cotta herauszugeben.
November/Dezember: Niederschrift erster Abschnitte einer Einleitung dazu.
Dezember: Tägliche Arbeit am Polemischen Teil der *Farbenlehre.*

1807 Januar – April: Fortlaufende Arbeit am Polemischen Teil der *Farbenlehre.*
April: Ausarbeitung eines Schemas für Vorträge über die *Bildung der Erde.*
19. – 23. Juli: Entwurf und Diktat des Aufsatzes *Sammlung zur Kenntnis der Gebirge von und um Karlsbad angezeigt und erläutert.*

1808 Februar/März: Arbeit am Polemischen Teil der *Farbenlehre.*
März/April: Häufige physikalische Versuche, besonders zur Farbphysik und zum Galvanismus.

Mai – September: Karlsbad. Fortsetzung der geologisch-mineralogischen Studien.

Juli – September: Fortlaufende Arbeit am Historischen Teil der *Farbenlehre*. Fortsetzung November/Dezember.

30. August – 11. September: Diktat des Aufsatzes über den *Kammerberg bei Eger*.

19. – 27. November: Studien über den Zusammenhang von Tonlehre und Mathematik mit Dr. Werneburg.

1809   Intensive Arbeiten zur Geschichte der Farbenlehre. Studium der Quellen.

1810   Weiterhin fast ununterbrochene Arbeit an der *Farbenlehre*. Erscheinen des Werks zur Ostermesse.

1812   Januar: Tägliche farbphysikalische Versuche, anknüpfend an Newton, mit Seebeck.

Januar – Mai und Oktober – Dezember: Galvanische und chemische Versuche mit Döbereiner.

21. April: Goethe übernimmt die Oberaufsicht über die neugegründete Sternwarte in Jena.

1813   13./14. April: Aufsatz *Die entoptischen Farben*.

1815   Januar – März: Studien über die entoptischen Farben.

21. – 24. Juli: Reise durch das Lahntal. Geologische Untersuchungen.

8./9. Dezember: Beginn der Beschäftigung mit der Wolkenlehre von Luke Howard. – Eine 1815 eingerichtete meteorologische Beobachtungsstation fördert Goethes langjähriges Interesse für dieses Gebiet.

1816   Februar – November: Angeregt durch Entdeckungen Seebecks, betreibt Goethe Studien und Versuche über die entoptischen Farben.

15. März – 30. April: Arbeit an einem Aufsatz darüber.

26. März: Aufsatz *Über Bildung von Edelsteinen*.

19. – 22. Juni: Wiederaufnahme der morphologischen Arbeiten. Durchsicht und Abschluß der 1806 begonnenen *Einleitung zur Morphologie*.

Juni/Juli: Neue Studien zur Gestalt, Mißbildung und Metamorphose der Pflanzen sowie zum Wesen der Pflanzenfarben.

Juni – September: Versuche mit vegetabilischen Farbextrakten.

4. – 8. Oktober: Neues Studium der Werke von Linné.

14. – 23. der sämtlichen Schriften, insbesondere der Generationstheorie, des Botanikers C. F. Wolff.

1817 In lockerer Folge läßt Goethe die Hefte *Zur Naturwissenschaft überhaupt, besonders zur Morphologie* erscheinen (1817–24; 2 Bände mit 6 Heften). Veröffentlichung von neuen naturwissenschaftlichen Arbeiten und Resultaten sowie von Aufsätzen zur Entwicklung von Goethes naturwissenschaftlichen Anschauungen und Methoden.

Januar – September. Häufige Beschäftigung mit dem Problem der entoptischen Farben. Zusammenfassung in der Skizze *Elemente der entoptischen Farben.*

1818 Beginn meteorologischer Aufzeichnungen. Beobachtung von Wolkenformen und atmosphärischen Farbphänomenen. Fortsetzung der Studien und Versuche im Bereich der entoptischen Farben.

18. September: Goethe erhält ein Ehrendiplom der Petersburger Mineralogischen Gesellschaft.

1819 November/Dezember: Ausgedehnte osteologische Studien.

1820 23. April – 31. Mai: Karlsbad. Tagebuchartige meteorologische Aufzeichnungen, aus denen der Aufsatz *Wolkengestalt nach Howard* hervorgeht. Intensive Beschäftigung mit den geologisch-mineralogischen Verhältnissen Böhmens. 2. Aufsatz über den *Kammerberg bei Eger.*

November/Dezember: Beschäftigung mit Nachträgen zur *Farbenlehre.* Neue Studien und Versuche über Galvanismus und Erdmagnetismus.

1821 26. Juli – 15. September: Marienbad und Eger. Geologische Exkursionen. Aufsätze über Marienbad und die Geologie Böhmens.

21. – 24. Oktober: Erweiterung des Gedicht-Zyklus *Howards Ehrengedächtnis* durch drei einleitende Strophen sowie die Gedichte *Atmosphäre* und *Wohl zu merken.*

1822 Beschäftigung mit Meteorologie und Howards Werken darüber.

6. April – 11. Mai: Entwurf und Ausarbeitung des Aufsatzes *Fossiler Stier.* Weitere eingehende Beschäftigung und Fortsetzung des Aufsatzes im Oktober/November 1825.

16. Juni – 29. August: Marienbad und Eger. Geologische und mineralogische Studien. Fortsetzung der chromatischen Studien und Versuche.

1823 17./18. Januar: Diktat des Aufsatzes *Herrn von Hoffs*

geologisches Werk, in dem Goethe eigene geologische Beobachtungen und Anschauungen vorlegt.

24. – 29. Januar: Aufsatz *Wiederholte Spiegelungen*.

April – Juli: Näheres Studium der Meteorologie.

13./14. April: Entwurf, 14. Dezember Diktat des Aufsatzes
Die Lepaden.

1824   12. – 18. Februar: Aufsatz *Die Externsteine*.

Juli: Rückgreifend auf ältere Aufzeichnungen, schreibt
Goethe osteologische Aufsätze, die er unter dem Titel *Vergleichende Knochenlehre* in *Zur Naturwissenschaft überhaupt*, Bd. 2, H. 2, veröffentlicht.

6. – 15. August: Diktat des Aufsatzes *Die Skelette der
Nagetiere, abgebildet und verglichen von d'Alton*.

1825   Januar: Beginn der Arbeit an der Abhandlung *Versuch
einer Witterungslehre*. Abschluß 16. Februar.

1826   24. März: Aufsatz über *Bryophyllum Calycinum*.

Oktober/November: Aufsätze *Naturphilosophie* und *Über
Mathematik und deren Mißbrauch*.

1828   25./26. August: Diktat des Aufsatzes *Bignonia radicans*.

1829   Mai – Juli: Entstehung des Aufsatzes *Analyse und Synthese*.

5. November: Diktat der Betrachtungen *Zur Geologie –
Eiszeit*.

1830/31   27. Juli: Beginn der Arbeit am Aufsatz *Principes de
Philosophie zoologique* mit Bezug auf den Pariser »Aka-
demiestreit« zwischen Geoffroy de St. Hilaire und Cuvier.

Im Bereich der Botanik richtet Goethe sein besonderes
Augenmerk auf die Lehre der Spiraltendenz im Pflanzen-
leben. Niederschrift von Bruchstücken und Materialien zu
einem Aufsatz.

Nachwort

In der Darlegung der Auswahlkriterien für den vorliegenden Band wurde darauf hingewiesen, daß sich die Bedeutung von Goethes naturwissenschaftlichem Schaffen nicht voll im Rahmen der Naturwissenschaft selbst erfassen ließe. Wenn es also richtig ist – wie Adolf Portmann meint –, »daß Goethe in [...] seinem naturwissenschaftlichen Wirken die Schranken der Naturforschung sprengt« und gerade darin die »Größe und die Grenze zugleich seines wissenschaftlichen Tuns« liegen (C.30; 292)[1], dann empfiehlt sich eine Hinführung zu Goethes naturwissenschaftlichen Arbeiten auf einer allgemeinen wissenschaftstheoretischen und -historischen Ebene. Wir versuchen uns ihm auf diesem Weg von der Seite seiner Feinde her zu nähern, wobei darunter nicht die Zunft der Naturwissenschaftler überhaupt verstanden werden darf, sondern vor allem die kausal-mechanistische, positivistische Richtung, die in der zweiten Hälfte des letzten Jahrhunderts ihren Höhepunkt erlebte, deren Prinzipien aber auch heute noch naturwissenschaftliches Denken mitbestimmen.

Im Jahre 1882 hielt ein prominenter Naturwissenschaftler eine Antrittsrede als Rektor der Universität Berlin mit dem Titel »Goethe und kein Ende«; er schloß sie mit der Feststellung, in Goethe »verschwindet [...] neben dem Dichter der Naturforscher«, und empfahl, »man sollte letzteren endlich ruhen lassen, anstatt ihn immer wieder der urteilslosen Menge übertrieben anzupreisen und die Gegenrede mehr kritisch Gestimmter herauszufordern« (C.1; 36). Was veranlaßte Emil Du Bois-Reymond, eine Koryphäe der Physiologie jener Tage, zu seinem Frontalangriff auf den Naturwissenschaftler Goethe? Warum konnte er nicht die Toten

---

1 Buchstabe und erste Zahl beziehen sich auf Abschnitt und Nummer in den Literaturhinweisen; eine zweite Zahl nach dem Strichpunkt bezeichnet die Seite.

ihre Toten begraben lassen, wenn doch – wie er sagt – Goethes Farbenlehre »die todtgeborene Spielerei eines autodidaktischen Dilettanten« war (C.1; 29)? Denn gerade in der Naturwissenschaft, welcher der Wahrheitsgehalt des Geschichtlichen abgeht, pflegen Irrlehren oder obsolet gewordene Erkenntnisse von selbst und rasch der Vergessenheit anheimzufallen. Was war es also, das Du Bois-Reymond an der Präsenz Goethes im wissenschaftlichen Raum störte, da doch dessen Arbeiten sich inzwischen als wenig relevant, wenn nicht gar erwiesenermaßen geradezu falsch herausgestellt hatten?

Es mag aufschlußreich sein, kurz zu verfolgen, aus welchem Geist heraus Goethes naturwissenschaftliche Schriften von Emil Du Bois-Reymond vindiziert wurden; Goethes eigene Methoden und Prinzipien treten dabei schärfer heraus: Man liest da etwa in den einleitenden Überlegungen zur universitätspolitischen Lage: »Der Student als solcher soll so wenig politisieren wie dozieren oder praktizieren. So gut es ihm steht, für das Vaterland zu glühen, für welches zu sterben er berufen sein kann, den Parteiungen des Tages bleibe er fern« (C.1; 8). Über den *Faust*, dem er »tiefe psychologische Unwahrheit« attestiert, weiß Du Bois-Reymond zu sagen: »Wie prosaisch es klinge, es ist nicht minder wahr, daß Faust, statt an Hof zu gehen, ungedecktes Papiergeld auszugeben und zu den Müttern in die vierte Dimension zu steigen, besser getan hätte, Gretchen zu heiraten, sein Kind ehrlich zu machen und Elektrisiermaschine und Luftpumpe zu erfinden; wofür wir ihm denn anstelle des Magdeburger Bürgermeisters gebührenden Dank wissen würden« (C.1; 23). Und schließlich: »Vom Darwinismus, der durch die Urzeugung an die Kant-Laplacesche Theorie grenzt, von der Entstehung des Menschen aus dem Chaos durch das von Ewigkeit zu Ewigkeit mathematisch bestimmte Spiel der Atome, von dem eisigen Weltende – von diesen Bildern, welche unser Geschlecht so unfühlend ins Auge faßt, wie es sich an die Schrecknisse des Eisenbahnfahrens gewöhnte –

hätte Goethe sich schaudernd abgewandt« (C.1; 35). Diese drei Zitate scheinen wenig miteinander zu tun zu haben. Im ersten äußert sich bei erstem Hinsehen nicht mehr als der typische unpolitische deutsche Professor, der seine Studenten anweist, kopflos, aber gefühlvoll für den Staat, der sich Vaterland nennt, in den Tod zu gehen, und der solcherart das Prinzip der Arbeitsteilung und Kompetenzabgrenzung Urständ feiern läßt. Im zweiten erscheint der dumpfe Geist des Spießbürgers, dem eine *Faust*-Figur suspekt ist und der Entdecker- und Forscherdrang allenfalls dann begriffen, wenn Weg und Ziel wohl eingegrenzt sind und am Ende eine nützliche Maschine herausschaut. Es verschwistert sich dieser anti-faustische Drang leicht mit der Doktrin des »Ignorabimus«, durch welche Du Bois-Reymond berühmt wurde und worin er in völliger Verdrehung des sokratischen οἶδα μὲ οὐδὲν εἰδέναι die Grenzen des menschlichen Wissens nach vorn glaubte determinieren zu können. Im dritten Zitat schließlich äußert sich jene kühle Arroganz des reinen Rationalisten, der sich seiner Fähigkeit rühmt, emotionslos einer schreckerfüllten, unmenschlichen Welt gegenüberstehen zu können. Das Ganze macht den Eindruck einer gleichsam totalen Askese rationalistischer Geistlosigkeit. Vergessen wir auch nicht das Jahr dieser Rektoratsrede – 1882: Positivismus, Gründerjahre, Kulturkampf; es ist eine der dumpfesten Epochen deutschen Geisteslebens. Was hat dies alles aber mit Naturwissenschaft, was mit Goethe zu tun?

In solcher Geisteshaltung erscheinen Prinzipien des modernen naturwissenschaftlichen Denkens – zwar in grotesker Verzerrung, wie uns dünkt, aber gleichwohl naturwissenschaftliche Prinzipien, auf denen alle sich exakt nennenden Wissenschaften aufbauen.

1. Die Ab- und Aussonderung der rationalen Intelligenz vom Gesamtzusammenhang menschlicher Gemüts- und Geisteskräfte; formelhaft gesagt: die Entwicklung und Ausbildung der Fähigkeit, zu denken, ohne zu fühlen, und damit auch zu fühlen, ohne zu denken – das letztere dem Studen-

ten empfohlen, der glühend fürs Vaterland sterben soll, das erstere gepriesenes Vermögen des Wissenschaftlers, der »unfühlend«, kühl bis ans Herz hinan, die Welt denkt, wie sie »ist«: Chaos, mathematisches Spiel der Atome, Überlebenskampf, Sieg des Stärkeren, eisiges Weltende. Dieses Prinzip der Aussonderung der rationalen Intelligenz und ihrer fortschreitenden Ausfächerung gilt sowohl auf Individual- wie auf sozialer Ebene, hier in der infinitesimalen Spezialisierung manifest.

2. Die Ab- und Aussonderung eines Naturgegenstandes aus dem Gesamtkomplex der Natur, bis er als isolierte Einzelerscheinung in reiner Einfachheit dasteht, durch die Systemrationalität der naturwissenschaftlich-mathematischen Logik erfaßbar und damit auch manipulierbar wird.

3. Die Ausschaltung der »natürlichen« Vermittlungsorgane zwischen Mensch und Natur, Subjekt und Objekt, und ihre Ersetzung durch künstliche Systeme. Die »natürlichen« Vermittlungsorgane, d. h. jene Werkzeuge, mit denen der Mensch als Subjekt den Kontakt zur Umwelt, zur Natur, kurz: zur Objektwelt, aufnimmt und sie wahrnimmt, sind a) die Sinnesorgane, b) die Sprache. Beiden ist eigen, daß sie komplex, diffus, untereinander rückgekoppelt und verschränkt, im Sinne der Naturwissenschaft ungenau und schwer isolier- und begrenzbar sind. Sinnesorgane und natürliche Sprache werden daher so weit als möglich ersetzt durch künstliche Apparaturen und durch künstliche Sprachsysteme, Metasprachen, wo die einzelnen semantischen Zeichen genau begrenzt – definiert – und präzise miteinander verknüpft sind.

Durch diese drei Operationen – die Verselbständigung der rationalen Intelligenz gegenüber dem Gesamtsubjekt Mensch, die Herauslösung des naturwissenschaftlichen Objekts aus der Natur und die Ausschaltung der Vermittlungsorgane Sinne und Sprache – wird eine im Prinzip vollständige Trennung des Menschen von der Natur, des Subjekts vom Objekt, erreicht; dies im Gegensatz zum vorwissen-

schaftlichen Denken, in dem Menschen- und Naturbereich
ineinandergreifen: Die vorwissenschaftliche, »natürliche«
Sprache macht die Betrachtung der Natur notwendig an-
thropologisch, die Erklärung der Natur erfolgt durch My-
thenbildung; die wissenschaftliche Sprache filtert alles An-
thropologische aus und folgt der Logik ihres eigenen, unab-
hängigen Systems; die Erklärung der Natur erfolgt durch
Gesetze. Umgekehrt verhält es sich mit dem andern Vermitt-
lungsorgan zwischen Mensch und Natur, den Sinnesorganen:
Wegen der Wahrnehmung der Natur durch die Sinne, die
als physisch-materielle Organe samt und sonders den Natur-
bedingungen unterworfen sind, ist die vorwissenschaftliche
Naturerkenntnis ohne Instrumente und Apparaturen notwendig naturhaft, »natürlich«. Demgegenüber ist die wissenschaftliche Beobachtung der Natur durch Instrumente
und Apparaturen darauf angelegt, die natürlichen Bedingtheiten des Beobachtungsorgans entweder auszuschalten oder
aber zu kontrollieren, so daß sie nicht mit den Bedingtheiten
des beobachteten Gegenstandes interferieren oder sich mit
ihnen vermischen. Die Methodik eines streng naturwissenschaftlichen Denkens zielt – mit andern Worten – darauf ab,
die Beobachtungsmittel zu *denaturieren* und die Bezeich-
nungsmittel zu *dehumanisieren*; ihr Ziel ist der Aufbau eines
in sich geschlossenen Systems, das von den Bedingungen des
non-rationalen menschlichen Geistes und jenen der Natur
losgelöst, kurz: das ein absolutes System ist. Die naturwissenschaftliche Welt im strengsten Sinne des Wortes ist daher
ein entmenschlichtes und denaturiertes System. Aus dieser
dem naturwissenschaftlichen Denken wesentlichen Eigen-
tümlichkeit erklärt sich das scheinbare Paradox, daß in der
heutigen, in ihrem Profil von den Naturwissenschaften ge-
prägten Welt die Natur vom Menschen weitgehend be-
herrscht, wenn nicht schon zerstört, andererseits aber das
menschliche Biotop ebenso weitgehend dehumanisiert ist.
Diesen in seinem Prinzip zerstörerischen Absolutheitsanspruch meinte wohl Theodor Litt, wenn er vom »wahrhaft

imperialistischen Eroberungsdrang« der rechnenden Naturwissenschaft sprach (C.29; 138), und desgleichen Adolf Portmann, wenn er sagt: »Nicht die zurückhaltende Forschungsweise Goethes, sondern eine aggressivere Naturforschung hat das Gesicht der späteren und unsrer eigenen Zeit bestimmt« (C.30; 284).

Damit, so scheint mir, sind wir dem Geist von Du Bois-Reymonds Rede nähergekommen: Es ist naturwissenschaftlich-positivistisches Denken par excellence, das in seinem Absolutheitsanspruch schon von wissenschaftlichem in ideologisches Denken umgeschlagen ist, denn es wird nicht mehr nur auf dem der Wissenschaft eigenen Gebiet praktiziert, sondern ebenso im Bereich des Sozialen und Weltanschaulichen schlechthin. Und nun können wir auch genauer bestimmen, warum sich Du Bois-Reymond derart vehement gegen Goethe wendet und dessen naturwissenschaftliches Wirken möglichst rasch vergessen haben möchte: Goethes Naturwissenschaftsbegriff geht nämlich in allen drei Punkten von entgegengesetzten Prinzipien aus:

1. In Goethe lassen sich der Dichter und Naturwissenschaftler nicht trennen. Dies darf jedoch nicht so verstanden werden, daß die dichterische Einbildungskraft dem Naturwissenschaftler gleichsam in die Quere komme und ihn dominiere oder – wie Helmholtz formuliert – daß Goethe »sich der Natur wie einem Kunstwerke gegenüberstelle« (C.3; 18); vielmehr sieht Goethe Dichtung und Naturwissenschaft unter einer höhern Einheit und will sein eigenes Schaffen auch in diesem Sinne verstanden wissen: »[...] nirgends wollte man zugeben, daß Wissenschaft und Poesie vereinbar seien. Man vergaß, daß Wissenschaft sich aus Poesie entwickelt habe, man bedachte nicht, daß, nach einem Umschwung von Zeiten, beide sich wieder freundlich, zu beiderseitigem Vorteil, auf höherer Stelle, gar wohl wieder begegnen könnten« (*Zur Naturwissenschaft überhaupt*, Bd. 1, H. 1, 1817). Zeitlebens litt Goethe darunter, daß man ihn als Dichter kannte und anerkannte, jedoch nicht als Naturwissenschaft-

ler, ja daß man ihm seinen diesbezüglichen Ehrgeiz mehr als
künstlerische Marotte nachsah. Dazu meint allerdings Ernst
Cassirer: »Es ist ein bequemes, oft angewandtes Auskunfts-
mittel, den Streit zwischen Goethe und der Naturwissenschaft dadurch zu entscheiden, daß man die Leistung Goethes als eine solche der dichterischen Phantasie ansieht und
sie damit zugleich anerkannt und – abgetan zu haben glaubt.
Der exakten Wissenschaft wird dabei der Vorrang der Ob-
jektivität und der ›Wahrheit‹ zugestanden: aber zugleich
tritt man für das Recht des Künstlers ein, die Welt nicht nur
im Begriffe zu erfassen, sondern sie zugleich mit dem subjektiven Gefühl zu durchdringen und sie aus diesem Gefühl
heraus umzubilden. In Wahrheit bleibt jedoch eine solche
Lösung des Konflikts durchaus an der Oberfläche der Frage
haften: denn sie setzt eine Ansicht der künstlerischen Phantasie voraus, die Goethe völlig fernliegt, ja die durch ihn im
eigentlichsten Sinne überwunden wird. Dem ›Imaginativen‹,
wie es hier verstanden und wie es der Betrachtung des Wirklichen gegenübergestellt wird, hat Goethe schon als Dichter,
geschweige denn als Forscher widerstrebt. Er spricht es freilich aus, daß ohne Einbildungskraft kein wahrhaft großer
Naturforscher gedacht werden kann; aber es war eine ›exakte sinnliche Phantasie‹, es war eine ›Phantasie für die
Wirklichkeit des Realen‹, die er dabei im Auge hatte und die
er für sich selbst in Anspruch nahm. So erschien es ihm immer und überall als der Grundfehler jeder Naturansicht –
mochte sie ihm in der Kunst oder in der Wissenschaft ent-
gegentreten –, wenn sie versuchte, Elemente, die in der
Wirklichkeit himmelweit entfernt sind, ›in düsterer Phantasie und witziger Mystik‹ zu verknüpfen – wenn sie sich von
der Regel und Leitung des Gegenständlichen löste und sich
irgendeiner subjektiven ›Manier‹ der Betrachtung überließ«
(C.7; 56 f.).
Goethe ist Naturwissenschaftler und Dichter zugleich, nicht
weil seine dichterische Phantasie auch im Gebiet der Wissenschaft tätig war, sondern weil er jene für die Entwicklung

der modernen positivistischen Wissenschaft so entscheidende
Aussonderung und Isolierung der rationalen Intelligenz vom
Gesamt der Geisteskräfte und die Ausbildung zu einer rein
operationalen Vernunft nicht mitvollzog. Er ist es deshalb,
weil bei ihm abstraktes Denken immer wieder auf das
Ganze des Lebens rückbezogen wurde. Er selbst spricht dies
anläßlich der Erörterung des Nutzens von Theorien und
Hypothesen aus: »Sei auch eine solche Theorie, eine solche
Hypothese nur eine Dichtung, so gewährt sie schon Nutzen
genug; sie lehrt uns, einzelne Dinge in Verbindung, entfernte
Dinge in einer Nachbarschaft zu sehen, und es werden die
Lücken einer Erkenntnis nicht eher sichtbar als eben dadurch.
Es finden sich gewisse Verhältnisse, die sich aus ihnen nicht
erklären lassen. Eben dadurch wird man aufmerksam gemacht, gehet diesen Punkten nach, die eben deswegen die
interessantesten sind, weil sie auf ganz neue Seiten führen,
und was mehr ist als alles, eine Hypothese erhebt die Seele
und gibt ihr die Elastizität wieder, welche ihr einzelne zerstückte Erfahrungen gleichsam rauben. Sie sind in der Naturlehre, was in der Moral der Glaube an einen Gott, in
allem die Unsterblichkeit der Seele ist. Diese erhabenen
Empfindungen verbinden in sich alles, was übrigens gut in
dem Menschen ist, heben ihn über sich selbst weg und führen
ihn weiter, als er ohne sie gekommen wäre« (in der vorliegenden Ausgabe S. 218 f.). Der Widerstreit Goethes gegen
die exakten Wissenschaften, Physik, Mathematik, beruhte
auf seiner Weigerung einer Trennung von *Erkennen* und
Leben, die »er aus dem Grunde seines Einheitsgefühls beständig bekämpft hatte und [die] er überwunden zu haben
glaubte. [...] So antwortete er denn auf die Forderungen,
die von hier aus an ihn gestellt wurden, zunächst mit einer
heftigen subjektiven Abwehr seiner gesamten Persönlichkeit.
Er flüchtete sich vor der Mathematik in jenes höhere Gebiet,
das ›allen angehört‹ und in das sie mit all ihrer Exaktheit
nicht hinaufreicht: in die Region von ›Idee und Liebe‹. Es
ist bezeichnenderweise dieses allgemeine geistig-ethische Mo-

tiv, das er ihr in erster Linie entgegensetzt. ›Die Mathematik
vermag kein Vorurteil wegzuheben, sie kann den Eigensinn
nicht hindern, den Parteigeist nicht beschwichtigen, nichts
von allem Sittlichen vermag sie.‹ *(Maximen und Reflexionen)*« (C.7; 29 f.). So begründet sich denn auch die Eigen-
tümlichkeit Goethes, der Geschichte seiner naturwissenschaftlichen Studien, ihrer Stellung in der Gesamtentwick-
lung seines Lebens, so breiten Platz einzuräumen und auch
die wissenschaftlichen Erkenntnisse anderer im Zusammenhang ihres Gesamtlebens sehen zu wollen. Etwa sein Interesse an der Biographie Luke Howards, des englischen Meteorologen: »Indes bei wachsender Überzeugung, daß alles,
was durch Menschen geschieht, in ethischem Sinne betrachtet
werden müsse, der sittliche Wert jedoch nur aus dem Lebensgange zu beurteilen sei, ersuchte ich einen stets tätigen gefälligen Freund, Herrn *Hüttner* in London, mir, wo möglich,
und wären es auch nur die einfachsten Linien, von Howards
Lebenswege zu verschaffen, damit ich erkennte, wie ein solcher Geist sich ausbildet, welche Gelegenheit, welche Umstände ihn auf Pfade geführt, die Natur natürlich anzuschauen, sich ihr zu ergeben, ihre Gesetze zu erkennen und
ihr solche naturmenschlich wieder vorzuschreiben« (S. 227).
2. Der zweite Grundsatz, bezüglich dessen sich Goethe in
Widerspruch zur herrschenden Naturwissenschaft weiß, ist
jener der Objekt-Isolierung, der Aussonderung eines Unter-
suchungsgegenstandes aus dem natürlichen Zusammenhang
und seiner Vereinzelung: »Schon jetzt erklären die Meister
der Naturwissenschaften die Notwendigkeit monographischer Behandlung und also das Interesse an Einzelheiten.
Dies ist aber nicht denkbar ohne eine Methode, die das Interesse an der Gesamtheit offenbart. Hat man das erlangt,
so braucht man sich freilich nicht in Millionen Einzelheiten
umherzutasten« (S. 34). Und: »Um sich aus der grenzenlosen Vielfachheit, Zerstückelung und Verwicklung der modernen Naturlehre wieder ins Einfache zu retten, muß man
sich immer die Frage vorlegen: Wie würde sich Platon gegen

die Natur, wie sie uns jetzt in ihrer größeren Mannigfaltigkeit, bei aller gründlicher Einheit, erscheinen mag, benommen haben?« (*Maximen und Reflexionen*, Nr. 662; *Goethes Werke. Hamburger Ausgabe in 14 Bänden*, Bd. 12, Hamburg 1953, München ⁷1973.) Seinen eigenen methodischen Ansatz und dessen Begründung legt Goethe in *Der Versuch als Vermittler von Objekt und Subjekt* dar: »In der lebendigen Natur geschieht nichts, was nicht in einer Verbindung mit dem Ganzen stehe, und wenn uns die Erfahrungen nur isoliert *erscheinen*, wenn wir die Versuche nur als isolierte Fakta anzusehen haben, so wird dadurch nicht gesagt, daß sie isoliert *seien*, es ist nur die Frage: Wie finden wir die Verbindung dieser Phänomene, dieser Begebenheiten?

Wir haben oben gesehen, daß diejenigen am ersten dem Irrtume unterworfen waren, welche ein isoliertes Faktum mit ihrer Denk- und Urteilskraft unmittelbar zu verbinden suchten. Dagegen werden wir finden, daß diejenigen am meisten geleistet haben, welche nicht ablassen, alle Seiten und Modifikationen einer einzigen Erfahrung, eines einzigen Versuches nach aller Möglichkeit durchzuforschen und durchzuarbeiten. [...] Haben wir also einen solchen Versuch gefaßt, eine solche Erfahrung gemacht, so können wir nicht sorgfältig genug untersuchen, was *unmittelbar* an ihn grenzt, was *zunächst* auf ihn folgt. Dieses ist's, worauf wir mehr zu sehen haben als auf das, was sich auf ihn *bezieht*. Die *Vermannichfaltigung eines jeden einzelnen Versuches* ist also die eigentliche Pflicht eines Naturforschers. [...] Eine solche Erfahrung, die aus mehreren andern besteht, ist offenbar von einer *höhern Art*. Sie stellt die Formel vor, unter welcher unzählige einzelne Rechnungsexempel ausgedrückt werden. Auf solche Erfahrungen der höhern Art loszuarbeiten halt ich für höchste Pflicht des Naturforschers [...]« (S. 12 f.). Goethe verzichtet also nicht auf Einzelbeobachtung, Isolierung eines Gegenstandes durch eine spezifische Versuchsanordnung. Aber dies ist für ihn nur der erste, gleichsam präliminarische Schritt. In einem nächsten Schritt versucht er, das isolierte Phänomen und die daran gewonnene Teilerkenntnis alsogleich wieder in den Gesamtzusammenhang der Natur einzubauen und die Implikationen fürs Ganze zu erwägen. Seine Methode ist genetisch-morphologisch im Gegensatz zur kausal-mechanistischen der herrschenden Naturwissenschaft. Zentrale Leitbegriffe sind dabei: *Urphänomen,* d. h. die reinste Erscheinung einer höchsten Erfahrung, wie z. B. der Magnet als reinste Erscheinung der Erfahrung von *Polarität,* sodann die Begriffe von *Metamorphose* und *Steigerung* als Bezeichnungen für Veränderungen und Wandlungen innerhalb eines spatial-temporalen Kontinuums auf phylo- wie auf ontogenetischer Ebene bei gleichbleibendem, zugrunde liegendem Bauplan oder *Typus.* Mit dieser Methode und diesen Begriffen arbeitet Goethe vor allem auf den Gebieten der Botanik und Zoologie, doch gibt es selbst im Bereich der Geologie und Meteorologie vortastende Ansätze, die physikalisch-mechanistischen Erklärungsweisen durch genetisch-morphologische zu ersetzen oder wenigstens zu modifizieren. (Vgl. S. 210 ff. und 237 ff.)

3. Das dritte Prinzip, worin Goethes Weg sich von dem der modernen Naturwissenschaft trennt, betrifft die Vermittlungsorgane zwischen erkennendem Subjekt und zu erkennendem Objekt. Hier handelt es sich um die wohl bekannteste Differenz, die allerdings auch oft von Mißverständnissen begleitet ist. Goethe weigert sich beharrlich, Sinnesorgane und natürliche Sprache als Vermittlungsinstanzen zwischen Subjekt und Objekt zugunsten künstlicher Instrumente und Apparaturen und zugunsten eines künstlichen, logisch-semantischen Systems wie der Mathematik aufzugeben. Das Bekenntnis zu den Sinnesorganen finden wir etwa im *Vermächtnis* (vgl. S. 63):

>»Den Sinnen hast du dann zu trauen,
Kein Falsches lassen sie dich schauen,
Wenn dein Verstand dich wach erhält.

> Mit frischem Blick bemerke freudig,
> Und wandle sicher wie geschmeidig
> Durch Auen reichbegabter Welt.«

Und gegen künstliche Instrumente werden sie im folgenden Aphorismus ausgespielt: »Der Mensch an sich selbst, insofern er sich seiner gesunden Sinne bedient, ist der größte und genauste physikalische Apparat, den es geben kann; und das ist eben das größte Unheil der neuern Physik, daß man die Experimente gleichsam vom Menschen abgesondert hat und bloß in dem, was künstliche Instrumente zeigen, die Natur erkennen, ja was sie leisten kann, dadurch beschränken und beweisen will« (S. 42 f.). Goethes Beharren auf den Sinnen und sein Polemisieren gegen künstliche Versuchsanordnungen und den Gebrauch komplizierter Apparaturen aktualisierte sich vor allem in der *Farbenlehre* in seinem Kampf gegen Newton: »Der Newtonische Versuch, auf dem die herkömmliche Farbenlehre beruht, ist von der vielfachsten Komplikation, er verknüpft folgende Bedingungen.
Damit das Gespenst erscheine, ist nötig:

  Erstens – Ein gläsern Prisma;
  Zweitens – Dreiseitig;
  Drittens – Klein;
  Viertens – Ein Fensterladen;
  Fünftens – Eine Öffnung darin;
  Sechstens – Diese sehr klein;
  Siebentes – Sonnenbild, das hereinfällt;
  Achtens – Aus einer gewissen Entfernung;
  Neuntens – In einer gewissen Richtung aufs Prisma fällt;
  Zehntens – Sich auf einer Tafel abbildet;
  Eilftens – Die in einer gewissen Entfernung hinter das
    Prisma gestellt ist.

Nehme man von diesen Bedingungen drei, sechs und eilf weg, man mache die Öffnung groß, man nehme ein großes Prisma, man stelle die Tafel nah heran, und das beliebte

Spektrum kann und wird nicht zum Vorschein kommen«
(S. 37 f.).

Ebenso wie Goethe ein anderes als das Beobachtungs- und
Wahrnehmungssystem der Sinne ablehnt, will er auch von
einem logisch-semantischen Kunstsystem als Bezeichnungs-
und Darstellungssystem nichts wissen. Dabei gilt sein Kampf
durchaus nicht der Mathematik als solcher, wie oft angenommen wird; vielmehr äußert er gelegentlich, man könne
»die Mathematik als die höchste und sicherste Wissenschaft
ansprechen« (*Maximen und Reflexionen*, Nr. 636; *Hamburger Ausgabe*, Bd. 12); allerdings mit dem einschränkenden
Zusatz: »Aber wahr kann sie nichts machen, als was wahr
ist« (ebd.). Nur von der Mathematik als Darstellungsmittel
von Naturphänomenen will er nichts wissen: »Als getrennt
muß sich darstellen: Physik von Mathematik. Jene muß in
einer entschiedenen Unabhängigkeit bestehen und mit allen
liebenden, verehrenden, frommen Kräften in die Natur und
das heilige Leben derselben einzudringen suchen, ganz un-
bekümmert, was die Mathematik von ihrer Seite leistet und
tut. Diese muß sich dagegen unabhängig von allem Äußern
erklären, ihren eigenen großen Geistesgang gehen und sich
selber reiner ausbilden, als es geschehen kann, wenn sie wie
bisher sich mit dem Vorhandenen abgibt und diesem etwas
abzugewinnen oder anzupassen trachtet« (*Maximen und Reflexionen*, Nr. 644; *Hamburger Ausgabe*, Bd. 12).

Es wird immer wieder versucht, den Gegensatz zwischen
Goethe und den modernen Naturwissenschaften daraufhin
zuzuspitzen, daß Goethe als Dichter vor den reinen Begriffen, den Abstraktionen überhaupt zurückgeschreckt sei (C.3;
C.37) und daß daher auch seine Aversion gegen alles Mathematische rühre. Doch macht Cassirer darauf aufmerksam,
daß auch Goethe »von der sinnlichen Erfahrung zu einer Erfahrung höherer Art« strebe, daß auch er, »über das Einzelne und Besondere hinausgehend, auf eine ›Formel‹ für
die Naturerscheinungen« hinziele: »Aber der Unterschied
zwischen dieser Formel und der Formel des Mathematikers

liegt [...] klar zutage. Die mathematische Formel geht darauf aus, die Erscheinungen *berechenbar*, die Goethesche, sie
vollständig *sichtbar* zu machen. Alle Gegensätze zwischen
Goethe und der Mathematik erklären sich aus diesem *einen*
Punkte heraus. Denn es ist klar, daß das Ideal der vollendeten Sichtbarkeit und das der vollendeten Berechenbarkeit
verschiedene methodische Mittel verlangen und daß beide
die Phänomene gleichsam unter verschiedener Entfernung
und Perspektive betrachten müssen. Ein Instrument oder ein
analytisches Begriffsmittel, das die Berechenbarkeit erst herstellt und gewährleistet, kann die Bedingungen der ›Sichtbarkeit‹ – das Wort in seinem weitesten Sinne genommen –
aufheben und zerstören« (C.7; 72). Wir wollen diesen Gedanken Cassirers noch etwas weiterführen; die Sichtbarkeit
eines Gegenstandes ist ja nicht bloßes Akzidens, sondern in
seiner Sichtbarkeit, in seiner Erscheinung, offenbart sich ein
Gegenstand als ein uns gegenüberstehendes Sein, in ihr erscheint sein Wesen; es sei noch einmal an jene Schlüsselworte
aus *Die Natürliche Tochter* erinnert (V. 1066 f.):

> »Der Schein, was ist er, dem das Wesen fehlt?
> Das Wesen, wär' es, wenn es nicht erschiene?«

Diese innige Einheit von Sein und Erscheinung gilt nun auch
in der Wissenschaft: von der Morphologie sagt Goethe, sie
ruhe »auf der Überzeugung, daß alles, was sei, sich auch andeuten und zeigen müsse. Von den ersten physischen und
chemischen Elementen an bis zur geistigsten Äußerung des
Menschen lassen wir diesen Grundsatz gelten« (S. 45). Gilt
dieser Grundsatz derart allgemein, dann heißt dies aber
auch, daß die Aufhebung und Zerstörung der Sichtbarkeit
eine Zerstörung gegenständlichen Seins in sich schließt. Die
Mathematisierung der Naturwissenschaft und der Welt be-
deutet für Goethe einen Seinsverlust, und dies ist schon nicht
mehr eine methodische, sondern eine ethische Frage. Von
daher versteht sich, warum Goethe im Zusammenhang mit

Problemen der Mathematik und Naturwissenschaft so rasch, abrupt und vehement ethische Grundsätze ins Feld führt. Man muß den fast physischen Schmerz nachfühlen können, den er empfindet, wenn reines Licht durch derart viele künstliche Vorkehrungen »gezwängt« wird, wie er es oben (S. 37 f.) beschreibt: »Die Natur verstummt auf der Folter; ihre treue Antwort auf redliche Fragen ist: Ja! ja! Nein! nein! Alles übrige ist von Übel« (*Maximen und Reflexionen*, Nr. 498; *Hamburger Ausgabe*, Bd. 12).

Damit sind wir beim innersten Kern des Gegensatzes zwischen dem Denken Goethes und jenem naturwissenschaftlichen Denken angelangt, das eingangs mit Du Bois-Reymond skizziert wurde. Dieses Denken sei in seinen methodischen Prinzipien von einem Absolutheitsanspruch geleitet, der das erkennende Subjekt vom Objekt vollständig trenne und die Erkenntnis dehumanisiere und denaturiere; ein Vorgang, den wir nun – von Goethe herkommend – ganz allgemein als Seinsverlust schlechthin bezeichnen können. Goethes naturwissenschaftliche Methode dahingegen ist auf ein Erkennen ausgerichtet, das Subjekt und Objekt in einer höhern Einheit verbindet. »Alles, was wir Erfinden, Entdecken im höheren Sinne nennen, ist die bedeutende Ausübung, Betätigung eines originellen Wahrheitsgefühles, das, im stillen längst ausgebildet, unversehens mit Blitzesschnelle zu einer fruchtbaren Erkenntnis führt. Es ist eine aus dem Innern am Äußern sich entwickelnde Offenbarung, die dem Menschen seine Gottähnlichkeit vorahnen läßt. Es ist eine Synthese von Welt und Geist, welche von der ewigen Harmonie des Daseins die seligste Versicherung gibt« (S. 33 f.). Modernen Ohren klingt solches Vertrauen in die Einheit von Welt und Geist und das Erfassen der Einheit durch Intuition schon mystisch, unwissenschaftlich. Goethe selbst ist jedoch überzeugt, sich noch im Bereich empirischer Erfahrung zu bewegen: »Es gibt eine zarte Empirie, die sich mit dem Gegenstand innigst identisch macht und dadurch zur eigentlichen Theorie wird. Diese Steigerung des geistigen Vermögens aber

gehört einer hochgebildeten Zeit an« (S. 43). *Zarte Empirie,
innigste Identität, Intuition, Theorie*; die Begriffe ›Theorie‹
und ›Intuition‹ weisen uns zu jenem Organ, mit dem hier
die Einheit mit der Welt hergestellt wird: θεωρία, in-tueri
– Schau, Betrachtung, Ein-sicht –, es ist der Gesichtsinn, das
Auge, das sich in die Gegenstände *vertieft*, der Blick, der
sich in sie versenkt und sie doch ungestört in ihrem Sein be-
läßt. Goethes, des Augenmenschen, methodisches Verfahren
ist Anschauung, sein Denken ein »anschauliches Denken«
(vgl. S. 265). Als Johann Ch. F. A. Heinroth, Professor der
Psychiatrie, Goethes Verfahren als »gegenständliches Denken« bezeichnete, bezeugte sich dieser über das »geistreiche
Wort« höchst erfreut: »Er [Heinroth] bezeichnet meine Verfahrungsart als eine eigentümliche: daß nämlich mein Denk-
vermögen *gegenständlich* tätig sei, womit er aussprechen
will: daß mein Denken sich von den Gegenständen nicht
sondere, daß die Elemente der Gegenstände, die Anschauungen in dasselbe eingehen und von ihm auf das innigste
durchdrungen werden, daß mein Anschauen selbst ein Denken, mein Denken ein Anschauen sei« (*Bedeutende Fördernis
durch ein einziges geistreiches Wort*, 1823). Gegenständliches
Denken ist nicht nur ein Denken, das im Gegenstand auf-
geht, indem der Gegenstand ins Denken eingeht – dialekti-
sches Denken mithin –, es ist auch der Gegensatz zu abstrak-
tem Denken, worin der Gegenstand als solcher aufgelöst und
durch »abgezogene« Begriffe und Kategorien ersetzt wird.
Goethe beschreibt sein Verfahren der Natur gegenüber er-
schöpfend in einem Satz, ja in einem Wort: »die Natur
natürlich anzuschauen, sich ihr zu ergeben, ihre Gesetze zu erkennen und ihr solche naturmenschlich wieder vorzuschreiben« (S. 227). Das Wort »naturmenschlich« frappiert uns
und regt zur Deutung an: es dürfte ein Hapaxlegomenon
sein und ist wohl kaum als Adjektivbildung zum Komposi-
tum ›Naturmensch‹ zu verstehen; vielmehr ist es die kühne
Bildung eines Oxymoron aus ›natürlich‹ und ›menschlich‹,
wodurch die synthetische Leistung, um die es Goethe in sei-

nem naturwissenschaftlichen Verfahren geht, sprachlich ausgedrückt werden soll.

Ob solches »naturmenschliches« Verfahren echtes naturwissenschaftliches Verfahren ist oder sein kann, ob das von ihm
geleitete naturwissenschaftliche Schaffen noch eine andere
als bloß historisch-biographische Bedeutung haben kann, ist
festzustellen nicht an uns. Das Schlußwort sei einem Naturwissenschaftler überlassen: »Aber gerade die Forscher, welche um eine produktive Eingliederung der heutigen Naturforschung in eine neue, noch zu schaffende Gesellschaftsord-
nung ringen, gerade sie werden die Haltung Goethes in tiefer Ergriffenheit in ihrem wahren Wert erkennen, eine Haltung, die, vom zentralen Motiv der Ehrfurcht geleitet, die
Entsagung, den Verzicht auf den zerstörenden Eingriff
durchführt. Sie verwirklicht, sie predigt nicht bloß eine Art
von Gewaltlosigkeit in der Naturforschung, der niemand
Größe absprechen, niemand die innerste Hochachtung ver-
sagen kann. Die extreme Konsequenz, mit der Goethe diese
Haltung bewahrt hat, wird vielleicht nicht immer genügend
beachtet und ist doch eine der großen Konstanten in diesem
an Wandlungen so reichen, langen Geistesleben« (C.30; 284).
Das innerste Motiv von Goethes Zurückhaltung ist »ein tie-
fes Wissen um die Gefährdung der Ordnung« (C.30; 285).

Inhalt

Johann Wolfgang Goethe

IN RECLAMS UNIVERSAL-BIBLIOTHEK

Texte

Kommentare, Erläuterungen und
Dokumente, Biographie

Philipp Reclam jun. Stuttgart